dtv

Charlotte Pacou, genannt Charlie, hat das ehemalige Büro eines Privatdetektivs in Berlin gemietet, ohne jede Absicht, sich in diesem Metier zu versuchen. Doch als es plötzlich an der Tür klopft und Daniel Baum vor ihr steht, nimmt sie unvermittelt seinen Auftrag an, nach dem verschwundenen Gemälde ›Louise im blauweiß gestreiften Leibchen‹ zu suchen. Jonas Jabal, von dem dieses Porträt stammt, hat 1959 in Ostberlin Selbstmord begangen, als junger Mann am Beginn einer vielversprechenden Künstlerkarriere. Charlie begreift schnell, dass sie ihren Auftrag nur erfüllen kann, wenn sie versteht, was damals geschehen ist. War Louise, das schöne, reiche Mädchen aus dem Westen, der Grund, weshalb Jonas nicht mehr leben wollte?

»Nolte verklammert leichthändig Berlin heute und das Berlin des Jahres 1959, eine alte und eine neue Liebesgeschichte, Kunst und Krimi auf elegante Weise.« (Elmar Krekeler in der ›Welt‹)
»Ein erstklassiger Unterhaltungsroman.« (Rainer Schmitz im ›Focus‹)

Mathias Nolte, geboren 1952 in Reinbek, arbeitete nach einer Lehre als Verlagsbuchhändler als Journalist und lebt heute als freier Autor in Berlin und München. Sein 2007 erschienener Roman ›Roula Rouge‹ wurde für den Deutschen Buchpreis nominiert.

Mathias Nolte

Louise im blauweiß gestreiften Leibchen

Roman

Deutscher Taschenbuch Verlag

Ausführliche Informationen über
unsere Autoren und Bücher
finden Sie auf unserer Website
www.dtv.de

Ungekürzte Ausgabe 2011
2. Auflage 2012
Deutscher Taschenbuch Verlag GmbH & Co. KG,
München
Lizenzausgabe mit Genehmigung
des Paul Zsolnay Verlags
© 2009 Deuticke im Paul Zsolnay Verlag, Wien
Umschlagkonzept: Balk & Brumshagen
Umschlaggestaltung: Wildes Blut,
Atelier für Gestaltung, Stephanie Weischer
unter Verwendung eines Fotos von plainpicture/Arcangel
Gesamtherstellung: Druckerei C. H. Beck, Nördlingen
Gedruckt auf säurefreiem, chlorfrei gebleichtem Papier
Printed in Germany · ISBN 978-3-423-21320-2

Für meine Eltern

»Manchmal muss man einfach was riskieren.«

Lino Ventura in *Ein Glückliches Jahr*
von Claude Lelouch, 1973

Teil Eins

Eins

Sie hörte das Klopfen an der Tür nicht, das zaghafte nicht und auch nicht das kräftigere, das folgte.

Sie stand schon eine Weile lang am Fenster des Büros und blickte vom fünften Stock auf die Lietzenburger. Vor ihren Augen tobte ein Unwetter. Seit einer halben Stunde blitzte und donnerte es in immer kürzeren Intervallen und der Wolkenbruch, der mit dem Gewitter einherging, war so gewaltig, dass Gullys überfluteten, Wasser stand Zentimeter hoch auf dem Asphalt und die wenigen Autos, die sie wahrnahm, schlichen mit aufgeblendeten Scheinwerfern wie verängstigte Katzen in beide Richtungen der Straße.

Es war Charlies dritter Tag in dem Büro. Friedrich K. Adam hatte sich nach zweiundvierzig Jahren harter Arbeit in den Ruhestand verabschiedet, Charlie hatte den Mietvertrag des Alten übernommen und ihm ein paar Möbel abgekauft – die beiden Rollschränke, auf denen noch der Staub der Zeit lag, den antiken Schreibtischsessel aus Mahagoni und den hässlichen Eichenschreibtisch, an dem sie in den nächsten Monaten die traurige Geschichte des Dichters Philipp Bach zu Papier bringen wollte. Bach war im Sommer 2006 unter nicht ganz aufgeklärten Umständen an der Glienicker Brücke leblos aus der Havel gefischt worden.

Es klopfte ein zweites Mal. Charlie wandte sich vom Fenster ab und sah auf die Tür, sah, wie der Knauf sich langsam nach links drehte und die Tür sich öffnete. Im Rahmen stand ein großer Mann Ende vierzig. Er trug Budapester Schuhe, einen Kamelhaarmantel, dessen Schultern der Regen dunkel verfärbt hatte, und einen braunen Hut mit breiter Krempe. Er sah aus wie ein reicher Unternehmer in den deutschen Filmen der fünfziger oder sechziger Jahre. Nur dick war er nicht, vielmehr schlank. In der linken Hand hielt er einen übergroßen Regenschirm, zwischen Oberarm und Brustkorb klemmte eine weiße Plastiktüte. Er blickte in Charlies erstauntes Gesicht, dann zeigte er mit der rechten Hand auf das Messingschild an der Tür, auf dem erhaben, in schwarzen Buchstaben, die Worte *Detektei Adam* zu lesen waren.

Ohne sich vorzustellen und ohne ein Wort der Begrüßung sagte er: »Gibt's ihn nicht mehr, den alten Adam? Ist er tot?«

Charlie ging zwei Schritte vor zum Schreibtisch, auf dem aufgeschlagen neben ihrem Rechner die grüne Mappe mit den Notizen über Philipp Bach lag. Wie ertappt schloss sie die Mappe. Ihr Blick fiel kurz auf das weiße Etikett, das sie selbst fein säuberlich mit einem Montblanc-Füller beschriftet hatte. In der Hauptzeile führte es den Namen des Dichters, die Unterzeile des Aufklebers lautete: *Was soll eigentlich aus Mitteleuropa werden, wenn ich eines Tages tot bin?*

»Nein, Herr Adam ist nicht tot. Wieso?«

»Ich habe ein paar Mal versucht, ihn ans Telefon zu kriegen, vergeblich. Er hat mir bei zwei Gelegenheiten sehr geholfen. Sind Sie seine Tochter?«

Charlie schüttelte den Kopf und anstatt zu sagen: *Guter Mann, mach dich vom Acker, mit Adam und seinem Schnüffler-Business habe ich nichts zu tun!* sagte sie: »Herr Adam ist in den Ruhestand gegangen, er lebt in Florida. Kann ich Ihnen vielleicht helfen?«

Die Worte purzelten, ohne dass sie nachdachte, aus ihrem Mund. Sie wusste nicht, warum. War es die Angst nach langer Pause wieder zu schreiben? Oder war es vielleicht einfach nur

Neugier? Wenn ein Mann in einem Kamelhaarmantel und in teuren Schuhen sich bei dem Sauwetter auf die Straße traute, dann musste es einen triftigen Grund dafür geben, zumindest ein Geheimnis, das unbedingt aufgeklärt werden wollte. Warum sonst suchte man einen Schnüffler auf?

Der Mann stellte den Regenschirm neben einen der beiden Rollschränke aufs graue Linoleum, dann nahm er den Hut ab und stülpte ihn über den Griff des Schirms. »Sind Sie Adams Nachfolgerin?«, fragte er, während er die noch nasse Plastiktüte auf dem Schreibtisch ablegte.

Charlie antwortete nicht. Draußen donnerte es, Hagelkörner trommelten mit solcher Gewalt gegen die Fensterscheibe, dass man fürchten musste, sie gehe zu Bruch. Das Büro lag jetzt fast im Dunkeln. Erst in diesem Augenblick reichte der Mann Charlie die Hand zur Begrüßung. »Dan... Daniel Baum«, sagte er. Seine Stimme klang forsch, so als sei sie gewohnt Anordnungen zu geben. »Und mit wem hab ich die Ehre?«

»Charlotte Pacou«, antwortete Charlie.

»Pacou ... Pacou ...«, wiederholte Baum langsam. In seinem Kopf arbeitete es. »Wir hatten doch einmal einen französischen Botschafter hier, Pacou ... René, glaub ich, hieß er. Ja, richtig, René Pacou.«

»Hat nichts mit mir zu tun. Ich bin Berlinerin, waschechte.« Charlie log. Sie war keine Berlinerin. Sie knipste die Schreibtischlampe an und fragte sich, ob sie das absurde Spiel nicht beenden und dem ungebetenen Besucher die Wahrheit sagen sollte.

»Sind Sie so gut wie Adam?«, fragte Baum, während er die weiße Plastiktüte öffnete und ein Buch herauszog, einen Kunstkatalog.

Charlie hob leicht die Schultern und ließ sie wieder fallen. Was wusste sie, wie gut sie war? Seit sie sich vor zwei Monaten nach sechs langen Jahren von Nick Seeberg getrennt hatte, wusste sie nichts mehr. Nichts. Schon gar nicht von sich selbst. Außer, dass sie kaputtgegangen wäre, wenn sie ihn nicht verlassen hätte.

Sie deutete auf den Bistrostuhl, den sie aus ihrem Apartment mitgebracht hatte, und setzte sich in den Mahagonisessel. Daniel Baum nahm auf dem Stuhl Platz. Sein rotbraunes Haar hatte er mit Gel zurückgekämmt, sein Gesicht war leicht gebräunt. Das Aussehen passte zum Outfit, zum Hut, zum Kamelhaarmantel, zu den teuren Schuhen.

»Ich wollte Adam bitten, eine Frau für mich zu suchen«, sagte er.

Eifersucht, dachte Charlie. Same old story. Mittelalterlichem, reichem Mann läuft junge Geliebte weg. Mann will wissen, was sie treibt, um sie dann zum Teufel zu schicken. Wie einfach doch alles war. Und wie trostlos Adams Berufsleben gewesen sein musste. Zu achtzig Prozent, oder noch mehr, hatte es von der Eifersucht gelebt. Einer liebte eben immer mehr. Und Adam sollte es dann richten, aus einem Verdacht sollte er Gewissheit machen. Warum auch immer …

»Eine Frau? Welche Frau?«, fragte Charlie.

Baum erhob sich vom Stuhl, nahm den Katalog vom Schreibtisch und schlug eine Seite auf, die mit einem hellgrünen Stickie markiert war. Er legte sie Charlie vor die Nase. Dann setzte er sich wieder, schlug die Beine übereinander und faltete die Hände auf den Knien. Er sah Charlie an, als wolle er sagen: *Jetzt bist du dran, Mädchen.*

Charlie zog die Schreibtischlampe näher ans Buch und kniff die Augen leicht zusammen. Vor ihr lag die nicht sehr professionell aufgenommene Farbfotografie eines Gemäldes, das Porträt einer jungen Frau. Es war zweisprachig untertitelt: *Louise im blauweiß gestreiften Leibchen* und *Louise en chemisette rayée bleu et blanc*, beiden Titeln folgte die Jahreszahl 1959. 1959 – das Bild war zehn Jahre älter als Charlie. Was sollte das? Sie blätterte in dem Katalog ein paar Seiten vor und zurück. Die anderen Fotos der Gemälde waren von besserer Qualität, schärfer und klar ausgeleuchtet.

»Ich verstehe nicht. Sie suchen diese Frau? Diese Louise?«

Baum schüttelte den Kopf, und zum ersten Mal glaubte Charlie, den Hauch eines Lächelns auf seinem Gesicht zu erkennen. »Nein, nicht die Frau, ich suche *Louise*. Das Gemälde will ich. Ich besitze fast alles von Jabal, jedenfalls fast alle Ölbilder.«

Charlie betrachtete das Cover des Katalogs. *Jonas Jabal – Tableaux et Dessins. Edition Cinquanteneuf.* Den Namen des Malers glaubte sie schon einmal gehört zu haben, sie konnte sich aber nicht erinnern, wo und wann. Auch das Gemälde auf dem Umschlag kam ihr bekannt vor. Verflucht, wo hatte sie das Bild schon einmal gesehen? Es zeigte einen jungen Mann, schlaksig und verträumt, sein kleiner Kopf klebte unschuldig auf dem langen Hals wie Schwefel auf einem Streichholz. Er hatte rotblonde Haare, die in alle Richtungen standen. Unter dem rechten Auge war eine Narbe zu erkennen. Er machte den Eindruck, als wisse er nicht, wo er hingehörte. Das Hemd, das er trug, sah aus wie ein kanadisches Holzfällerhemd, kariert und bunt. Charlie zeigte mit dem Finger auf das Bild und sah Baum an. »Auch das? Das gehört Ihnen auch?«, fragte sie.

»Auch das, ja. Auch das gehört mir.«

Eine Viertelstunde später saß Charlie wieder allein in ihrem Büro und googelte Jonas Jabal. Daniel Baum und sie hatten vereinbart, dass sie beide noch einmal über den Auftrag nachdachten. Charlie hatte gezögert, als Baum eine Antwort von ihr wollte, aber auch Baum selbst war sich nicht sicher, ob Charlie die richtige Person für eine solche Aufgabe war, er hatte keinen Zweifel daran gelassen, dass auch er Bedenkzeit brauchte. Den Katalog hatte er ihr geschenkt, ihr seine Visitenkarte gegeben und Charlies

Handynummer notiert. Falls einer der beiden den anderen nicht anruft und absagt, hatten sie sich für den nächsten Tag um neunzehn Uhr im Haus von Baum in Grunewald verabredet.

Als Charlie eine Stunde nach ihrem unerwarteten Besucher das Büro verließ, hatte sich das Unwetter verzogen, der Himmel war sternenklar und das Licht des Vollmonds spiegelte sich auf dem nassen Asphalt. Im Rinnstein lagen noch nicht getaute Hagelkörner. Es war kalt geworden. Doch Charlie spürte die Kälte nicht. Ihre Gedanken kreisten ausschließlich um Jonas Jabal, dessen Bilder sie nicht mehr losließen.

Von der Lietzenburger Straße ging sie Richtung Manzini. Zwar hatte sie sich einmal geschworen, das Café nicht mehr zu betreten, weil sie Nick Seeberg hier kennengelernt hatte, aber das war ihr jetzt gleichgültig. Sie hatte immer gern hier gesessen. Während ihres Studiums hatte sie ganze Nachmittage hier vertrödelt, in die Luft geguckt und geträumt. Jetzt verstand sie nicht mehr, warum sie den Ort gemieden hatte. Seeberg war an diesem Abend Lichtjahre von ihrem Gedankenkosmos entfernt, genauso Philipp Bach, ihr *Poète maudit*, dem sie doch eigentlich einen Lorbeerkranz flechten wollte, seit sie zwei Bücher des Mannes gelesen hatte.

Während sie Muscheln aß und ein Glas Weißwein trank, klebten ihre Augen auf *Louise im blauweiß gestreiften Leibchen*. Nichts anderes um sich herum nahm sie wahr.

Zwei

Und auch am nächsten Morgen, noch bevor sie die Augen öffnete, war das Gemälde wieder in ihrem Kopf. Sie sah Louise, ihre klaren, grünen Augen, ihre vollen Haare, die über die linke Schulter auf die Brust fielen. Sie sah ihre Arme, die übereinander geschlagen auf der gebogenen Rückenlehne eines Thonet-Stuhls lagen, sie sah einen chinesischen Paravent hinter Louise und meinte, einen feuerspeienden Drachen darauf zu erkennen.

Louise saß in der falschen Richtung auf dem Stuhl. Ihr Kinn ruhte leicht angewinkelt auf den Händen. Sie trug ein blauweiß gestreiftes Leibchen. Was Charlie ein wenig erstaunte, war die Nacktheit – außer dem Leibchen trug Louise nichts, ihre Beine waren leicht geöffnet und ihre Schamlippen zu erkennen. Gleichwohl wirkte das Bild unschuldig auf Charlie. Sie fragte sich, wie es professionell fotografiert aussehen mochte, oder als Original an einer großen, weißen Wand, klar ausgeleuchtet.

Warum waren alle anderen Bilder in dem Katalog von einem Profi fotografiert worden, nur dieses nicht?

Louise im blauweiß gestreiften Leibchen war ein ganz natürliches Bild, Charlie fand es sogar altmodisch, und sie nahm an, dass es schon zu jener Zeit altmodisch gewesen sein musste, in der es entstanden war. Es hatte nichts von Avantgarde, nichts von Wildheit oder gar Provokation. Das einzige, was Charlie aufschreckte, war der Mund des Mädchens, waren die Lippen, diese blutende, verschmierte Wunde. Charlie fand keine Erklärung dafür. Die Lippen passten einfach nicht zum Rest des Bildes. Sie fragte sich, ob Louise geschlagen worden war, oder ob sie sich vielleicht in der Wut mit dem Handrücken das Rot vom Mund wischen wollte und dabei alles noch schlimmer gemacht hatte.

Warum hatte Jonas Jabal aber gerade diesen Moment für immer und ewig auf die Leinwand gebannt? Und warum hatte er Louises Gesicht so emotionslos dargestellt? Louise sah den Betrachter gleichgültig an, weder Freude noch Trauer lag in ihrem Blick, nicht die Andeutung eines Lächelns oder die eines Leidens. Waren Jonas und Louise ein Paar gewesen?

Charlie stand auf. Es war kurz vor halb neun. Bevor sie ins Bad ging, warf sie einen Blick aus dem Fenster, blauer Himmel, kaum eine Wolke. Der Türke gegenüber wurde gerade mit einer Ladung Obst beliefert. Eine Frau in Wintermantel und Pelzmütze hielt einen Hund an der Leine, der unter einen Baum kackte. Nachdem er fertig war, las die Frau mit einem Plastikbeutel den Kot auf. Charlie war froh, dass sie in diese Gegend der Stadt gezogen war, obwohl Nick Seeberg ihr nach der Trennung eine seiner vielen Wohnungen in Friedenau angeboten hatte. *For nothin'*, hatte er gönnerhaft gesagt, *außer den Nebenkosten, natürlich*.

Dieses Arschloch. Wie hatte sie ihn nur sechs lange Jahre ertragen können?

Zum Apartment in der Mommsenstraße gehörten ein Zimmer, eine Kochnische und ein Bad. Mehr nicht. Aber mehr brauchte sie auch nicht. Das Büro in der Lietzenburger hatte sie gemietet, um sich selbst zu disziplinieren. Sie wollte sagen können: *Ich gehe zur Arbeit*. Wer zur Arbeit ging, verdiente Geld, und wer Geld verdiente, konnte seine Miete zahlen. Das Geld, das sie für das Büro zahlen musste, sollte sie zum Schreiben zwingen. Viel zu lange hatte sie nichts getan, außer schön zu sein für Seeberg und wie eine Rose zu duften.

Im Bad stellte sie das Radio an, wie immer, es war wie ein Reflex, seitdem sie vierzehn Jahre alt war. Jetzt war sie fast vierzig. Sie blickte in den Spiegel und sah ihr ungeschminktes Gesicht, sah kleine, unbedeutende Falten um die Augen und etwas kräftigere, die von den Nasenflügeln zu den Mundwinkeln verliefen, keine Ackerfurchen, nein, aber eben doch Falten. Sie legte die Kuppen der Zeigefinger auf die Wangenknochen und zog die Haut straff Richtung Norden. Dann, bevor sie eine Grimasse schnitt, gab sie sich mit der linken Hand eine leichte Ohrfeige und sagte: »Hör auf, Charlie. Sei nicht albern. Du siehst gut aus.«

Wie hatte sie wohl auf Daniel Baum gewirkt? Sie hatte Jeans getragen und den alten, grauen Cashmere-Pullover mit dem Brandloch am Ärmel. Keinen BH. An den Füßen Converse, die schwarzen mit den weißen Totenköpfen, die Seeberg ihr immer verboten hatte. Daniel Baum hatte sie ungeschminkt erlebt und mit offenen, ungewaschenen Haaren. Aber sie hatte ja auch nicht ahnen können, dass plötzlich ein gepflegter Mann in einem Kamelhaarmantel bei ihr im Büro auftauchte, ihr einen Auftrag geben und sie sogar dafür bezahlen wollte.

Verflucht! Sie hatte vor, ein Buch zu schreiben. Und wenn man ein Buch schrieb, putzte man sich doch nicht heraus. Jetzt fürchtete sie plötzlich, das Handy könnte klingeln und Baum würde absagen. *Tut mir leid, Frau Pacou. Sie haben es sich wahrscheinlich schon gedacht. Sie sind nicht die Richtige für den Job. Aber ich hatte auch den Eindruck, Sie konnten sich nicht wirklich mit Louise anfreunden. Ich täusche mich doch nicht. Oder?*

Das Telefon klingelte nicht. Und je mehr Zeit verstrich, desto besser fühlte sich Charlie an diesem kalten Novembertag, von dem sie später einmal sagen sollte, es sei der erste Tag der neuen Zeitrechnung gewesen.

Um halb zehn verließ sie das Haus. Um kurz vor zehn traf sie bei Yvonne ein, ihrer Kosmetikerin, die sie seit einem halben Jahr nicht mehr aufgesucht hatte. Eine Kundin hatte Yvonne, die eigentlich Ivana hieß, gerade versetzt. Und so ließ sich Charlie fast zwei Stunden lang verwöhnen.

Die beiden sprachen über Gott und die Welt, über nichts von Bedeutung. Als Charlie sich um die Falten sorgte, die sie im Spiegel gesehen hatte, riet Yvonne: »Lass sie dir wegspritzen, das machen doch alle – auch die, die jünger sind als du.«

Später versuchte die Kosmetikerin ihr auch noch eine French Manicure einzureden, was Charlie ablehnte. Sie hatte noch nie eine Frau von Klasse gesehen, die French Manicure trug. Nick Seebergs Russenschlampen, ja. Aber sie war doch keine Russenschlampe.

Gegen ein Uhr traf Charlie ihre beste Freundin Nele auf eine Latte und einen Salat bei Caras am Kranzlereck. Auch sie redeten über alles und nichts, nur nicht über Nick Seeberg und Marcel Weber, Neles Freund. Charlie war sich sicher, dass Nele und Marcel ihren Ex in letzter Zeit gesehen hatten, zuletzt wahrscheinlich bei der Palazzo-Premiere am Hauptbahnhof. Seeberg stand auf solchen Scheiß wie Erlebnisgastronomie und lud immer alle ein.

»Hast du schon angefangen, zu schreiben?«, fragte Nele, bevor sie sich von Charlie verabschiedete.

»Ja, gestern. Die ersten Seiten.«

»Das könnte ich nicht. Du willst dich also jetzt tatsächlich für die nächsten Monate in dieses heruntergekommene Loch zurückziehen und über diesen unglücklichen Dichter schreiben? Wie hieß er noch gleich?«

»Philipp Bach«, sagte Charlie.

Von Louise und dem überraschenden Auftauchen Daniel Baums erzählte sie nichts, obwohl sie es gern getan hätte, aber sie traute der Freundin nicht mehr wie früher, als sie sich noch alles erzählten.

Bevor sie wieder nach Hause zurückkehrte, um sich für den Abend schön zu machen, ging Charlie noch für eine Weile in ihr Büro. Sie wollte sich in Stichworten notieren, was der Rechner über Jonas Jabal preisgab. Sie hatte am Vorabend schon einiges herausgefunden, nicht viel, aber immerhin doch soviel, dass Daniel Baum, wenn sie mit ihm sprach, kapieren musste, wie sehr

Louise ihr inzwischen ans Herz gewachsen war und wie sehr sie sich über den Auftrag freuen würde.

Philipp Bach sollte warten.

Drei

Jonas Jabal war noch keine einundzwanzig Jahre alt, als er 1959 in seinem Atelier in der Allensteiner Straße tot aufgefunden wurde. Die traurige Nachricht vom Freitod des Malers sprach sich im Ostpreußenviertel in Windeseile herum. Jabal war beliebt in der Gegend, fast jeder kannte den hoch aufgeschossenen, jungen Mann mit den rotblonden Haaren, und die, die ihn nicht kannten, hatten zumindest von seinem Genie gehört, von seiner außergewöhnlichen Begabung, die ihm eines Tages, davon waren alle überzeugt, die Türen der großen Museen der Welt öffnen würde. Jabals Mutter, eine Krankenschwester aus der Charité, wurde auf der Straße fast täglich auf den Sohn angesprochen. »Wie geht es unserem Picasso?«, hieß es dann. Oder: »Ist er auch fleißig?« Und als das *Magazin,* eine beliebte Monatszeitschrift des Landes, fünf Zeichnungen des Malers veröffentlichte, bekam Lisa Jabal vom Schuster in der Braunsberger Straße zu hören, wie angenehm es doch sein müsse, einen Sohn zu haben, »der einem die Knete malt«.

Jabals Porträts, es waren Kohlearbeiten, erschienen in der Juli-Ausgabe der Zeitschrift. Umso mehr erstaunte es, dass er sich gerade im Monat seines vermeintlich größten Erfolgs aus dem Leben verabschiedete.

Die Umstände schienen nie wirklich aufgeklärt worden zu sein. Jedenfalls fand Charlie im Rechner keinen konkreten Hinweis. Dafür erfuhr sie, dass man Jonas Jabal am zwölften Juli des Jahres 1959 am späten Nachmittag tot auf der Chaiselongue in seinem Atelier entdeckt hatte und dass die Inszenierung des Selbstmords offensichtlich eine Nachahmungstat war.

Auf dem Tisch mit der geblümten Wachstuchdecke neben der Chaiselongue lag eine Tageszeitung aus dem Westsektor der Stadt, die auf der Titelseite vom Selbstmord eines gnadenlosen Theaterkritikers berichtete. Das zweite große Thema an diesem Tag war die Hitze, die den Menschen zu schaffen machte. Die Zeitung fragte, ob Berlin die Sahara drohe. Das Foto, das den Bericht illustrierte, zeigte zwei dreizehnjährige Jungen am Kurfürstendamm bei dem Versuch, ein Spiegelei auf der Kühlerhaube eines Opel Kapitän zu braten.

Der elfte Juli 1959 ging in die Geschichte als heißester Tag ein, den Berlin jemals erlebt hatte. In Dahlem wurden am Nachmittag 37,8 Grad im Schatten gemessen. Die Menschen liefen halb nackt auf den Straßen umher, der Asphalt dampfte, Hydranten wurden zu strotzenden Wasserspendern, Kinder jubelten und die Alten jammerten über die brutale Hitze, die die Stadt lahm zu legen schien.

Als Jonas Jabal am frühen Morgen dieses Tages das Atelier unter dem Dach verließ, zeigte das Thermometer schon fast dreißig Grad an. Jonas trug einen schwarzen Anzug, ein weißes Nyltesthemd und eine schmale, schwarze Krawatte. Auf halber Treppe begegnete ihm vor dem Gemeinschaftsklo zwischen der vierten und dritten Etage die dicke Evers, die auf den Knien hockte und schweißgebadet das Linoleum bohnerte. »Wohin so schick bei dieser Hitze, Jonas?«, fragte sie. Und Jonas antwortete: »Nach Amsterdam, zum Gréco-Konzert.« Er verzog bei dem Satz keine Miene, so dass Hermine Evers glaubte, er sei von einem auf den anderen Tag verrückt geworden.

Obwohl er Juliette Gréco sehr verehrte, war Jonas mit Sicherheit nicht nach Amsterdam gefahren. Alle Belege ließen darauf schließen, dass er diesen brütendheißen Sonnabend in Westberlin verbracht hatte. Man fand in der Brustasche des grauen Anzugs ein entwertetes Ticket vom Marmorhaus, wo er sich um fünfzehn Uhr den Film *Schrei, wenn du kannst* angesehen haben musste, der ein paar Wochen zuvor auf den Filmfestspielen mit dem Goldenen Bären ausgezeichnet worden war. Irgendwann an diesem Tag war er auch im Kranzler eingekehrt, wo er zwei Stück Erdbeerkuchen gegessen und ein Kännchen Kaffee getrunken hatte. Über diesen Besuch fand sich ebenso eine Quittung in seinem Anzug wie über die dickbäuchige Korbflasche mit spanischem Rotwein aus einem Sparladen in der Meinekestraße.

Nichts hingegen deutete darauf hin, dass Jonas Jabal sich Schlafpulver während seines Ausflugs in den Westen der Stadt beschafft hatte. Aber es war wohl so gewesen, nachdem er den Artikel über den Selbstmord des Theaterkritikers Fritz Klein gelesen hatte. Die Zeitung berichtete in ihrer Ausgabe vom elften Juli auf den Seiten drei und vier mit spöttischer Genugtuung ausführlich über das Ereignis: *Der Henker von Charlottenburg richtete sich selbst hin.*

Klein, der seinen Spitznamen wie einen Ehrentitel getragen hatte, war in den Wochen vor seinem Tod mit niederschmetternder Kritik bedacht worden, nachdem er seine Erinnerungen veröffentlicht hatte. Die Besprechungen des Buches waren mit Adjektiven wie *selbstgerecht, eitel, unehrlich* und sogar *dumm* gespickt.

Das hatte er offenbar nicht verkraftet. Am Morgen des zehnten Juli jedenfalls war er von seiner Haushälterin leblos im Bett gefunden worden, angezogen wie zu einer Opernpremiere in Smoking, Fliege und schwarzen Lackschuhen. Sein rechter Arm baumelte in einem Eimer gefüllt mit Wasser, das sich über Nacht dunkelrot verfärbt hatte. Auch sein weißes Hemd hatte das Rot angenommen und war bis über die Brust verfärbt.

Aber Klein hatte nicht nur die Rasierklinge benutzt, um sich selbst den Garaus zu machen, er war auf Nummer Sicher gegangen und hatte außerdem zusammen mit dem französischen Rotwein Schlafpulver geschluckt.

Auf dem Nachttisch fand man eine leere Tüte Dormolux, eine leere Flasche Bordeaux und die handgeschriebene Nachricht: *Warum lacht ihr alle? Warum will mich keiner verstehen? Warum macht ihr es mir so leicht?*

Die Zeitung hatte auch die Fotografie des Toten abgebildet, und es erstaunte, wie entspannt Klein aussah, fast so wie ein zufrieden schlafendes Kind.

Es musste dieses Foto gewesen sein, das Jonas Jabal veranlasst hatte, den gleichen Weg zu gehen. Auch Jonas hatte sich die Pulsader des linken Handgelenks aufgeschnitten, auch er hatte eine Rasierklinge der Marke Tutilo benutzt, auch sein Arm baumelte in einem mit Wasser gefüllten Eimer, und wie das Gesicht des Kritikers sah auch sein Gesicht im Tod vollkommen entspannt aus.

Jabals bester Freund, Max Noske, der den Maler am späten Nachmittag des zwölften Juli leblos im Atelier auf der Chaiselongue gefunden hatte, erzählte, dass auf seinem Gesicht sogar ein Lächeln lag. In dem Weinglas, das neben der leeren Korbflasche auf dem Tisch mit der geblümten Wachstuchdecke stand, fand die Polizei später Reste des gleichen Schlafpulvers, das auch bei Klein gefunden worden war.

Es bestand kein Zweifel, Jonas hatte den Selbstmord des Kritikers bis ins letzte Detail kopiert, nur eine Notiz oder ein Abschiedsbrief wurde bei ihm nicht gefunden, eine Tatsache, die noch lange Anlass zu Spekulationen geben sollte und bis heute noch nicht aufgeklärt war.

Auf der Suche nach Jonas Jabal war Charlie auf eine Website gestoßen, die *East of Mitte* hieß. Hier waren Unmengen von Informationen über die Berliner Bezirke Pankow, Weißensee, Hohenschönhausen, Marzahn, Köpenick, vor allem aber Friedrichshain und Prenzlauer Berg gespeichert. Die Willkommensseite der Site war wie eine Stadt aufgebaut. Es gab eine Kirche, ein Rathaus, einen Kiosk, das Büro einer Schuldenberaterin, eine Going-Out-Agency mit Ticket-Counter, ein Sportzentrum, ein Bordell, eine Volkshochschule, einen Kindergarten und einen Friedhof. Die Lokalitäten waren alle in animierten Piktogrammen dargestellt, die man anklicken konnte.

Charlie hatte Jonas Jabal auf dem Friedhof gefunden, auf dem insgesamt neunhundertsiebenundachtzig Frauen und Männer begraben lagen. Die Namen dieser Menschen konnte man entweder alphabetisch sortiert aufrufen oder chronologisch nach Geburts- oder Sterbedatum. Ungefähr ein Drittel von ihnen war wiederum verlinkt, so auch der tote Maler aus der Allensteiner Straße im Ostpreußenviertel, das zu Prenzlauer Berg gehörte.

Wenn man *Jonas Jabal (1938–1959)* anklickte, öffnete sich eine Seite mit drei Links, von denen einer zu *Wikipedia* führte, einer zu *artnet.com* und der dritte schließlich auf eine Site, die etwas umständlich und zu lang geraten *Das viel zu kurze Leben des begnadeten Malers Jonas Jabal* hieß. Hierzu gehörte sogar ein Blog, der allerdings zuletzt im Oktober 2003 sein jüngstes *update* erfahren hatte.

In diesem virtuellen Jabal-Museum stöberte Charlotte Pacou, genannt Charlie, im November 2007, um sich auf ein Gespräch mit einem gewissen Daniel Baum, genannt Dan, vorzubereiten, der sich in den Kopf gesetzt hatte, unbedingt ein Ölgemälde dieses Malers besitzen zu müssen, das offensichtlich seit langem verschollen, wenn nicht gar zerstört war.

Was Charlie während der Recherche für wichtig hielt, um sie auf die richtige Fährte von *Louise im blauweiß gestreiften Leibchen* zu bringen, notierte sie in einem blauen Notizbuch. So schrieb sie zum Beispiel: *Max Noske (bester Freund)* oder *Hermine Evers*

(Frau, die bohnert), aber auch Dormolux und *Allensteiner Straße (früher) = Liselotte-Herrmann-Straße (heute)* oder *Braunsberger Straße (früher) = Hans-Otto-Straße (heute)*. Und auch *Bötzowviertel* notierte sie, das früher *Ostpreußenviertel* genannt worden war.

Die Regierung in Ostberlin, das erfuhr Charlie in der Rubrik *History* der Website *East of Mitte*, hatte 1974 beschlossen, einige Straßen nach kommunistischen Widerstandskämpfern umzubenennen, die von den Nazis gefoltert und ermordet worden waren. Dafür mussten die Namen der kleinen Städte in Ostpreußen dran glauben. So musste die Allensteiner Straße zum Beispiel Liselotte Herrmann weichen. Die junge Frau war wegen Landesverrats und Vorbereitung zum Hochverrat zum Tod verurteilt worden. Kurz vor ihrem neunundzwanzigsten Geburtstag durchschlug im Frühsommer 1938 in der Haftanstalt Plötzensee das Fallbeil ihren Hals.

Besonders viele Notizen machte sich Charlie, während sie alles über die Beisetzung Jabals und den anschließenden Leichenschmaus las. Den Verlauf beider Ereignisse setzte sie aus verschiedenen Mosaiksteinen zusammen, die sie auf der Seite *Das viel zu kurze Leben des begnadeten Malers Jona Jabal* gefunden hatte.

Jabal wurde fünf Tage nach seinem Tod beerdigt. Über hundert Menschen kamen auf den Friedhof der St.-Nikolai-Gemeinde, um sich von dem Maler zu verabschieden. Freunde, Bekannte, Nachbarn, aber auch einfach nur Neugierige waren versammelt, die vom Unglück der Jabals gehört hatten und es sich nicht nehmen ließen, die Mutter und die Schwester des Toten am offenen Grab zu beäugen.

Lisa Jabal, deren Gesicht hinter einem Schleier verborgen war, musste von ihrem Schwager und dessen Sohn gestützt werden. Die sonst so starke Frau war zu schwach, sich auf den Beinen zu halten, alle Kraft hatte sie verlassen. Nur als Theresa, ihre vierzehnjährige Tochter, den Jutebeutel mit den Ölfarben und Pinseln, deren Quaste wie ein bunter Blumenstrauß aus dem kleinen Sack herauszuwachsen schienen, in die dunkle Kuhle auf den Sarg warf, zeigte Lisa Jabal für einen Augenblick Stärke. Sie riss sich den Schleier vom Gesicht und schrie: »Warum hast du das gemacht, Jonas Jabal? Warum hast du uns das angetan? Warum?« Ihr Gesicht, obwohl noch keine fünfzig Jahre alt, sah dabei aus wie das einer alten Frau.

Später an diesem Tag hatte Lisa Jabal sich wieder gefangen. Irgendwoher holte sie sogar die Kraft, eine kurze Rede zu halten, sie rang zwar mit den Worten, aber die knapp zwei Dutzend Trauergäste – nur Verwandte und engste Freunde der Jabals – die sich auf dem Hinterhof in der Allensteiner Straße zum Leichenschmaus zusammengefunden hatten, waren erstaunt, wie besonnen, fast emotionslos sie die Tat ihres Sohnes zu erklären versuchte.

»Jonas«, sagte sie, »ist immer ein Träumer geblieben, der mit der Wirklichkeit nichts anfangen konnte, der die Wirklichkeit verachtet hat. Er hat von den Abenteuern gelebt, die die Künstler und Dichter ihm erzählten. Vielleicht ist er gegangen, weil er gefühlt hat, dass die Fantasie mehr Macht hat als die Wirklichkeit. Ihr alle wisst, wie verzweifelt und voller Selbstzweifel er oft war. Vielleicht hat er geglaubt, mit seinem Abschied eine Reise ins Reich der Fantasie zu gewinnen. Vielleicht ist er aber auch nur müde geworden auf der vergeblichen Jagd nach Perfektion und Liebe.«

Über Jonas' letzte Liebe sprach keiner an diesem Nachmittag. Auch später, als die Sonne sich langsam verabschiedete und die meisten Trauernden nicht mehr ganz nüchtern waren, wurde Louise mit keinem Wort erwähnt. Obwohl fast alle im Geheimen ihr die Schuld am Tod des Malers gaben, fiel nicht einmal der Name des Mädchens. Dabei waren einige anwesend, die große

Lust gehabt hätten, Louise an den Schandpfahl zu stellen oder ihr zumindest die Augen auszukratzen.

Da waren die Zwillinge von der gegenüberliegenden Straßenseite, Bine und Mo Mommsen, sechzehn Jahre alt. Beide in Jonas bis über die Ohren verliebt, seitdem sie denken konnten. Da war Felix Becker, Jonas' ältester Freund, mit dem er beim Krämer Brausepulver geklaut hatte, Waldmeister und Himbeere, und später, bei einem Ausflug in den Westen, Matchbox-Autos bei Wertheim. Da waren Lena und Boris Blahnik, einer der Dichter, die Jonas fürs *Magazin* gezeichnet hatte. Da waren Bert und Traudel Jabal mit ihrem Sohn Thomas. Bert war im Juni '53, im Gegensatz zu seinem Bruder, Jonas' Vater, dem Tod noch einmal von der Schippe gesprungen.

Und da war natürlich noch Max Noske, der beste Freund des Malers. Max wollte Jonas immer überreden, rüberzumachen – am liebsten gleich nach Paris. »Die Franzosen erkennen dein Genie sofort«, hatte er oft gesagt. »Ich bin dein Agent, Jonas. Wir können reich werden, das schwör ich dir. Sei kein Frosch, lass uns rübermachen. Hier geht eh alles den Bach runter.«

Aus diesem Traum wurde jetzt nichts mehr. Stattdessen saß Max neben der vierzehnjährigen Theresa, die gerade die Jugendweihe hinter sich hatte und stolz war auf ihren ersten Personalausweis, an dem langen Gesindetisch im Hinterhof und stopfte sich aus lauter Verzweiflung eine Bulette nach der anderen in den Mund. Für das leibliche Wohl hatte Schlachter Mayer aus der Hufelandstraße gesorgt. Außer den Buletten gab es noch Knacker. Die Getränke, den Wein und das Bier, hatte Jan Henning spendiert, der Kneipier aus der Bötzowstraße. Henning war Witwer und hoffte seit Jahren, dass Lisa Jabal ihn irgendwann erhören würde.

Während die Gesellschaft aß und trank, wurden Geschichten über Jonas erzählt. Den Anfang machte Theresa, die Schüchternste am Tisch. Sie ergriff ohne Aufforderung als erste das Wort. Ihr schönster Geburtstag sei ihr sechster gewesen, sagte sie. Sie konnte sich noch genau erinnern. Jonas hatte sie gefragt, was sie sich von ihm wünschte. Ein Bild, hatte sie geantwortet.

»Und was soll drauf sein auf dem Bild?«, hatte er gefragt.

Und dann hatte sie aufgezählt: Else, ihre Puppe mit den roten Haaren und den Sommersprossen, die Kuh aus Holz natürlich, die der Vater geschnitzt hatte und der der Schwanz abgebrochen war. Ein Bauernhof, ein bunter Ball, eine Trommel. Und ihr Name sollte draufstehen – Theresa, damit auch jeder wusste, wem das Bild gehörte.

Jonas hatte es dann genauso gemalt, wie es der Vorstellung der kleinen Schwester entsprach. Nur ein wenig zu blau war es ihr geraten. Das hatte sie ihm dann auch gestanden. Und Jonas hatte geantwortet: »Ich weiß, aber Blau ist die schönste Farbe, Tessa, und sie kostet am wenigsten.« Theresa hatte damals lachen müssen. Sie hatte ihrem Bruder einfach nicht geglaubt, dass Blau weniger kostete als Rot oder Rosa. Sie hatte überhaupt nicht verstanden, dass Farben Geld kosteten. »Farben gehören doch allen«, hatte sie gesagt.

Kneipier Henning erzählte, wie Jonas eines Tages nach der Schule mit einer Binde ums rechte Auge nach Hause gekommen war. Die Sasse-Brüder hatten den Jungen verprügelt, zwei Ärzte in der Charité fürchteten sogar, er könne das Auge verlieren. Lisa Jabal hatte vor Angst so laut geschrien, dass die ganze Nachbarschaft zusammenlief. Alle fürchteten plötzlich um die Kunst des jungen Genies. »Oder kann man mit einem Auge genauso gut malen wie mit zweien?«, hatte Henning damals naiv gefragt und sich damit Lisa Jabals geballten Zorn eingehandelt.

Zum Glück hatte Jonas sein Auge behalten, nur die Narbe war zurückgeblieben, die er dann später auf seinem Selbstporträt verewigt hatte.

An dem Abend des Leichenschmauses sagte Lisa Jabal nur: »Wahrscheinlich war er einfach nicht gemacht für diese Welt.« Und Felix Becker gab ihr Recht. »Wie oft haben wir versucht, ihn für Bill Haley oder Buddy Holly zu begeistern. Und er? Er hat nichts anderes als Juliette Gréco oder sogar Maria Callas im Kopf gehabt.«

Und so fiel jedem irgendeine Geschichte zu Jonas ein. Manchmal wurde dabei so laut gelacht, dass sich im selben Augenblick alle dafür schämten.

Unterbrochen wurden die Erzählungen nur einmal. Lisa Jabal hatte unter dem Dach Licht gesehen – für einen Augenblick nur, aber sie hatte es gesehen. »Bei Jonas brennt Licht«, sagte sie. Und als alle aufblickten, war es dunkel im Atelier des Malers. »Er ist tot, Lisa«, sagte ihr Schwager. »Das kannst du nicht ändern.«

Gegen elf Uhr in der Nacht waren die meisten Trauernden gegangen. Nur Mo Mommsen, Felix Becker, die Katze Lola, Max und Theresa waren noch geblieben. Mo weinte still in sich hinein, sie hatte den ganzen Tag noch kein Wort gesagt. Felix schlief tief. Sein Kopf lag auf dem Tisch, man konnte seinen gleichmäßigen Atem hören. Daneben ruhte Lola, die Jonas immer beim Malen zugesehen hatte. Sie war die einzige gewesen, die das durfte. Max und Theresa saßen auf der Bank. Sein Rücken lehnte an der Hauswand direkt unter dem Küchenfenster der alten Evers, ihr Kopf ruhte an seiner Schulter. Sie starrten in den Himmel zu Jonas. Max hatte einen Arm um Theresa gelegt, seine Hand streichelte von hinten ihren kleinen, festen Busen. Theresa hatte zum ersten Mal Wein getrunken, ihre Wangen waren gerötet und glänzten wie polierte Äpfel.

»Glaubst du, Jonas kann da oben malen, Max?«, fragte Theresa. Und Max antwortete: »Ganz sicher, ganz bestimmt, Tessa. Jonas kann alles.«

Louise hatte sich an diesem Freitag im Juli 1959 nicht im Ostpreußenviertel blicken lassen.

Oder doch? Hatte sie sich am Tag der Beerdigung in der Gegend aufgehalten? Charlie fand einen Eintrag im Blog, in dem das behauptet wurde. *Louise war ein hinreißendes Mädchen,* stand dort geschrieben, *voller Optimismus und Charme. Leider hat sie es nicht geschafft, Jonas etwas von ihrer spielerischen Kraft abzugeben, von ihrer Unbeschwertheit, ihrer Chuzpe. Sie hat Jonas bis über beide Ohren geliebt, nie im Leben hätte sie ihn ohne ein letztes Adieu ziehen lassen.*

Der Schreiber oder die Schreiberin des Eintrags behauptete, Louise sei während der Beisetzung auf dem Friedhof der St.-Nikolai-Gemeinde gesehen worden. Sie habe unter einer alten Eiche gestanden, einen Pferdeschwanz getragen, zitronengelbe Caprihosen, ein blauweiß gestreiftes Leibchen und auf dem Kopf eine schwarze Bandana. Und später, während die Trauergesellschaft im Hinterhof saß, soll sie sich sogar für kurze Zeit im Atelier aufgehalten haben, wo sie ganz allein Abschied von Jonas genommen hat. Wer konnte diese Details kennen? Wer stellte sie ins Netz? Charlie war verwirrt.

Louise hat sich an dem Abend im Atelier aufgehalten. Wer hatte das wissen können? Der Eintrag war mit den Initialen T.N. gezeichnet. Charlie fragte sich, ob das T vielleicht für Theresa stand, dann rechnete sie, wie alt die Vierzehnjährige von damals wohl heute sein mochte. Das Ergebnis war zweiundsechzig.

Nein, Theresa hatte den Text sicher nicht verfasst. Wenn sie Louise am Tag der Beerdigung gesehen hätte, wäre sie nicht stumm geblieben, sie hätte sicherlich ihre Mutter auf das Mädchen aus dem Westen aufmerksam gemacht, das ihrem Bruder den Kopf verdreht hatte.

Vier

Um viertel vor sieben saß Charlie im Bus nach Grunewald. In den letzten zwei Monaten hatte sie sich angewöhnt, öffentliche Verkehrmittel zu benutzen und fand langsam sogar Spaß daran. Sie lernte die Stadt von einer ganz neuen Seite kennen, und je routinierter sie sich in Bus, S- und U-Bahn bewegte, desto weniger bereute sie ihren Entschluss, Nick Seeberg die Schlüssel des metallicschwarzen Mini vor die Füße geworfen zu haben.

Seeberg hatte ihr das Auto zum siebenunddreißigsten Geburtstag geschenkt, und sie war stolz darauf gewesen. Noch stolzer aber war sie jetzt, weil sie aus dem Kopf wusste, dass sie an der Haltestelle Bleibtreustrasse den M19er nehmen musste, um zur Bismarckallee zu kommen, wo sie um sieben Uhr von Daniel Baum erwartet wurde.

Charlie war fest entschlossen, die Suche nach *Louise im blauweiß gestreiften Leibchen* zu ihrer Sache zu machen. In der Manteltasche steckte das blaue Buch mit den Notizen. Alle Namen, die sie auf der Website gelesen hatte, waren darin notiert. Sie hatte sogar eine Girlie-Zeichnung von Louise auf dem Friedhof gemacht. Die Caprihosen waren mit einem gelben Marker koloriert, genauso wie die Namen Max Noske, Felix Becker, Bine und Mo Mommsen, Theresa Jabal und Thomas, der Cousin von Jonas. Von den meisten anderen, die nicht markiert waren, glaubte Charlie, sie lägen ohnehin neben dem Maler unter der Erde oder waren zumindest geistig so weggetreten, dass sie ihr keine Hilfe mehr sein würden.

Um Punkt sieben stand sie vor Daniel Baums Haus in der Bismarckallee. Zuerst nahm sie an, die Adresse sei falsch. Das Gebäude war riesig, so unglaublich riesig, dass sie sich einfach nicht vorstellen konnte, ein Mensch oder auch eine Familie würde allein darin leben. Sie glaubte, vor einer Botschaft zu stehen, vor dem Gästehaus einer Bank oder einer großen Versicherungsanstalt. *Allianz oder so*, dachte sie.

Das schmiedeeiserne Tor zum Haus war weit geöffnet, ein angestrahlter Brunnen spuckte Wasser in die kalte Luft. Zwei Lieferwagen eines Partyservices parkten in der Einfahrt, die Heckklappen waren geöffnet. Charlie lief über den groben Kies zum Portal, wo, eingelassen in die Tür, ein holzgeschnitzter Löwe vor ihr sein Maul weit aufriss. Während sie klingelte, hob sie den linken Fuß, dann den rechten, um zu checken, ob sie sich die Absätze ruiniert hatte. Sie trug halbhohe Pumps. Sie hatte sich genau überlegt, was sie für Daniel Baum anziehen sollte. Sie hatte sich für *working girl* entschieden: graues Kostüm, Rock bis zu den Knien, fleischfarbene Strümpfe, weißes T-Shirt, Pferdeschwanz – wie Louise auf dem Friedhof. Und sie trug ihre Brille, nicht die Kontaktlinsen, wie beim Besuch von Baum in der Lietzenburger. Er sollte sofort kapieren, dass sie sich anpassen konnte.

Eine dicke Frau mit weißer Schürze öffnete die Tür. »Ja, bitte?«

»Guten Abend«, sagte Charlie, »ich bin mit Herrn Baum verabredet.«

»Sind Sie nicht ein bisschen zu früh?«

»Es ist sieben Uhr. Wir waren um sieben verabredet.«

Die Frau schüttelte den Kopf und bat Charlie herein. »Warten Sie einen Moment, ich versuche ihn aufzutreiben. Ich weiß nicht einmal, ob er schon da ist. Entschuldigen Sie, aber das ist ein Irrenhaus hier.«

Im Haus liefen viele Menschen umher, Männer und Frauen in bodenlangen, weißen Schürzen. Alle Türen waren weit geöffnet, überall brannte Licht. Ein Mädchen, vielleicht neunzehn, fläzte sich in einem Lounge Chair von Eames und lackierte sich die Nägel, Billie Holiday sang *Me Myself and I*, ein Junge patrouillierte im Stechschritt mit einem Holzgewehr über der Schulter durch die Räume, eine englische Dogge saß wie in Marmor gemeißelt auf dem polierten Boden. Nur aus ihrem Maul sabberte eine hellgrüne Flüssigkeit.

Charlie nahm das alles nicht wahr. Noch bevor sie die Eingangshalle betrat, sah sie nur ihn: Jonas Jabal, schlaksig und verträumt, beleuchtet von zwei Punktstrahlern. Das Gemälde war größer, als sie es sich vorgestellt hatte, es maß bestimmt einen Meter achtzig mal einszwanzig. Charlie hob kurz die Hand, so als grüße sie von Weitem einen alten Bekannten, so als wolle sie sagen: *Ich war gerade auf deiner Beerdigung, Jonas. Du wärst stolz gewesen, besonders auf deine kleine Schwester. Es war alles sehr würdevoll.*

Vor dem Gemälde knöpfte sie ihren Mantel auf, dann streichelte sie Jonas' Gesicht, fuhr mit den Kuppen von Zeige- und Mittelfinger zärtlich über die Narbe am rechten Auge, die ein wenig erhaben hervorstand. Jonas wirkte im Original noch verlorener als auf der Reproduktion im Katalog. Charlie stellte sich vor, wie Jonas an seinem letzten, diesem kochendheißen Tag im Juli 1959 Erdbeerkuchen im Kranzler gegessen hatte, und sie fragte sich, ob Louise dabei gewesen war.

Plötzlich hörte sie eine kräftige Stimme hinter sich: »Haben Sie sich schon angefreundet?«

Charlie erschrak und drehte sich um. Daniel Baum stand vor ihr.

»Entschuldigung, wie bitte?«, sagte sie. »Ich habe geträumt.«

»Ich wollte nur wissen, ob Jonas und Sie sich schon angefreundet haben«, wiederholte Baum. Er lächelte.

Charlie spielte das Spiel mit. »Ich glaube schon«, antwortete sie. »Ja, ich glaube, wir mögen uns sehr.«

Baum nahm ihr den Mantel ab. Charlie fischte das blaue Buch und einen Lippenstift aus der Tasche, bevor Baum der dicken Frau den Mantel über den Arm legte. Er sah anders aus als am Tag zuvor. Er hatte kein Gel in den Haaren, die Frisur war durcheinander. Außerdem war er nicht rasiert. Er wirkte sympathischer auf Charlie.

»Wir gehen in mein Arbeitszimmer«, sagte er. »Möchten Sie etwas trinken – ein Glas Wein? Wasser?«

Charlie bat um ein Glas Mineralwasser, dann folgte sie Baum durch die Eingangshalle und den großen Raum, wo ein Mann und zwei Frauen in den weißen Schürzen eine Tafel deckten, an der mindestens sechzig Personen Platz fanden. Eine dritte Frau ohne Schürze gab Anweisungen. Das Mädchen, das sich die Nägel lackierte, blickte nicht mal auf, als Charlie und Baum an ihr vorbeigingen. Es hatte weiße Kopfhörer in den Ohren.

Die Wände der Räume waren mit Kunst tapeziert. Charlie erkannte Bernard Buffets magersüchtige *Fischverkäuferin*, auch ein Picasso war dabei und, wenn sie sich nicht täuschte, sogar ein Rauschenberg. Die Baums mussten ein Faible für die fünfziger Jahre haben. Auf einem Sideboard stand der Schallplattenspieler von Braun, den Charlie schon im Museum of Modern Art in New York gesehen hatte, wo sie mit Seeberg gewesen war. Das Gerät trug einen Spitznamen, der ihr nicht mehr einfiel.

Das Arbeitszimmer war nicht viel kleiner als der Raum, in dem der Tisch gedeckt wurde. Links und rechts von der Schiebetür befanden sich Bücherborde, deren Regale, obwohl mindestens fünf Zentimeter dick, sich unter der Last schwerer Bildbände leicht bogen.

An der gegenüberliegen Wand, hinter dem Schreibtisch befanden sich ebenfalls Regale, allerdings mit kleineren Büchern. Charlie erkannte anhand der Buchrücken ein paar Romane, die sie gelesen hatte – Zolas *Paradies der Damen* zum Beispiel, eines ihrer Lieblingsbücher, Stendhals *Rot und Schwarz* und Hubert Fichtes *Palette*. Eine Gesamtausgabe der Werke Hemingways in leuchtendem Gelb war auch darunter.

Die rechte Fensterfront des Raumes gab den Blick auf einen

großen, beleuchteten Park frei. An der linken Wand hingen Bilder, unter anderen fünf Porträts in Kohle gezeichnet. Charlie deutete darauf. »Ist einer von denen Boris Blahnik?«, fragte sie. Sie freute sich, dass ihr der Name einfiel, ohne einen Blick in das blaue Buch zu werfen. Normalerweise hatte sie ein schreckliches Namensgedächtnis.

Baum lächelte. »Ah, Sie haben Ihre Hausaufgaben gemacht. Blahnik ist der in der Mitte. Er ist übrigens der einzige von den fünfen, der Erfolg gehabt hat. Obwohl er nie viele Bücher verkauft hat, haben einige seiner Romane anerkannte Preise gewonnen. Er ist vor einem Jahr gestorben, zurückgezogen in Italien.«

Gefolgt von der dicken Frau, die das Mineralwasser und einen Whisky auf Eis brachte, betraten der Junge mit dem Holzgewehr und die englische Dogge das Arbeitszimmer. Die dicke Frau stellte die Getränke auf den Glastisch vor der Bilderwand und forderte den Jungen zum Verlassen des Raumes auf. Der Junge weigerte sich. Er hielt einen Hundekeks in der Hand und befahl der Dogge, sich zu setzen. Die gehorchte. Dann sagte der Junge: »Mach den Hitler, Winston!« Die Dogge riss blitzschnell die rechte Vorderpfote zum Hitlergruß hoch. Es sah erschreckend echt aus.

»Lass den Quatsch, Ben!«, sagte Baum scharf. »Ich hab dir schon ein paar Mal gesagt, du sollst das lassen.« Der Junge lachte. Die dicke Frau zog ihn am Ärmel aus dem Arbeitszimmer, die Dogge folgte. Sie hatte ihren Keks noch nicht bekommen.

»Entschuldigen Sie«, sagte Baum und deutete mit der Hand auf einen der beiden Ledersessel vor dem Glastisch. »Diesen Unsinn hat meine Frau ihm beigebracht.«

»Wem? Dem Hund oder dem Jungen?«, fragte Charlie, während sie sich setzte. Auch Baum nahm Platz.

»Ich fürchte beiden.«

»Ist Ben Ihr Sohn?«

»Mein jüngster.«

»Wie viele Kinder haben Sie?«

»Drei. Einen Jungen und ein Mädchen aus erster Ehe. Und Ben mit meiner jetzigen Frau, Alexandra.«

»Die junge Frau im Eames-Chair ist die Tochter?« Man konnte das Mädchen vom Arbeitszimmer aus sehen. Es lackierte sich noch immer die Nägel.

»Ja, das ist Christina, sie ist zwanzig, studiert in Boston Medienwissenschaft. Sie ist eingeflogen für das Fest heute Abend. Meine Frau hat Geburtstag. Die beiden sind sich nicht ganz grün, aber Christina ist trotzdem gekommen.« Baum nippte am Whiskyglas. »Haben Sie selbst auch Kinder?«

»Leider nicht.« Charlies Blick senkte sich, sie nahm an, dass sie errötete, sie legte das blaue Buch auf den Glastisch und schlug die erste Seite mit den Notizen auf. Ihr Blick fiel auf *Hermine Evers (Frau, die bohnert)*. Charlie mochte es nicht, wenn man sie fragte, ob sie Kinder habe. Sie glaubte, man sehe ihr an, wie sehr sie sich welche wünschte, es aber einfach nicht packte. Sie wechselte abrupt das Thema. »Wenn es *Louise* noch gibt«, sagte sie, »würde ich sie gern für Sie finden.«

»Das freut mich sehr«, sagte Baum. »Ich habe gehofft, dass Sie mir helfen könnten.«

Charlie nahm einen Schluck Wasser. »Wann haben Sie Ihre Begeisterung für Jonas Jabal entdeckt?«

»Ach, das ist gar nicht solange her. Vielleicht zehn Jahre, vielleicht auch zwölf. Jedenfalls lag er schon Jahrzehnte unter der Erde.«

»Dann haben Sie das Selbstporträt, das in der Halle hängt, vor zehn oder zwölf Jahren gekauft?«

»Nein, das ist schon seit ich denken kann bei mir. Mein Vater hat es meiner Mutter geschenkt. Ich glaube, sogar zum ersten oder zweiten Hochzeitstag. Ehrlich gesagt habe ich es früher nie richtig wahrgenommen. Das ist wie mit dem Stuhl, auf dem Christina lümmelt. Er ist einfach da, seit einer Ewigkeit. Man beachtet ihn nicht mehr, obwohl er wunderschön ist.« Dann zeigte er auf die Kohlezeichnung. »Blahnik hat mich auf Jabal gebracht. Ich habe ihn einmal unterstützt bei einem seiner Bücher, habe ihm die englische Übersetzung finanziert. Er hatte für den Roman einen kleinen, amerikanischen Verlag gefunden, der sich die Übersetzung nicht leisten konnte. Als der Roman erschien, war auf dem Umschlag die Zeichnung abgebildet, die Jabal von Blahnik gemacht hatte. Die hat mir sehr gefallen, das habe ich Blahnik geschrieben. Er hat mir dann als Dankeschön die Zeichnung geschenkt.«

»Und Sie haben nicht gewusst, dass Sie bereits ein Gemälde von Jonas Jabal besitzen?«

»Doch sicher, ich habe gewusst, dass das Porträt, das hier in der Halle hängt, von einem gewissen Jabal war, von einem Maler aus Ostberlin, den meine Eltern verehrten und der sich in den späten fünfziger Jahren umgebracht hat. Aber mehr wusste ich auch nicht, mehr hat mich auch nicht interessiert. Neugierig auf Jabal wurde ich erst, als ich auf dem Romancover das Porträt Blahniks entdeckte und Jabals Namen las. Der Zufall hat mich auf Jabal gebracht. Über dreißig Jahre habe ich mit seinem Selbstporträt wie mit einer alten Tapete gelebt, und dann hat der Zufall es plötzlich zum Leben erweckt. Ich habe Blahnik geschrieben, ob er mir nicht ein bisschen über Jabal erzählen könnte. Er musste ihn gekannt haben, der Maler hat ihn ja schließlich gezeichnet.«

Fünf

Der erste März 1959 war für den Schriftsteller Boris Blahnik in zweierlei Hinsicht ein denkwürdiger Tag. Zum einen bekam er unerwarteten Besuch von einem jungen Maler und dessen Freundin aus dem Ostpreußenviertel, zum anderen erließ seine Regierung an diesem Sonntag einen Ukas, der ihn fassungslos machte.

Die Mittagsnachrichten des *Berliner Rundfunks* meldeten, dass gemäß einer Verordnung des Zentralinstituts für Bibliothekswesen belletristisches Schrifttum, das vor 1945 erschienen war und seitdem in der DDR keine neue Auflage erfahren hatte, aus den Bibliotheken verbannt werden sollte. In der Meldung hieß es ausdrücklich, dass auch »politisch unverdächtige Autoren wie Theodor Storm und Theodor Fontane auszuscheiden« seien.

Blahnik stand am Bootssteg, wo er gerade dabei war, seine Segeljolle aus dem Winterschlaf zu wecken und wassertauglich zu machen, als die Nachricht über den Äther kam. Er glaubte seinen Ohren nicht zu trauen, und wie im Reflex drehte er das Radio leiser, so als bekäme die Meldung dadurch weniger Gewicht. Dann stellte er sich vor, dass man seinen ersten Roman, der einen Monat zuvor erschienen war und für den er viel Lob erfahren hatte, auch ausschied. Allein das Wort ekelte ihn, es klang in seinen Ohren schlimmer als ausscheißen. *Jenny Treibel, Der Schimmelreiter, Effie Briest,* dachte er, *werden einfach ausgeschieden wie ein Stück Scheiße, nur weil ein paar Idioten, die die Macht besaßen, es für richtig hielten.*

Und wenn sich Boris Blahnik vorher noch nicht ganz sicher war, jetzt war er es: Sein nächster Roman würde in einem anderen Land erscheinen, auch wenn er sein Land liebte, besonders den See, auf den er gerade blickte, und das kleine Häuschen an seinem Ufer, wo er so viele Wochenenden und Ferien verbracht, wo er so viele Seiten auf seiner Erika geschrieben hatte.

Blahnik war außer sich vor Wut.

Er lehnte an einem Holzpfahl, an dem er später, nachdem er sie ins Wasser gelassen hatte, die Jolle vertäuen würde, und beobachtete den ersten Schmetterling des Jahres, der den zweiten Pfahl tollkühn umschwirrte, bevor er sich schließlich elegant auf dessen Spitze niederließ. Genießen konnte Blahnik das ausgelassene Schauspiel jedoch nicht. *Jeder Schmetterling ist freier als du*, dachte er und verfluchte die Bonzen, die ihm das Leben versauen und die *Wanderungen durch die Mark Brandenburg* verbieten wollten.

»Boris Blahnik?«

Blahnik hörte nicht, wie sein Name gerufen wurde. Erst beim zweiten Ruf wandte er seinen Blick vom See ab und sah an der Pforte zu seinem Grundstück, das auf der Landseite durch einen Jägerzaun begrenzt war, wie zwei junge Menschen ihm zuwinkten.

»Hallo, entschuldigen Sie, finden wir hier einen Boris Blahnik, den Schriftsteller?«

»Das bin ich«, rief Blahnik zurück und winkte die beiden zu sich heran.

Jonas Jabal und seine Freundin Louise stellten ihre Fahrräder am Zaun ab und betraten das Grundstück. Jonas hatte die Ärmel seines weinroten Nikki-Pullovers um den Hals verknotet. Sein Hemd war unter den Achseln verschwitzt. Über der rechten Schulter hing ein Rucksack, aus dem eine Papierrolle herausragte. Louise hatte ihren Arm um Jonas' Hüfte gelegt. Sie trug Ballerinas, eine knallrote Röhrenhose, die an den Fußfesseln endete, und eine weiße, am Bauchnabel verknotete Bluse mit fetten roten und blauen Punkten.

»Ist das schön hier!«, rief sie aus. »Das ist ja wie im Märchen. Man glaubt gar nicht, dass das hier noch Berlin ist.«

Jonas reichte Blahnik die Hand und stellte Louise und sich

vor. Louise löste sich von Jonas, sie hatte auf dem Rasen einen Hula-Hoop-Reifen entdeckt und freute sich darüber wie ein Kind. Blahnik sagte, dass der Reifen seiner kleinen Nichte gehörte. Jonas entschuldigte sich bei ihm für den überfallartigen Besuch. Dann erzählte er ihm von seinem Auftrag vom *Magazin*.

»Und dafür haben Sie diesen langen Weg mit dem Drahtesel auf sich genommen?«, sagte Blahnik.

»Ich habe seit drei Tagen versucht, Sie in der Stadt zu erreichen, der Redakteur gab mir dann auch noch diese Adresse von Ihnen.«

»Wie lange haben Sie hierher gebraucht?«

»Über zwei Stunden, wir haben uns verfahren. Wir haben aus Versehen den Weg über den Stadtforst genommen. Aber bei dem Wetter ist das doch ganz egal.«

»Ja, unglaublich, wir haben in der Sonne über zwanzig Grad. Im Radio haben sie gemeldet, so warm sei es seit sechzig Jahren nicht mehr an einem ersten März gewesen.« Blahnik sah auf die Papierrolle in Jonas' Rucksack. »Und Sie wollen mich hier zeichnen?«

»Ich kann es versuchen. Wenn es nicht gelingt, müssten Sie vielleicht noch mal in mein Atelier kommen. Natürlich nur, wenn es Ihnen nichts ausmacht, meine ich … Aber lassen Sie's uns doch hier versuchen.«

Louise zählte. »Siebenundvierzig, achtundvierzig, neunundvierzig, fünfzig …« Der Reifen tanzte um ihre Hüften.

Jonas und Blahnik gingen an ihr vorbei zum Bootssteg. Der Dichter lachte über das kindliche Spiel. »Wie heißt Ihre Freundin? Entschuldigen Sie, ich habe mir den Namen nicht gemerkt.«

»Ich nenne sie Louise.«

»Was heißt das: Sie nennen sie Louise. Heißt sie in Wirklichkeit anders?«

»Als wir uns kennenlernten, habe ich sie nach ihrem Namen

gefragt … Und sie hat geantwortet: Was ist der schönste Mädchenname auf der Welt, Jonas? Ich habe einen Augenblick überlegt und dann Louise gesagt.«

»Und?«

»Sie hat nur gemeint, der Name gefalle ihr auch sehr. Er sei so schön altmodisch. Sie bestand darauf, nur noch Louise genannt zu werden, mit ou, wohlgemerkt. Auch darauf bestand sie.«

Blahnik musste wieder lachen. »Das heißt, den richtigen Namen Ihrer Freundin kennen Sie gar nicht?«

»Nein, ich glaube, ich will ihn auch gar nicht mehr kennenlernen.«

Der Hula-Hoop-Reifen fiel zu Boden. »Hundertacht Mal, Jonas!« rief Louise. »Ich habe es geschafft, den Reifen hundertacht Mal um mich kreisen zu lassen. Das ist Rekord!«

Jonas applaudierte, Blahnik fragte, wie alt Louise war.

»Einundzwanzig«, antwortete Jonas. »Ein Jahr älter als ich.«

Die nächsten anderthalb Stunden verbrachte Louise in einer Hängematte, die oberhalb des Bootsstegs zwischen zwei kräftigen Birken befestigt war, und las *Der Tod des Iwan Iljitsch*. Weil sie wusste, dass Jonas nicht zeichnen konnte, wenn sie ihm dabei über die Schultern sah – die beiden waren sich deshalb schon mal in die Haare geraten – hatte sie Boris Blahnik gebeten, ihr ein Buch auszuleihen. Blahnik hatte sie ins Haus geschickt, sie könne sich aussuchen, was sie wolle, hatte er gesagt. Er hätte auch nichts dagegen, wenn sie seinen Roman läse. Louise hatte geantwortet, dass sie das Buch gern lesen werde, aber nicht unter Beobachtung des Verfassers. Sie sagte: »Stell dir mal vor, Boris, es gefällt mir nicht … Das würde uns beiden doch den schönen Nachmittag verhageln. Oder etwa nicht?« Blahnik war perplex. Zum einen, weil Louise ihn duzte, zum anderen über die Antwort, auf die er nicht gefasst gewesen war, die aber zweifellos der Wahrheit entsprach.

Jedenfalls entschied sich Louise für den Tolstoi, auch deshalb, weil das Buch nicht so dick war. Sie hoffte, sie könnte es vielleicht in der Zeit beenden, die Jonas für das Porträt benötigte.

Blahnik war ungefähr so groß wie der Maler, nur viel kräftiger. Der Maler wirkte wie ein Strich in der Landschaft neben dem Dichter, dessen Oberarmmuskeln den Anschein erweckten, als wollten sie mit aller Gewalt die aufgekrempelten Hemdsärmel zum Platzen bringen. Auch Blahniks Brustkorb schien das doppelte Volumen von dem des leptosomen Malers zu besitzen. Die obersten drei Knöpfe seines Hemds standen offen. Blahniks Brust schien stark behaart, sein Gesicht war großflächig, er hatte hohe, ausgeprägte Wangenknochen, und der volle Schnauzbart verdeckte die ganze Oberlippe, was ein wenig unappetitlich wirkte, weil die Haarspitzen wie Würmer in seinen Mund zu kriechen schienen. Seine braunen Kopfhaare hatte er zurückgekämmt, die Geheimratsecken fraßen sich bis zur Mitte der Schädeldecke vor.

»Ich muss aufpassen, dass die Zeichnung keine Karikatur wird«, sagte Jonas.

»Wieso das?«, fragte Blahnik sichtlich betroffen. »Besteht bei mir die Gefahr?«

»Das hat nichts mit Ihnen zu tun. Man muss bei jeder Porträtzeichnung aufpassen, dass sie nicht zur Karikatur wird. Ein falscher Strich und Sie werden zur Witzfigur. Und das wollen wir doch beide nicht. Und das *Magazin* auch nicht.«

Jonas nahm sich vor, eine Stunde lang zu arbeiten, länger nicht. Schließlich verlangte die Zeitschrift seine Arbeit erst in vierzehn Tagen.

Die ersten beiden Versuche hatte er an dem Tisch auf der Veranda des Hauses gemacht, doch dort störte ihn das Licht irgendwann, oder er bildete es sich zumindest ein, und so hatte er Blahnik überredet, zum Bootssteg zu gehen, wo er ihn bat, an dem Pfahl Platz zu nehmen, auf dem zuvor der Schmetterling gelandet war. Jonas bat Blahnik, sich zu setzen und mit dem Rücken an den Pfahl zu lehnen, die Arme sollte er locker auf den angewinkelten Knien ruhen lassen.

Jonas selbst setzte sich im Schneidersitz auf die Planken und begann mit gekrümmtem Rücken wie besessen zu zeichnen. Für jeden Versuch musste er neues Papier auf die Sperrholzplatte spannen, die Blahnik aus dem Schuppen neben dem Haus besorgt hatte. Das Papier befestigte er mit den Reißzwecken, die er wie den Karton mit den Kohlestiften in seinem Rucksack mitgebracht hatte.

Während Jonas so arbeitete und Blahnik versuchte, sich ruhig zu halten, was ihm offensichtlich schwer fiel, unterhielten die beiden sich. Der Dichter fragte Jonas, ob er schon gehört habe, dass Storm und Fontane aus den öffentlichen Bibliotheken verbannt werden sollten, weil sie angeblich bürgerlich rückschrittlich seien und zu idealistisch.

»Die spinnen doch, die da oben«, antwortete Jonas. Seine Stimme erweckte dabei allerdings den Anschein, als interessiere die Nachricht ihn nicht wirklich. Nur der Strich zählte.

Blahnik war kurz sprachlos, dann sagte er: »Mehr fällt Ihnen dazu nicht ein, als die spinnen doch, die da oben?« Er klang erzürnt, Jonas war verwirrt.

»Wir können doch ohnehin nichts machen«, sagte er. »Und das Malen werden sie mir schon nicht verbieten.«

Die Ignoranz des jungen Malers entsetzte Blahnik so sehr, dass sich an dem Thema ein ernsthafter Streit entzündete, in dessen Verlauf der Dichter sogar einmal wortgewaltig androhte, die Séance auf dem Steg zu beenden. Blahnik konnte aus geringerem Anlass jähzornig werden. Und wenn Jonas nicht nachgegeben und nicht ebenfalls irgendwann seiner Empörung über die Bonzen laut Luft gemacht hätte, wäre der gemeinsame Sonntagnachmittag wahrscheinlich frühzeitig beendet gewesen.

Von Louise hörte man währenddessen nichts. Die Auseinandersetzung ging offensichtlich an ihr vorbei, obwohl sie zumindest einen kurzen Wutausbruch Blahniks mitbekommen haben musste. Doch sie meldete sich erst aus der Hängematte zu Wort, nachdem Jonas zum fünften Mal ein neues Blatt auf die Sperrholzplatte gespannt und die Stimmung auf dem Steg sich beruhigt hatte.

»Ach, ist das traurig«, rief sie. »Hättest du mich nicht warnen können, Boris? Die Geschichte ist so traurig. Warum schreiben Menschen Bücher übers Sterben? Warum, erklär mir bitte, müssen wir überhaupt sterben?«

Die Politik schien von diesem Augenblick an vergessen. Jabals Ignoranz entschuldigte Blahnik mit dessen Jugend und wohl auch mit dessen Beruf. Den Nachmittag dominierte von nun an Louise, die den Dichter mit jedem Satz mehr überraschte und immer neugieriger machte. Blahnik drehte leicht seinen Kopf und beobachtete sie aus den Augenwinkeln. Unbekümmert schaukelte sie in der Hängematte und las *Iwan Iljitsch*. Ihr linkes Bein hing aus der Matte heraus, dann und wann, wenn die Matte zur Ruhe gekommen war, stieß sie sich mit dem Fuß leicht vom Boden ab.

»Wann haben Sie sich kennengelernt?«

»Louise und ich?«

»Wer sonst?«

»Vor drei, vier Wochen. Sie flanierte durch unser Viertel und lächelte mich an, als sich unsere Wege kreuzten. Es war kalt, und ich fragte mich, was sie in die Gegend trieb. Man merkte auf den ersten Blick, dass sie fremd war. Ich sah ihr nach. Und dann, dann drehte sie sich um und lächelte noch einmal. Ich zögerte, schließlich bin ich ihr hinterher und sah, wie sie in Hennings Bierstube in der Bötzowstraße verschwand.«

Jonas war froh, dass die Politik das Gespräch verlassen hatte.

Über die Liebe ließ sich einfacher sprechen. Er sah Blahnik an, dann wieder aufs Papier. Langsam geriet ihm der Dichter so, wie er ihn wollte. Sogar seine Unbeherrschtheit sah man der Zeichnung an, obwohl die Arme ganz entspannt auf den Knien ruhten.

»Und?«, fragte Blahnik. »Wie ging es weiter?«

»Nach ein paar Minuten bin ich ihr zu Henning gefolgt. Es hat mich Überwindung gekostet, aber ich folgte ihr. Schon an der Tür sah sie mich. Sie saß vor einem Kännchen Tee und hielt ein Buch in der Hand, übrigens auch von einem Boris, einem Franzosen. Sie winkte mir zu und rief: ›Ich wusste, du würdest kommen, Karotte!‹«

»Karotte?«, fragte Blahnik.

Jonas deutete auf seine Haare.

Zwei Stunden später segelten sie vom Müggelhort Richtung Rübezahl, ein Ausflugsrestaurant am südlichen Ufer des Sees.

Zu Blahnik, Jonas und Louise hatte sich unterdessen auch Blahniks Frau Magdalena gesellt, die aus der Charité gekommen war, wo sie als Anästhesistin arbeitete. Lena Blahnik hatte Frühschicht gehabt und sich auf einen ruhigen Nachmittag in der Hängematte am See gefreut. Doch daraus sollte nun nichts mehr werden.

»Ich habe Hunger, Jonas!«, hatte Louise gerufen, nachdem der Maler den letzten Strich aufs Papier gebracht und das Blatt vorsichtig zusammengerollt hatte. Vorzeigen mochte er sein Werk allerdings noch nicht, obwohl der Porträtierte und Louise ihn dazu drängten. Er sagte, er sei sich nicht sicher, ob es wirklich schon gelungen war.

Das größere Problem in diesem Augenblick aber war Louises Appetit. Sie wiederholte noch zwei Mal, dass ihr Magen knurrte. Und weil die Blahniks nicht auf Besuch eingestellt waren und für vier Personen kein Essen im Haus hatten, schlug Lena vor, den

Skoda zu nehmen und ins Rübezahl zu fahren. Sie habe noch Marken für vier Gedecke.

»Da lässt's sich aushalten, bei dem Wetter«, sagte sie.

»Rübezahl?« Louise schien es genauer wissen zu wollen. Und so fügte Boris Blahnik hinzu: »Das ist des Volkes wahrer Himmel, es liegt direkt am See.«

»Können wir nicht das Segelboot nehmen?«, fragte Louise.

Blahnik, der immer sehr eigen mit dem Boot war und nicht vorgehabt hatte, es schon an diesem Tag ins Wasser zu lassen, stimmte sofort zu, was Lena verdutzte. Sie fragte: »Wolltest du die Jolle nicht noch einmal lackieren?«

»Einmal, zweimal oder dreimal, was macht das schon?«, antwortete ihr Mann.

Und so beschlossen sie, in das eine Dreiviertelstunde entfernt gelegene Ausflugslokal zu segeln. Bei gutem Wind war es sogar in einer halben Stunde zu erreichen. Ohne zu fragen klemmte sich Louise das Transistorradio unter den Arm, dann streifte sie sich, wie von Boris gewünscht, die Ballerinas von den Füßen und sprang unaufgefordert als erste an Bord. Dort wankte sie ans Heck, wo sie sich auf einer schmalen Holzbank niederließ. Das Radio stellte sie neben sich ab, bevor sie den RIAS suchte, der Jazzmusik spielte.

»Ach, ist das schön hier«, wiederholte sie und ließ, nachdem sie sich so eingerichtet hatte, ihre Arme nach hinten über Bord fallen. Den Kopf streckte sie bei geschlossenen Augen der Sonne entgegen.

Je länger Lena Blahnik das Mädchen beobachtete, desto mehr erschien es ihr wie ein Wesen aus einer anderen Welt, und dabei entging ihr nicht, dass Louise auch Boris regelrecht gefangen genommen hatte. Nicht, dass es sie beunruhigte, aber es erstaunte sie schon, wie ihr Mann sich in der Gegenwart des Malers und dessen Freundin plötzlich verhielt. Er tat so, als seien die beiden

Fremden seinesgleichen, als gäbe es keinen Altersunterschied von mindestens zehn Jahren, als kannten sie sich schon seit einer Ewigkeit.

Das Du störte sie dabei gar nicht, alle vier duzten sich inzwischen. Dafür hatte Louise gesorgt. Es war Boris' Körpersprache, die sie zutiefst erstaunte, sein Lächeln, die Art und Weise wie er sich mit den Fingern kokett die Haare hinter die Ohren strich, wie er versuchte, unbedingt originell zu sein, und wie er es schließlich sogar fertig brachte, seinen eigenen Roman zu loben.

Lena erkannte ihren Mann nicht wieder. Boris, der nie gefallen wollte, Boris, in den sie sich verliebt hatte, weil er nicht gefallen wollte, Boris, der allein aus reinem Argwohn die Distanz mehr schätzte als die Nähe, verhielt sich plötzlich wie ein verliebter Trottel, wie ein Pennäler, der sich das Gehirn rauswichste. Lena konnte es nicht fassen.

Doch zu sagen traute sie sich das nicht, sie machte gute Miene zu bösem Spiel. Auch dann noch, als sich Louise ganz selbstverständlich ihrer weißen Bluse mit den fetten roten und blauen Punkten entledigte und ihres hauchzarten Büstenhalters, den sie wahrscheinlich im KaDeWe erworben hatte. Ganz selbstverständlich, so als machte sie sich zur Bettruhe fertig, zog sie sich aus, warf die Kleidung neben sich auf die Bank, um ihren entblößten Oberkörper der Sonne zu schenken.

Blahnik, der kaum einen Meter von ihr entfernt den Ruderknüppel in der Hand hielt, genierte sich nicht, sie immer wieder anzustarren. Seine Augen klebten nicht nur auf dem kleinen Busen, den der Wind zu erregen schien, sie tasteten den ganzen Körper des Mädchens ab, wanderten von den dunklen, kräftigen Haaren, die nach hinten über Bord fielen, über das Gesicht, über die geschlossenen Augen, den langen Hals, den Oberkörper, die ausgestreckten Beine in den engen Röhrenhosen bis hin zu den knallrot lackierten Zehen, die im Takt zu *Petite Fleur* wippten.

»Spielt er nicht wundervoll?«, sagte Louise.

»Wer ist das?«, fragte Blahnik.

»Barber, Chris Barber und seine Band. Kennst du die etwa nicht? Ich habe sie vor einem Jahr im Sportpalast gesehen. Sie sind unglaublich gut. Ich glaube, sie kommen jetzt irgendwann wieder her – in die Deutschlandhalle. Monti Sunshine spielt die Klarinette. Ist er nicht großartig? Ich kann für uns alle Karten besorgen.«

»Besuchst du oft Konzerte?«, fragte Blahnik.

»So oft ich kann. Ich bekomme immer Freikarten. Erst vorgestern habe ich Count Basie im Sportpalast gesehen. Leider wollte Jonas nicht mitkommen. Manchmal versteh ich ihn nicht. Ich habe ihn regelrecht bekniet, mich zu begleiten.« Sie machte eine kurze Pause, dann rief sie: »Warum bist du nicht mitgekommen, Jonas? Count Basie – alle haben sich drum gerissen.«

Jonas antwortete nicht. Er stand am Bug und sah auf den See, sah die vielen anderen Boote, sah fröhliche Skipper, die ihm zuwinkten und glücklich waren, den ersten Sonnensonntag des Jahres zu genießen.

»Mich hättest du nicht zweimal fragen dürfen«, sagte Blahnik. Dabei legte er seine freie Hand auf Louises Knie. Louise richtete sich auf und lächelte.

Magdalena Blahnik sah Boris an, Boris erwiderte ihren Blick nicht. Lena war wütend, außer sich vor Wut. Sie war normalerweise nicht fähig zu starken Gefühlsausbrüchen, weder nach außen noch nach innen, aber in diesem Moment war Boris zu weit gegangen. Er hatte sie verraten. Er hatte eine Vertrautheit zwischen sich und dem Mädchen hergestellt, die sie aussperrte. Louise gab sie nicht die Schuld. Louise war in ihren Augen ein verwöhntes Mädchen. Das sah man der Kleidung an, die sie trug, dem sündhaft teuren BH, der schicken Bluse. Louise wollte ihre Reize austesten, sie war jung und wusste nicht, was sie tat.

»Du lebst in Westberlin, Louise?«, fragte Lena. Sie sprach laut und deutlich und in einem Tonfall, den Boris von ihr nicht kannte. Wie von einem Schuss aufgeschreckt zog er seine Hand vom Knie des Mädchens zurück.

Lena hatte einfach irgendwas gefragt, nur um in die Zweisamkeit der beiden einzubrechen. Sie hätte Louise genauso gut fragen können: *Studierst du?* Oder: *Was machen deine Eltern?* Louise hätte auch darauf etwas geantwortet, aber sicher nicht etwas Konkretes. Auf die Frage, ob sie in Westberlin lebte, antwortete sie nur: »Ja, klar – in Westberlin.«

Sie hätte auch sagen können, sie sei aus Paris oder aus Amerika, sie hätte New York sagen können, auch das wäre nicht falsch gewesen.

Warum war es überhaupt von Interesse, woher man kam?

Louise kannte keine Grenzen. Sie war überall zu Hause, wo sie sich wohl fühlte. Sie ließ sich nicht festnageln. Nirgendwo, von niemandem. Das hatte sie von ihrem Vater gelernt. *Man ist dort zu Hause, wo man sich wohl fühlt,* hatte der immer gesagt. *Wenn man sich nicht mehr wohl fühlt, muss man gehen.* Louises Vater war ein paar Mal in seinem Leben gegangen. Seit dem ersten Mal hatte er immer einen gepackten Koffer auf seinem Schrank liegen, mit fünf Anzügen, fünf Hemden und fünf Krawatten, alle in weinrot. Für den Fall der Fälle, für den Fall, dass es mal schnell gehen musste.

»Und deine Eltern leben auch in Westberlin?«

»Meine Eltern leben dort, wo man sie leben lässt«, antwortete Louise.

Sechs

»Haben die vier sich wieder gesehen?«, fragte Charlie, während sie den grünen Salat mit Blattgold von sich wegschob.

»Ja«, antwortete Baum. »Jonas war mit der Zeichnung, die er auf dem Bootssteg gemacht hatte, doch nicht zufrieden gewesen. Boris musste ihn zweimal im Atelier besuchen, einmal sind sie danach zu viert ins Kino gegangen. Mehr weiß ich nicht. Vielleicht hat Boris mir auch nicht alles erzählt. Das Mädchen hat ihn im Kopf jedenfalls noch Jahrzehnte verfolgt. Das habe ich gespürt.«

Charlie saß neben Daniel Baum an der langen Tafel, die zu Ehren von Baums Frau Alexandra gedeckt worden war. Alex feierte ihren dreißigsten Geburtstag. Baum hatte Charlie überredet zum Essen zu bleiben, was Alex zwar nicht verstanden, aber gleichgültig hingenommen hatte. Weniger Verständnis, so kam es Charlie vor, schien sie für Daniels Aufzug zu haben. Ihr Mann hatte sich geweigert, sich für das Fest umzuziehen. Er trug nach wie vor die Kleidung, in der er Charlie empfangen hatte – die dunkelbraune, abgewetzte Kordhose und die grüne Strickjacke über dem karierten Hemd. Seine Haare lagen immer noch durcheinander auf dem Kopf, und rasiert war er auch nicht.

»Es macht dir Spaß, mich zu blamieren. Nicht wahr?«, hatte Alex ihm zugezischt, nachdem sie begriffen hatte, dass es zwecklos war, ihren Mann zu überreden, anders aufzutreten.

Charlie hatte die Szene mitbekommen, hatte genauso wie Baums Tochter Christina, die ihr gegenüber saß, den Blick der Gastgeberin beobachtet, der voller Verachtung war. Obwohl Charlie die Frau ihres Auftraggebers vom ersten Augenblick an nicht mochte, gab sie ihr insgeheim recht. Daniel Baum wirkte in der aufgetakelten Gesellschaft tatsächlich wie ein Fremder im eigenen Haus.

Mindestens sechzig Menschen waren um den Tisch herum

versammelt, einige davon hatte Charlie schon in den Restaurants gesehen, die Nick Seeberg immer besuchte. Rechts neben ihr saß ein Boutiquebesitzer aus der Bleibtreustraße, der unentwegt mit seinem iPhone spielte und kaum redete, auf der anderen Seite, neben Christina Baum, ein Boxpromoter aus Frankfurt an der Oder. Aber es waren auch Anwälte und Ärzte da, Bauunternehmer, Makler und Banker. Fast alle hatten denselben Typ Frau dabei. Hübsch, die meisten blond mit Pony (der schnurgerade auf die Augenbrauen fiel), French Manicure, Pumps höher als der Funkturm. Viele sprachen mit einem Akzent aus dem Osten. *Sicher aus Polen, der Ukraine oder Russland*, dachte Charlie. Kaum eine von ihnen war über dreißig. Am anderen Ende des Tisches erkannte sie zwischen einem dieser Mädchen und der Gastgeberin den glatzköpfigen Pelzhändler wieder, der einmal ihr Tischherr im Grill Royal gewesen war und ihr ohne Rücksicht auf Seeberg nachgestellt hatte. Ihr fiel sein Name nicht mehr ein. Dafür erinnerte sie sich aber, dass die Ehefrau des Mannes mit den beiden Kindern nach Venedig durchgebrannt war, wo sie angeblich mit einem russischen Oligarchen zusammen in einem Palazzo leben sollte.

Christina Baum beobachtete, wie Charlie die illustre Runde musterte. Als Charlies Blick den Pelzhändler traf, der der Gastgeberin gerade etwas in Ohr flüsterte, meinte Christina: »Das ist Alex' Begleiter, ihr Walker. Er begleitet sie überall hin. Ich möchte nicht wissen, wohin überall.«

»Christina!«, unterbrach Daniel Baum scharf.

Und während die Männer und Frauen in den weißen Schürzen den Hauptgang servierten, Ente auf Wirsing, und Daniel Baum seine Tochter leise ermahnte, Alexandra den Geburtstag nicht zu verderben, fragte sich Charlie, womit Baum wohl sein Geld gemacht hatte. Wie er an das Haus gekommen war? Und an die Frau, diese Golddiggerin?

Wieso hatte Baum einem Menschen wie Blahnik die Übersetzung für den Roman bezahlt und war später auf Alex hereingefallen? Für Charlie passte das alles nicht zusammen. Wieso war Baum so vernarrt in *Louise im blauweiß gestreiften Leibchen*? War es wirklich nur die Besessenheit des Sammlers, alles besitzen zu müssen? Oder hatte auch Daniel Baum sich wie Boris Blahnik und Jonas Jabal in dieses rätselhafte Geschöpf verliebt, das an einem Februartag 1959 unerwartet wie ein Wirbelsturm aus dem Nichts im Ostpreußenviertel aufgetaucht war? Neugierig, tänzelnd, frech.

Fragte er sich vielleicht, warum ihm nicht so ein Mädchen über den Weg gelaufen war?

Ich wusste, du würdest kommen, Karotte!

Warum war ihm das nicht passiert? Sicher hätte Daniel Baum auch zugegriffen. Ein Mädchen wie Louise im richtigen Moment hätte ihm Alex erspart. Davon war Charlie felsenfest überzeugt. Und jetzt musste er sich mit dieser Runde aus Halsabschneidern, Schönheitschirurgen, russischen Flittchen, Autoverkäufern, Pelzhändlern und einer untreuen Frau zufrieden geben.

*Natürlich nur, wenn Christinas Vermutung stimm*t, dachte Charlie. *Aber sie wird schon stimmen.*

Etwas später, als die meisten Gäste mit dem Rest der Ente beschäftigt waren und Charlie versuchte, sich mit ihrem Nachbarn zur Rechten, dem Boutiquebesitzer, über die Kreuzzüge des Steve Jobs zu verständigen, betrat eine ältere Frau barfuß, nur mit einem champagnerfarbenen Nachthemd aus Seide bekleidet, den Raum. Das Hemd war stark befleckt, eine gelbliche Flüssigkeit, Reste von einem Spiegelei, von Kürbissuppe oder Orangensaft, war über der Brust verlaufen. Es dauerte keine dreißig Sekunden und alle Geräusche im Haus verstummten. Das Geklimper der Bestecke auf dem Porzellan, das Lachen, die Unterhaltungen – nichts war mehr zu hören. Totenstille herrschte plötzlich. Alle

Augen im Raum waren auf die Frau gerichtet, deren Blick in die Ferne schweifte.

Schleichend setzte sie einen Fuß vor den anderen, bis sie schließlich vor dem Sideboard stehen blieb und ihre linke Hand auf den Plattenspieler legte. *Schneewittchensarg,* dachte Charlie. In dem Moment, als die Frau den Deckel aus Plexiglas berührte, war ihr der Spitzname des Geräts wieder eingefallen, das sie schon im Museum of Modern Art in New York gesehen hatte. *Ja, Schneewittchensarg.*

»Ich habe sie verhaftet!« Ben Baum stand in der Tür und schrie: »Ich habe sie verhaftet! Keiner hier rührt sich von der Stelle!«

Erst jetzt nahm Charlie auch Baums Sohn und die englische Dogge wahr. Der Junge stand in der Tür und zielte mit dem Holzgewehr auf den Rücken der Frau, die Dogge trottete schwerfällig an ihm vorbei zum Sideboard. Als sie die Frau im Nachthemd erreicht hatte, streckte sie, ohne dass man sie dazu aufforderte, ihre Pfote zum Hitlergruss aus.

Der Gastgeber saß wie gelähmt auf dem Stuhl, genauso wie seine Ehefrau am anderen Ende der Tafel. Alexandras Kopf schien blutleer. Ihr Gesicht war plötzlich so weiß wie die Wand. Kein Wort kam vor lauter Entsetzten über ihre Lippen.

»Ich habe sie verhaftet«, rief der Junge noch einmal.

Ein paar Gäste brachen in lautes Gelächter aus, andere feixten, eine Frau mit geradem, blondem Pony und Akzent und ein Schönheitschirurg applaudierten sogar. Christina Baum hingegen schien erschüttert. Sie hatte Tränen in den Augen, die sie vor ihrem Vater nicht verbergen konnte.

Erst jetzt reagierte Daniel Baum. Er stand auf und schrie: »Sei still, Ben! Halt den Mund! Geh auf dein Zimmer, du Dummkopf!«

Das war der Moment, in dem sich Alexandra Baum von ihrem

Stuhl erhob. Sie war erregt und atmete schwer, ihre Lippen zitterten. Sie brachte noch immer kein Wort heraus. Als wollte sie ein Feuer entzünden, rieb sie die Innenflächen ihrer Hände mindestens zwei Dutzend Mal blitzschnell gegeneinander. Dann schließlich brach es auch aus ihr heraus.

»Was kann der Junge dafür, dass deine Mutter nicht ganz dicht im Kopf ist?«, schrie sie. »Wofür zahlen wir für die Rundumbetreuung, wenn dieses Pack nicht fähig ist, auf sie aufzupassen?«

Baum ging nicht auf den Ausbruch seiner Frau ein. »Wo ist Irma?«, rief er und verließ den Raum. «Irma, wo stecken Sie? Wo treiben Sie sich rum?« Irma musste die dicke Frau sein, die Charlie die Tür geöffnet hatte.

Die Sätze hallten in der Eingangshalle wider. Charlie wusste nicht, wohin sie blicken sollte. Sie spielte nervös mit dem Lippenstift in ihrer linken Hand, dann nahm sie das Dessertmesser in die andere, spiegelte ihren Mund in der Klinge und begann langsam ihre Lippen nachzuziehen. Es war wie eine Übersprungshandlung. Sie hatte sich noch nie in Gegenwart fremder Menschen geschminkt. Im Gegenteil, sie fand Frauen, die das taten, sogar immer sehr gewöhnlich.

Baums Mutter schien nicht mitbekommen zu haben, was sie angerichtet hatte. Sie bewegte sich in einer anderen Welt. Sie begann, wieder zum Amüsement der meisten Gäste, um die Tafel herum zu tänzeln, wobei sie ihre Arme wie Flügel ausbreitete und sich alle paar Schritte um sich selbst drehte. Dabei rief sie: »Ach, ist es schön, dass ihr alle gekommen seid! Ich danke euch. Ich danke euch sehr. Danke! Danke! Danke!«

Beim letzten Danke stand Alex an der Seite ihrer Schwiegermutter. Erbost ergriff sie ihren Oberarm und versuchte, sie Richtung Tür zu zerren. Doch die verwirrte Frau ließ sich das nicht gefallen. Sie riss sich los und zischte: »Hau ab, du Hexe!« Dann steuerte sie auf Charlie zu. Sie beugte sich zu ihr herunter, umarmte sie und sagte: »Schön, dass Sie wieder einmal bei uns sind, mein Kind. Sie haben sich solange nicht blicken lassen. Es ist viel passiert in dieser Zeit. Wir sollten uns darüber einmal unterhalten. Kein Mensch hat mich in meinem Leben so gedemütigt wie diese Frau.« Dabei deutete sie mit dem Zeigefinger auf die Hausherrin.

Charlie wusste nicht, wie ihr geschah. Sie hatte die Alte, deren warme Hand sie immer noch auf ihrer Schulter spürte, nie zuvor in ihrem Leben gesehen. Fast flehend sah sie sich nach dem Gastgeber um, und als der schließlich in Begleitung von der dicken Irma und einem bärtigen Mann in einem weißen Kittel ins Esszimmer zurückkehrte, fühlte sie sich wie von einer Last befreit.

Daniel Baum sagte: »Komm Mutter, sei vernünftig. Irma und der junge Mann bringen dich jetzt auf dein Zimmer. Du brauchst Ruhe.«

»Ich brauche deinen Vater«, antwortete die Frau. »Und sonst nichts.«

Zehn Minuten später war alles vorbei, der Zwischenfall vergessen. Die Männer und Frauen in den bodenlangen Schürzen servierten das Dessert, das Geklimper der Bestecke auf dem Porzellan setzte wieder ein, das Blut kehrte in Alexandras Kopf zurück und Charlies Nachbar zur Rechten fuhr fort, Steve Jobs als den Leonardo da Vinci des einundzwanzigsten Jahrhunderts zu preisen.

Baums Mutter hatte wie eine Dritte-Akt-Komikerin – deren Job es war, ein gelangweiltes Publikum mit einer kurzen Einlage zu beglücken – ihren Auftritt gehabt. Jetzt ging alles wieder seinen vorausgeplanten Gang.

Nur Christina hatte die Runde verlassen. Der Stuhl von Baums Tochter blieb frei.

Sieben

Für die beiden folgenden Tage hatte Charlie sich vorgenommen, das Bötzowviertel auszukundschaften. Obwohl sie sich nicht wirklich viel davon versprach, – schließlich waren fast fünfzig Jahre vergangen, seitdem der Maler seinem Leben ein Ende gemacht hatte – sah sie keine andere Möglichkeit, sich auf die Spur von *Louise im blauweiß gestreiften Leibchen* zu machen. In der Nacht nach dem Besuch bei Daniel Baum war Charlie noch einmal ihre Notizen durchgegangen und hatte auf der nächsten freien Seite des blauen Büchleins die Punkte notiert, die sie als erstes in Angriff nehmen wollte:

- Bierstube Henning (Bötzowstraße) – Gibt's die noch?
- Atelier Liselotte-Herrmann-Str. / früher: Allenstein
- Theresa!!! Sie muss noch leben!
- Max Noske, bester Freund. Paris? Schön wärs, Paris! ☺!

Von Max Noske versprach sich Charlie die größte Hilfe. Noske hatte Jonas versucht zu überreden, rüberzumachen, gleich nach Paris. Er wollte mit seinem Freund ein Kunstbusiness in der Stadt der Kunst aufziehen, er wollte sein Manager werden. Und reich. Steinreich wollte er werden. Das hatte Charlie der Website entnommen, auf der Jabals Beerdigung geschildert worden war. Vielleicht hatte Noske sich den Traum ja ohne den Freund erfüllt, vielleicht war er allein nach Paris gegangen, vielleicht war er inzwischen ein gemachter Mann.

Mit diesen Gedanken, noch im Halbschlaf, begann für Charlie der Tag nach dem denkwürdigen Abend in der Bismarckallee. An das Geburtstagsfest verschwendete sie am Morgen danach seltsamerweise keinen Gedanken mehr, sie war ganz auf ihren Auftrag konzentriert.

Charlotte Pacou, dachte sie, *Privatdetektivin*. Sie schmunzelte und war selbst erstaunt über ihre Chuzpe. *Private Eye.*

Dabei hätte sie in der Nacht noch die Möglichkeit gehabt, Daniel Baum die Wahrheit zu sagen. Sie hätte das Missverständnis aufklären können, ohne dass Baum ihr den Betrug übel genommen hätte. Baum hatte sie eingehakt im Arm zum Taxistand am Hagenplatz begleitet und sich auf dem Weg dorthin zweimal für den Verlauf des Abends entschuldigt. Seiner Mutter gehe es wirklich sehr schlecht, hatte er gesagt, und nach einer Pause hinzugefügt, dass seine Frau wenig Verständnis für die Situation aufbringe.

Baum war angeknockt, das hatte Charlie gespürt. Es wäre ein Leichtes für sie gewesen, zu gestehen, dass sie keine Detektivin war. Stattdessen hatte sie sich ganz förmlich mit den Worten verabschiedet: »Ich werde mein Bestes geben, *Louise* für Sie zu finden, Herr Baum.« Und Daniel Baum hatte geantwortet: »Dan, nennen Sie mich Dan, Charlie.«

In der Manteltasche hatte Charlie neben dem Lippenstift und dem Notizbuch einen Briefumschlag mit dem Vorschuss nach Hause getragen.

Der Umschlag mit dem Geld lag am Morgen geschlossen achtlos neben dem Computer. Noch bevor Charlie ins Bad ging, setzte sie sich im T-Shirt vor das Gerät, klappte es auf und tippte »Max Noske« in die Google-Leiste, um dann neugierig die Resultate zu studieren, die der Rechner ausspuckte. In hundertzwei Dokumenten war der Name erwähnt. Charlie überflog die Einträge.

Negativ. Kein Max Noske in Paris.

Wäre auch zu schön gewesen, dachte sie. Der einzige Max Noske, den es auf der Welt zu geben schien, war ein Großschlachter in Adelaide im Süden Australiens. Alle Dokumente im Netz bezogen sich auf diesen Mann.

Noske – *ihr* Max Noske ein Schlachter? In Australien?

Charlie konnte sich das nicht vorstellen, dennoch: unmöglich schien es nicht. Was wusste sie, welchen Beruf Noske, der Freund des Malers aus der Allensteiner Straße, gelernt hatte? Was sprach dagegen, dass dieser Haudegen, der nicht davor zurückgeschreckt war, am Tag der Beerdigung des besten Freundes mit dem kleinen Busen von dessen vierzehnjähriger Schwester zu spielen, den Beruf des Schlachters ausübte?

Nichts. Gar nichts.

Charlie mochte Noske nicht, das stand fest. Sie hatte ihn schon auf der Beerdigung nicht gemocht. Einer, der schamlos die Schwäche eines Teenagers ausnutzte, der war für sie, was ihre Großmutter immer einen Taugenichts genannt hatte. Obendrein war er ein Angeber, ein widerlicher Angeber, einer, der, weil er selbst nichts konnte, aus der unglaublichen Begabung des Freundes Kapital schlagen wollte.

Auf der Homepage von *Max Noske & Son – Country Meat* war ein Foto abgebildet, das ein Dutzend an Fleischerhaken aufgehängte Schweinebäuche zeigte. Auf jedem einzelnen prangte der Abdruck eines Stempels mit den Initialen MN. Die Schlachterei war in Hahndorf ansässig, einem Vorort von Adelaide. Die Seite warb mit dem Worten: *Specialising in traditional home-made German-style smallgoods and Adelaide Hills grown beef, lamb, pork and poultry*. Je länger Charlie den Bildschirm betrachtete, desto mehr beschlich sie das Gefühl, der Noske, den sie suchte, und der Noske, der die Schlachterei im Süden Australiens betrieb, waren ein und dieselbe Person. Und das passte ihr gar nicht.

Erst, als sie den *link* zur Familiengeschichte öffnete, beruhigte sie sich langsam wieder. Die Noskes, die auf der anderen Seite der Welt lebten, hatten sich schon vor einer Ewigkeit dort angesiedelt, sie stammten aus Sachsen-Anhalt und waren im Jahr 1838 mit dem preußischen Kapitän Dirk Hahn auf einem Schiff namens Zebra an der Küste vor Adelaide gelandet. Was sollte ein junger Mann Ende der fünfziger Jahre im zwanzigsten Jahrhundert in Ostberlin mit diesem Clan zu tun haben?

Charlie erhob sich vom Stuhl. Draußen regnete es wieder in Strömen. Es war ein furchtbarer November. Der Türke auf der anderen Straßenseite hatte sich nicht mal die Mühe gemacht, das Obst und Gemüse vor die Tür zu stellen. Und der Mann scheute sonst vor nichts zurück. Kein Mensch trieb sich auf der Straße herum. Kein Hund kackte unter einen Baum. Charlie sah aus dem Fenster und streckte sich. Dann drehte sie sich wieder zum Tisch, auf dem der Rechner stand, und griff nach dem Umschlag, den Dan Baum ihr zugesteckt hatte, bevor sie zum Hagenplatz gegangen waren. Sie öffnete ihn und zählte. Es waren zwanzig nigelnagelneue Zweihundert-Euro-Scheine darin und zehn Hunderter. Charlie hatte nicht einmal eine Quittung dafür unterschreiben müssen. Fünftausend Euro – auf gut Glück, dachte sie. *Louise* schien Daniel Baum wirklich sehr viel zu bedeuten. Charlie schloss die Augen, sie sah das Mädchen vor sich, nicht das Porträt, sie sah das Mädchen aus Fleisch und Blut, sie sah, wie Louise ihr Fahrrad am Jägerzaun abstellte, der das Grundstück von Boris Blahnik begrenzte, sie sah die roten Röhrenhosen, die Ballerinas, die über dem Bauchnabel verknotete Bluse mit den fetten, roten und blauen Punkten. Sie sah, wie Louise den Hula-Hoop-Reifen um ihre Hüfte tanzen ließ und dabei wie ein Kind lachte, sie sah sie in der Hängematte mit dem Tolstoi in der Hand, sie sah sie auf dem Boot, sie sah, wie sie sich ihrer Bluse entledigte, sie sah das Transistorradio, in dem Chris Barber und seine Band spielten, sie sah knallrot lackierte Fußnägel, die im Takt zu der Musik wippten.

Und als sie ihre Augen wieder öffnete, wünschte sie sich den Frühling herbei und einen Hauch der spielerischen Unbeschwertheit von Louise, selbst wenn die ein Menschenleben kosten sollte.

Voller Verehrung hatte Charlie Jonas Jabals letzte Liebe in ihr Herz geschlossen.

Und als sie an diesem Morgen dann auch noch *Petite Fleur* hörte – sie hatte das Lied aus dem Netz auf ihren Computer geladen und so programmiert, dass es in einer Endlosschleife spielte – wusste sie, die Freundschaft mit Louise würde ihr Leben vollkommen auf den Kopf stellen. In Zukunft, das schwor sie sich, würde sie sich nichts mehr gefallen lassen, schon gar nicht von Menschen wie Nick Seeberg oder auch Max Noske, den sie, ohne ihn zu kennen, in dieselbe Schublade steckte wie ihren Ex. Nein, von solchen Typen ließ sie sich bestimmt nicht mehr beeindrucken.

Auf dem Weg ins Bad fiel Charlies Blick auf den großen Spiegel, der an der Innenseite der Eingangstür der kleinen Wohnung befestigt war. Charlie sah sich in dem weißen T-Shirt von Nick Seeberg, das kurz über ihren Knien endete. Sie strich sich die Haare hinter die Ohren und betrachtete ihren Körper von Kopf bis Fuß. In Gedanken malte sie mit einem dicken Pinsel blaue Streifen auf das weiße Hemd. Dann drehte sie sich um und ging zum Schreibtisch zurück, wo sie den Katalog mit den Bildern Jabals und den Bistro-Stuhl ergriff. Beides trug sie in den Eingangsbereich des Apartments. Sie schaltete das Licht an – eine starke Glühbirne, die an einem losen Kabel unter der Decke hing. Das Tageslicht, das durchs Fenster fiel, war zu schwach für das, was sie vorhatte.

Sie stellte den Stuhl mit dem Rücken zum Spiegel und setzte sich verkehrt herum darauf. Wieder studierte sie nur für einen Moment ihr Spiegelbild, dann nahm sie den Katalog in beide Hände, schlug die Seite mit *Louise* auf und betrachtete das Gemälde noch einmal für ein paar Sekunden, um schließlich haargenau die Position des Mädchens einzunehmen.

Wie Louise legte Charlie ihre Arme auf die Lehne des Stuhls, wie Louise ließ sie ihr Kinn angewinkelt auf den Händen ruhen, und wie Louise streifte sie ihre Haare, die etwas weniger lang und nicht so dunkel waren, über die linke Schulter zur Brust.

Charlie saß genauso da, wie Louise fast fünfzig Jahre zuvor dagesessen hatte, auf einem ähnlichen Stuhl und wahrscheinlich auch in ähnlicher Umgebung. Unschuldig und doch ein wenig gewagt. Charlie versuchte auch den Blick des Mädchens zu imitieren, sie versuchte gleichgültig auszusehen, ihr Gesicht sollte keine Emotion preisgeben, keine Freude verraten und auch keine Trauer. Und als sie schließlich sicher war, dass ihr Spiegelbild dem Porträt des Malers glich, fragte sie sich, ob sie es zulassen würde, in dieser Position porträtiert zu werden.

Minuten lang saß sie so da, für eine Zeit schloss sie dabei die Augen und tanzte in Gedanken eng umschlungen mit Louise zu den zärtlichen Tönen, die Monti Sunshine der Klarinette entlockte. Dann erwachte sie wieder aus diesem Tagtraum und erschrak über sich selbst. Sie sah auf ihre geöffneten Schenkel, auf die Schamhaare, die die Schamlippen versteckten. Auf Jabals Gemälde waren die Schamlippen des Modells ganz klar zu erkennen, durch die verschiedenen Rottöne schienen sie sogar zu leuchten. Das sah man selbst der schlechten Reproduktion im Katalog an. Charlie steckte sich Zeige- und Mittelfinger in den Mund, dann öffnete sie die Schenkel, so weit sie konnte, und benetzte die Schamlippen, die jetzt deutlich zu erkennen waren, mit Spucke. In diesem Augenblick fühlte sie zum ersten Mal seit langem so etwas wie Lust. Und wieder schloss sie die Augen, und wieder tanzte sie mit Louise zu der Melodie von *Petite Fleur*. Und der Drache auf dem chinesischen Paravent spie Feuer in ihren Gedanken. Alles brannte lichterloh.

Dann plötzlich fiel ihr der Mund ein. Sie hatte den Mund vergessen. Sie stand auf und ging ins Bad. Sie nahm einen Lippenstift und trug das Rot auf ihr Gesicht.

Hatte sie Blut auf Louises Gesicht gesehen? Oder war es wirklich nur das verwischte Fett eines Lippenstifts?

Bald würde sie mehr wissen. Da war sie sich sicher. Daniel Baum jedenfalls würde sie nicht enttäuschen. »I'll deliver«, sagte sie leise vor sich hin.

Woher sie die Zuversicht nahm, war ihr selbst ein Rätsel.

Acht

Das Bötzowviertel, früher Ostpreußenviertel, lag nordöstlich vom Alexanderplatz in einem Teil von Prenzlauer Berg, den Charlie noch nie besucht hatte. Ohnehin war sie selten über den Bezirk Mitte hinausgekommen und dort, das musste sie sich zu ihrer Schande eingestehen, kannte sie auch kaum mehr als die einschlägigen Restaurants – das Grill Royal, das Borchardt, das San Nicci. Von Prenzlauer Berg wusste sie höchstens, dass es den Kollwitzplatz gab, den Wasserturm, die Kulturbrauerei.

Gut, ein paar Mal war sie auch in der Kastanienallee gewesen und im Prater, dem Biergarten. Seeberg hatte sie, wenn er, wie er sagte, etwas Exotisches erleben wollte, im Sommer gelegentlich überredet, Abende hier zu verbringen. »Lass uns in den Zoo gehen«, hatte er dann gesagt und die Kastanienallee als »Catwalk des modernen Prekariats« bezeichnet. Auf Sprüche dieser Art war er immer mächtig stolz gewesen. Charlie erinnerte sich an den allerletzten Abend, den sie zusammen hier verbracht hatten.

Als sie nachts zu Seebergs Auto, einen Porsche 911 Turbo, zurückgekehrt waren, berührte das Bodenblech des Wagens fast das Kopfsteinpflaster der Straße. Alle vier Reifen waren durchstochen. Seeberg war daraufhin ausgerastet. Er hatte vor Wut getobt und die beiden dickbäuchigen Polizisten, die den Schaden etwas später teilnahmslos protokollierten, als inkompetente, faule

Säcke bezeichnet. Das Verfahren wegen Beamtenbeleidigung hatte Seeberg mit Pauken und Trompeten verloren. Er hatte darauf verzichtet, Charlie als Zeugin zu laden, nachdem die ihm unmissverständlich klar gemacht hatte, sie werde den Teufel tun und eine Falschaussage zu Protokoll geben. »Ich riskier doch keinen Meineid für dich«, hatte sie geschimpft.

An diesen Vorfall dachte Charlie, als sie jetzt mit den Stöpseln ihres iPods in den Ohren vom Alexanderplatz Richtung Bötzowviertel ging. Der Weg war weiter, als sie beim Blick auf die Karte angenommen hatte. Aber das störte sie nicht, sie fühlte sich beschwingt. Dafür sorgten nicht nur Chris Barber und seine Band, die sie begleiteten. Es hatte auch aufgehört zu regnen, sogar ein paar Sonnenstrahlen brachen sich Bahn durch die dicke Wolkendecke. Und als sie schließlich am Friedrichshain, gleich hinter dem alten Kino, das Schild Bötzowstraße las, wurde ihr sogar richtig warm ums Herz.

Sie wusste, es konnte nicht mehr weit sein bis zu der Stelle, an der sich die Wege von Louise und Jonas Anfang Februar 1959 zum ersten Mal gekreuzt hatten. Die beiden waren aneinander vorbeigegangen, nach ein paar Metern hatten sie sich umgedreht, und sie hatte ihn angelächelt. Jonas war ihr daraufhin in die Bierstube Henning gefolgt, wo Louise ein Kännchen Tee bestellt hatte.

Ich wusste, du würdest kommen, Karotte!

Als Charlie nach ein paar hundert Metern fast dieselbe Stelle erreichte, fühlte sie, dass sie an einem Kreuzweg stand. Hatte sie bis dahin die Geschichte von Jonas und Louise noch wie einen Roman gelesen, war sie jetzt dabei, den Roman zu betreten. Plötzlich hatte sie das Gefühl, nicht mehr nur Beobachterin zu sein, sondern auch Handelnde. Bei Philip Roth hatte sie einmal erlebt, dass ein Held den Roman verließ, weil er stinkwütend auf den Autor war. Das würde Charlie nicht passieren. Auch von ihrem Autor, den sie ohnehin für nicht ganz koscher hielt, würde sie sich nichts mehr gefallen lassen. Sie war erwachsen. Ihr Handeln konnte ihr keiner mehr diktieren.

Ich bin erwachsen!, schrie sie in Gedanken.

An der Ecke Bötzow- und Liselotte-Herrmann-Straße blieb sie vor einer Kneipe stehen. Knotenpunkt, stand auf dem Schriftzug über der Eingangstür. Irgendwie passte der Name zur Situation, und Charlie betrat den Ort in der Hoffnung, er könne früher einmal Hennings Bierstube geheißen haben.

In der Kneipe herrschte Zwielicht. Auf einem Hocker hinter der Bar saß eine Frau und blätterte im Kurier. Sie hatte ihre kräftigen Beine übereinander geschlagen und bewegte den linken Fuß im Takt zu einem Schlager, der aus der Musicbox dröhnte. Sie trug rote Lackschuhe, Stilettos, ihre Haare waren wasserstoffblond gefärbt, ihr Busen kämpfte mit den Knöpfen der weißen Bluse.

Charlie setzte sich auf einen Hocker an die Bar. Erst jetzt blickte die Frau auf. Sie lächelte.

»Was kann ich für Sie tun?«

»Könnte ich ein Kännchen Tee bekommen?«, fragte Charlie.

Die Frau rutschte vom Hocker. »Schwarz, grün, rot? Hagebutte? Pfefferminz?«

»Einen schwarzen, bitte.«

Die Frau verschwand durch eine Tür, hinter der Charlie eine kleine Küche vermutete. Neben der Tür hing ein Spiegel mit der Aufschrift *Gorbatschow – Des Wodkas reine Seele.* Am Ende der Bar, dessen Holztresen im Rundbogen verlief und am Fenster zur Liselotte-Herrmann-Straße endete, machte ein Spielautomat mit nervös, in allen Farben blinkenden Lichtern auf sich aufmerksam.

Auf der anderen Seite, zu Charlies Linken, sah man in einen zweiten unbeleuchteten Raum, in dem ein mit einer Plane abgedeckter Billardtisch zu erkennen war. Hinter Charlie stand die Musicbox.

Hatten Louise und Jonas hier, in dieser Kneipe, die heute Knotenpunkt hieß, die ersten Worte gewechselt?

Ich wusste, du würdest kommen, Karotte!

Die Frau kam aus der Küche. Sie stellte ein Glas Tee auf einer weißen Untertasse vor Charlie auf den Tresen. Dann verschwand sie noch einmal und kam mit einer zweiten Untertasse zurück, auf der eine Zitronenpresse mit einer dünnen Zitronenscheibe und drei Zuckerwürfel lagen.

»Ich heiße Karin«, sagte die Frau.

»Charlie«, antwortete Charlie. »Hallo.«

»Was führt dich an diesem Scheiß-Novembertag in diese Gegend, Charlie?«

»Ich bin auf den Spuren von einem Maler, der hier gelebt hat«, antwortete sie.

Sah man ihr etwa an, dass sie fremd war in der Gegend?

»Jonas Jabal?«

Charlie war kurz sprachlos. Dann rutschte ihr ein Satz heraus, den sie im selben Augenblick bedauerte: »Ja, haben Sie ihn gekannt?«

Die Wirtin lachte. »So alt bin ich nun auch nicht, Schätzchen. Ich war zwei Jahre alt, als Jabal *arrivederci* gesagt hat. Außerdem hab ich meine ersten sieben Jahre in Köpenick verbracht, direkt am Fluss.«

Also war Karin gerade mal fünfzig Jahre alt. Charlie hätte sie älter geschätzt. Sie entschuldigte sich, dann fragte sie: »Woher wissen Sie von Jabal?«

»Na, von der Tafel, natürlich. Und ein paar alte Nachbarn erzählen auch manchmal Geschichten über ihn.« Karin zündete sich eine Zigarette an und blies den Rauch über den Tresen.

»Tafel? Welche Tafel?«

»Na, die Gedenktafel an Nummer 10. Echtes Porzellan, hat schweineviel Geld gekostet das Ding.« Karin lächelte Charlie an. »Sehr weit haben dich deine Spuren bisher ja nicht geführt …«

Charlie presste sich den Zitronensaft ins Glas. »Wer hat die Tafel anbringen lassen?«

»Was weiß ich? Irgendein Krösus aus dem Ausland, sagt man. Eines Tages standen jedenfalls zwei Dutzend Männer und Frauen vor der Tür und haben Jabal als einen ganz Großen gefeiert. Ein Professor aus Paris hat eine lange, anrührende Rede auf ihn gehalten, ein paar Leute sollen sogar geweint haben.«

Charlie zog das blaue Notizbuch zusammen mit ihrer kleinen Digitalkamera aus dem alten Parka und legte beides auf den Tresen. Dann trank sie einen Schluck Tee, bevor sie die Worte *Gedenktafel* und *Professor Paris* notierte. Karin beobachtete sie ein wenig skeptisch dabei.

»Wann war das? Seit wann hängt die Tafel an dem Haus?«, fragte Charlie.

Karin schürzte die Lippen, als wollte sie sagen: *Boff, was weiß ich* … Stattdessen sagte sie: »Ach, das ist bestimmt schon sieben, acht Jahre her. Wenn nicht gar länger … Du musst die Mommsen fragen, die weiß alles über Jabal, Mo Mommsen. Sie wohnt in der 31 oder 32. Sie war vor hundert Jahren mal verknallt in den Kerl.«

Als Charlie den Namen Mo Mommsen hörte, huschte ein Lächeln über ihr Gesicht. Sie suchte in dem Notizbuch die Seiten, auf denen alles über die Beerdigung des Malers notiert war. Hinter Mo Mommsen machte sie einen Haken und schrieb: *Nummer 31 oder Nummer 32 LHS*. Dann las sie Karin langsam die Namen Max Noske, Jan Henning, Boris Blahnik, Lena Blahnik, Felix Becker, Theresa Jabal und Bine Mommsen vor.

Karin kannte nur Felix Becker und Bine Mommsen. »Bine ist die Zwillingsschwester von Mo«, sagte sie. »Die ist letztes Jahr jämmerlich krepiert, an der Volkskrankheit. Felix Becker ist ihr Mann, war ihr Mann.«

»Volkskrankheit?«

Karin legte die Zigarette im Aschenbecher ab, dann umfasste sie mit beiden Händen ihren gewaltigen Busen. Sie drückte einmal kräftig zu und seufzte: »Brustkrebs. Wann hast du dich denn zuletzt untersuchen lassen, Schätzchen?«

Charlie ging darauf nicht ein. »Und Jan Henning, Sie haben nie von ihm gehört?«

»Nein, wer soll das sein?«

»Ich dachte, ihm hätte vielleicht mal diese Kneipe gehört.«

»Das kann ich mir nicht vorstellen. Als ich den Laden übernommen habe, hieß er Noteingang. Ein paar junge Leute haben ihn geführt. Aber das war schon lange nach der Wende. Zu Ostzeiten, jedenfalls in den siebziger und achtziger Jahren, war das hier eine Eisenwarenhandlung. Nägel, Schrauben, Schlösser konntest du hier kaufen. Und Holz, ja auch Holz. Das war so eine Art Mini-Baumarkt. – Aber Jan Henning ... Nie gehört.«

»Der Mann hatte in der Gegend eine Kneipe, das ist sicher: Hennings Bierstuben.«

»Vielleicht drüben, fünfzig Meter weiter, wo jetzt der Franzose ist. Vielleicht war das mal ne Kneipe ...«

»Ein Franzose?«

»Chez Maurice, ganz vornehm. Seine Blutwurst ist berühmt und obendrein noch bezahlbar. Sogar unsere Kanzlerin verkehrt da gelegentlich mit ihrem Professor. Wenn da mal ne Kneipe drin war, muss das aber auch schon sehr, sehr lange her sein. Ich erinnere mich, an einen Sero-Laden dort ...«

»Sero?«

»Sekundär-Rohstofferfassung, Schätzchen. Da haben wir unsere leeren Gläser und Flaschen abgegeben und ein paar Groschen Pfand kassiert. Nach der Geburt meines Sohnes hab ich da sogar die ausgewaschenen Alete-Gläser hingetragen. Auch bei uns gab's Alete. Da staunste, was? – Aber Hennings Bierstuben? Nicht dass ich wüsste. Frag die Mommsen.«

Charlie war verblüfft, dass die Frau sie nach soviel Jahren sofort als Wessie ausgemacht hatte. An der Kleidung konnte es nicht liegen, dem alten Parka mit den großen Taschen, der ausgewaschenen Jeans und den schwarzen Converse mit den weißen Totenköpfen.

Karin musterte Charlie, als wollte sie sagen: *Noch Fragen, Schätzchen?* Die beiden sahen sich in die Augen, Karins Augen waren groß und grün, wie die von Louise, und sie leuchteten, überhaupt war ihr Gesicht sehr hübsch. Warum trug sie nur diese unmögliche Frisur, diese wasserstoffblond gefärbte Pracht, die wie eine Perücke auf ihrem Kopf thronte?

Wahrscheinlich waren es die Haare, die Dauerwelle, die sie älter aussehen ließen, als sie war.

»Sie hatten vorhin von alten Nachbarn gesprochen, die gelegentlich noch von Jabal erzählen ... Was erzählen die?«

»Das kann ich dir beim besten Willen nicht sagen. Ich höre schon lange nicht mehr zu, wenn's um früher geht. Das Früher ist große Mode hier bei uns im Viertel. Ich kann's, ehrlich gesagt, nicht mehr hören. Früher, früher ... Früher war das Leben umsonst. So ein Scheißgerede.«

»Na, irgendwas wird dir doch einfallen ...« Zum ersten Mal duzte Charlie die Wirtin.

Die Antwort, die auf ihre Frage folgte, sollte sie noch lange beschäftigen.

»Was willst du hören? Er hat seine Freundin mal verprügelt. Willst du das hören?«

»Welche Freundin?«

»Irgend so ein eingebildetes Girlie-Wesen aus dem Westen.«

»Louise?«

»Was weiß ich? Vielleicht hieß sie Louise ... Die soll ihm jedenfalls total den Kopf verdreht haben. Und ein paar anderen wohl auch.«

»Verprügelt? Du meinst, er hat ihr eine gelangt, er hat ihr eine Ohrfeige gegeben – oder was?«

»Nein, er soll sie richtig verprügelt haben. Es soll Blut geflossen sein, Blut, verstehst du? Sie war sogar im Krankenhaus, sagt man.«

Charlie fühlte sich, als habe ihr jemand ein nasses Handtuch um die Ohren geschlagen. Der schüchterne Schlaks, dieser verträumte Maler aus dem Ostpreußenviertel hatte ihre Louise verprügelt. Sie sah, wie das Blut über das Gesicht lief, über den Mund, der ihr beim Betrachten des Porträts das Rätsel aufgegeben hatte.

Vielleicht hatte Louise Jonas eifersüchtig gemacht, vielleicht hatte sie mit einem Freund von ihm zu eng getanzt, so eng, wie sie selbst an diesem verregneten Vormittag mit Louise getanzt hatte. Aber das war doch kein Grund sie blutig zu prügeln, krankenhausreif ...

»Sie ist ins Krankenhaus gekommen? Ist das sicher?«

»Was weiß ich ... Das ist das, was die Leute sich erzählen. Ich sag dir: Frag die Mommsen. Die weiß alles, Charlie.«

Neun

Keine zehn Minuten später, es muss so gegen halb fünf an diesem Nachmittag im November gewesen sein, stand sie vor dem Haus Nummer 10 in der Liselotte-Herrmann-Straße und versuchte das Gehörte aus ihren Gedanken zu vertreiben. Sie betrachtete die Gedenktafel neben dem Eingang. Sie hatte schon einige dieser Tafeln in der Stadt gesehen, die alle ähnlich wirkten.

Am oberen Rand standen erhaben, weiß auf weiß, die Worte

Berliner Gedenktafel, dann folgte die kobaltblaue Inschrift und schließlich das Firmensignet der Königlichen Porzellan-Manufaktur, ein Zepter in derselben Farbe. Eine dieser Tafeln hing gleich neben Charlies Haus in der Mommsenstraße. Sie ehrte einen Dirigenten namens Leo Blech, von dem Charlie vorher nie etwas gehört hatte. Auch die Tafel von Willy Brandt und Friedrich Luft, dem Theaterkritiker, hatte sie schon irgendwo gesehen und die von Werner Sombart, einem Soziologen, der einmal Thema während ihres Studiums gewesen war.

Dass diese Tafeln schweineviel Geld kosteten, wie Karin sich ausgedrückt hatte, wusste Charlie von einem Freund, der eine Fotogalerie in der Auguststraße betrieb. Der Freund war gerade damit befasst, eine Gedenktafel für den Surrealisten Hans Bellmer in Karlshorst zu stiften. Von diesem Galeristen wusste Charlie auch, wie zeitaufwendig und mühsam die Diskussionen mit Hausverwaltungen, Politikern und Behörden waren, bevor es das Okay für eine Tafel gab.

Wer hatte diese Mühen für Jabal auf sich genommen? Wer hatte das Geld gestiftet? Wer hatte die Lokalpolitiker überzeugt, dass Jonas Jabal eine Tafel gebührte?

In diesem Haus lebte und arbeitete
von der Geburt bis zu seinem traurigen Ableben
der Maler
Jonas Jabal
17. 10. 1938 – 12. 7. 1959
Schöpfer unvergessener Bilder.
Sein früher Tod hat Großes verhindert.

Charlie las die kobaltblauen Zeilen und wusste nicht, ob sie mit dem Text einverstanden war. *Ableben* – was für ein furchtbares Wort. Für sie hätte die Inschrift auch ein wenig präziser sein dürfen, aber das war wahrscheinlich schwierig auf dem kleinen Platz.

Sie zog den Fotoapparat aus der Jackentasche, stellte sich auf die Zehenspitzen und hob die Hände über den Kopf, um die Tafel möglichst frontal zu fotografieren und nicht von unten angeschnitten. Sie machte zehn Aufnahmen, davon drei mit Blitz. Es wurde langsam dunkel, und sie fürchtete, das Schneeweiß der Tafel könnte in ein trübes Grau versuppen, wenn sie ohne Blitzlicht fotografierte.

Nachdem sie die Kamera wieder in der Parka-Tasche hatte verschwinden lassen, rüttelte sie an der Haustür. Sie wollte einen Blick auf den Hinterhof werfen, wo der Leichenschmaus abgehalten worden war, wo Lisa Jabal die herzergreifenden Worte für ihren Sohn gefunden und Max Noske den kleinen Busen Theresa Jabals gestreichelt hatte.

Die Tür war verschlossen. Charlie las die Klingelschilder. Keiner der Namen hatte für sie irgendeinen Bezug zum Maler, keiner fand sich in dem blauen Notizbuch wieder, das sie inzwischen hütete wie ihren Augapfel, obwohl wirklich Erhellendes bisher darin nicht zu Papier gebracht worden war.

Sollte sie einfach auf irgendeine Klingel drücken? Charlie traute sich nicht. Der alte Adam, dem sie ihren Job verdankte, hätte sich getraut.

Sie ging auf die andere Seite der Straße, um ein paar Fotos von dem ganzen Haus zu machen. Es war liebevoll renoviert, wie die meisten Häuser in der Gegend. Die Geschichte hatte man hier sauber übertüncht, Spuren von Straßenkämpfen oder gar Kriegen, die ein paar Jahre zuvor noch an allen Ecken und Enden Zeugnis abgelegt hatten, fanden sich nicht mehr an den Fassaden. Das Gutbürgerliche hatte gesiegt. Höchstens ein paar Graffitis zierten dann und wann die Wände.

Charlie blickte unters Dach des Hauses, wo sich das Atelier

des Malers befunden haben musste, in dem er *Louise im blauweiß gestreiften Leibchen* gemalt hatte.

Hatte er die Wunde am Mund dem Gemälde später hinzugefügt, oder hatte er Louise gemalt, als sie mit der Wunde vor ihm verkehrt herum auf dem Stuhl saß?

Das war eine entscheidende Frage. Charlie ertrug den Gedanken nicht, die beiden könnten sich vielleicht nicht mehr gesehen haben, nachdem er sie blutig geprügelt hatte. Wenn das überhaupt stimmte. Vielleicht war alles nur dummes Gerede.

Die Häuser der Liselotte-Herrmann-Straße waren durchnummeriert, die Straßenseiten nicht in gerade und ungerade aufgeteilt. Charlie stand mit dem Rücken zur 32.

Nummer 31 oder Nummer 32 LHS, hatte sie notiert.

Sie drehte sich um und ging zum Eingang Nummer 32.

Mommsen.

Der Name an der Klingel fiel sofort ins Auge. Alle anderen Bewohner hatten sich mit Papier und Tesafilm oder ausgestanzten Plastikstreifen begnügt. Die Mommsen hatte noch ein richtiges Schild, eines aus Bronze mit schwarzen Buchstaben in geschwungener lateinischer Schrift.

Die Eingangstür war nicht ins Schloss gefallen. Charlie betrat das Treppenhaus. Es roch nach Bohnerwachs, so wie damals, als Jonas Jabal sich zu seiner allerletzten Reise in den Westen aufgemacht hatte, und Hermine Evers, bohnernd auf den Knien hockend, von ihm wissen wollte, wohin ihn sein Weg so früh am Morgen führte. Er hatte nicht mit der Wahrheit geantwortet, er hatte nicht gesagt: *in den Tod, Frau Evers.*

Das Haus hatte keinen Fahrstuhl. Charlie ging langsam die Treppen hinauf, die Dielen unter dem blanken Linoleum knarrten. Sie war aus der Puste, als sie schließlich im fünften Stock vor der Tür der Mommsen stand. Sie klingelte – einmal, dann noch einmal. Ein Junge, vielleicht dreizehn Jahre alt, öffnete, er trug ein T-Shirt von den Böhsen Onkelz und ein Basecap der New York Yankees, verkehrt herum. Ein Kopfhörer steckte in seinem linken Ohr, ein anderer baumelte über seiner Brust.

»Hallo«, sagte Charlie. »Ich wollte zu Frau Mommsen.«

»Nicht da«, antwortete der Junge.

»Wann wird sie wieder kommen?«

»Keine Ahnung.«

»Heute noch?«

»Keine Ahnung, sie ist auf dem Friedhof. Sie ist immer auf dem Friedhof.«

»Auf welchem Friedhof?«

»Keine Ahnung.«

Charlie wusste, es war zwecklos weitere Fragen zu stellen. Sie bat den Jungen um die Telefonnummer von Mo Mommsen. Widerwillig ging der zu einem kleinen Tisch im Flur, auf dem, neben einer Vase mit einer einzelnen Nelke, ein altes, rotes Telefon mit Wählscheibe auf einer gehäkelten Decke stand.

Charlie warf einen Blick in die Wohnung und fühlte sich im selben Augenblick wie vom Blitz getroffen. Sie wollte ihren Augen nicht trauen. An der rechten Wand im Flur hingen sechs Kohlezeichnungen in IKEA-Bilderrahmen, fünf davon hatte sie schon gesehen. Aus ihrem Blickwinkel erweckten sie den Anschein, als seien sie vollkommen identisch mit jenen Zeichnungen, die sie im Arbeitszimmer von Dan Baum gesehen hatte. Sie erkannte sogar Boris Blahnik wieder – die langen Haare seines Schnurrbarts, die wie Würmer in seinen Mund krochen. Die sechste Zeichnung zeigte das Porträt eines Mädchens. Es trug lange, dick geflochtene Zöpfe.

Charlie war so verwirrt über die Entdeckung, dass sie nicht einmal gehört hatte, wie der Junge die Nummer von dem Telefon ablas und ihr zurief.

»Haben Sie sie aufgeschrieben?«, fragte er ungeduldig.

»Entschuldigung, bitte sag die Nummer noch einmal«, antwortete Charlie und ließ sich die Zahlen ins blaue Notizbuch diktieren.

Bevor sie sich wieder auf den Weg in den Westen machte, ging sie noch bei Maurice in die Bötzowstraße vorbei. Auf dem Weg wurde sie von einem Mann angesprochen, der einen Mülleimer nach leeren Pfandflaschen durchsuchte. Er bat Charlie um einen Euro. Sie schüttelte den Kopf.

Das Restaurant war geschlossen, es öffnete erst um sechs Uhr. Jetzt war es noch nicht einmal fünf. Charlie beschloss, Maurice an einem anderen Tag zu besuchen, vielleicht würde sie sogar eine Blutwurst dort essen – mit lauwarmem Kartoffelsalat.

Erst jetzt bemerkte sie, dass sie Hunger hatte. Sie hatte den ganzen Tag noch nichts zu sich genommen.

Zehn

Es war halb zehn am Abend, als sie erwachte. Sie hatte gerade mal drei Stunden geschlafen, vielleicht dreieinhalb.

Nachdem sie am Savignyplatz den Zug verlassen und unter den S-Bahn-Bögen eine Currywurst gegessen und eine Cola light getrunken hatte, war sie nach Hause gegangen, vollkommen erschöpft. Sie hatte sich aufs Bett geworfen und war sofort eingeschlafen – in Parka, Jeans und Converse.

Jetzt fragte sie sich, wo sie war und ob sie den Tag geträumt hatte – den Tanz mit Louise, den Trip ins Bötzowviertel, Karin, den Jungen mit dem Basecap der New York Yankees. Noch liegend tastete sie die Taschen ihres Parkas ab und fühlte die Digitalkamera, die während des kurzen Schlafs eine schmerzhafte Druckstelle an ihrer Hüfte hinterlassen hatte. Dann fielen ihr die

Fotos von der Gedenktafel ein und von dem Haus Nummer 10 der Liselotte-Herrmann-Straße.

Und auch das Foto von Karin aus dem Knotenpunkt.

Sie hatte nicht geträumt. Ja, kurz bevor sie gegangen war, hatte sie auch Karin fotografiert. Sie hatte gefragt, ob sie sie fotografieren dürfe. Und Karin hatte geantwortet: »Wenn's der Sache dient und dich glücklich macht.«

Sie konnte sich selbst nicht erklären, warum sie das Foto aufgenommen hatte. Vielleicht einfach nur aus Verlegenheit, weil sie ihren Tee mit einem nigelnagelneuen Zweihunderter bezahlen wollte. Sie hatte kein Kleingeld dabei gehabt, und die Wirtin war natürlich nicht in der Lage gewesen, den großen Schein zu wechseln.

»Macht nichts, Schätzchen«, hatte sie gesagt. »Dein Maler treibt dich mit Sicherheit noch öfter in unsere Gegend. Du hast Kredit.«

Charlie stand auf, zog sich aus und verschwand unter die Dusche. Sie duschte eine halbe Ewigkeit. Als sie aus dem Bad kam, hatte sie ihren Körper in ein weißes Badelaken gehüllt, auf ihrem Kopf trug sie ein weißes Handtuch, das sie zum Turban gewickelt hatte. Ihre Haut duftete nach Rosenwasser.

So ging sie zu ihrem Schreibtisch und suchte das Kabel, das die Kamera mit ihrem Rechner verbinden sollte. Dabei lauschte sie wieder *Petite Fleur*.

Das Kabel war verschwunden. Charlie nahm an, dass sie es im Büro verlegt hatte, in einer dieser Schubladen des Eichenschreibtischs, den Adam ihr vererbt hatte. Sie wollte die Fotos auf dem Bildschirm ihres Rechners betrachten. Unbedingt. Sie wollte noch einmal unters Dach blicken, wo Jonas Jabal gelebt, wo er Louise geliebt und sie vielleicht sogar geschlagen hatte.

Vielleicht! Charlie mochte es noch immer nicht glauben.

Louise, so rätselhaft sie ihm auch erschien, gehörte nicht zu den Mädchen, die sich schlagen ließen.

Sie war nicht müde, sie war hellwach. Sie würde nicht schlafen können, wenn sie sich wieder hinlegte. Und so beschloss sie noch einmal auf die Straße zu gehen, wie früher so oft, nachdem sie sich mit Nick Seefeld gestritten hatte. Manchmal war sie Stunden lang allein durch die Nacht gelaufen, einmal hatte sie sich sogar in einem Stundenhotel am Stuttgarter Platz eingemietet, weil sie nicht mehr nach Hause gehen wollte.

In dieser Nacht muss es gegen halb elf gewesen sein, als sie den Kurfürstendamm hoch schlenderte und in die Meinekestraße einbog. Sie hatte während ihres Studiums ein paar Jahre in dieser Straße gewohnt, sie glaubte jedes Haus, jeden Stein hier zu kennen. Umso erstaunter war sie, als sie kurz vor der Lietzenburger eine Gedenktafel entdeckte, die in kobaltblauer Schrift daran erinnerte, dass sich in dem Haus das Palästinaamt der Jewish Agency befunden hatte, das zwischen 1933 und 1941 über fünfzigtausend Juden zur Auswanderung verhalf. Charlie hatte die Tafel noch nie zuvor gesehen und ermahnte sich, aufmerksamer durchs Leben zu gehen. Gerade jetzt, wo es darauf ankam. Sie nahm sich vor, ihre Sinne besser zu schulen.

Fahr deine Antennen aus, Charlie! Du musst deine Antennen ausfahren!

Im Gegensatz zum Kudamm wirkte die Lietzenburger wie ausgestorben. Obwohl der Himmel seine Sterne zeigte, waren kaum Menschen unterwegs. Nur einer kleinen Gruppe angetrunkener Männer, die wahrscheinlich auf dem Weg in eines der vielen Billigbordelle in dieser Gegend waren, musste sie ausweichen. Ein Mann rief ihr in einer Sprache etwas hinterher, die sie nicht verstand.

Fick dich ins Knie!, antwortete Charlie in Gedanken. Sie war ungefähr noch dreihundert Meter von ihrem Büro entfernt und kniff die Augen leicht zusammen. Auf dem Bürgersteig vor der Eingangstür ihres Hauses parkte eine Limousine mit aufgeblendeten Scheinwerfern. Ein Mann kam aus dem Haus, er blieb kurz stehen und blickte die Fassade hinauf, dann drehte er sich um, stieg ins Auto und fuhr davon. Charlie glaubte, Daniel Baum in dem Mann erkannt zu haben. Sie ging schneller.

Was wollte Baum von ihr? Was war so wichtig, dass er sie mitten in der Nacht aufsuchte? Hatte er vielleicht *Louise* gefunden? War sie ihren Job schon wieder los, bevor sie ihn richtig begonnen hatte?

Unsinn!

Sie fasste in die Manteltasche und suchte nach ihrem Handy. Wahrscheinlich hatte sie es im Parka vergessen. Sie hatte sich nach der Dusche umgezogen. Das Rosenwasser hatte den Parka und die Jeans nicht verdient, mit denen sie durch die halbe Stadt gelaufen war. Sie hatte sich das schwarze Twinset angezogen und den beigefarbenen, eng anliegenden Rock, darunter Strümpfe, hauchdünn. Sie liebte die Berührung des Nylons auf ihrer Haut. Sie hatte die Strümpfe nie für jemand anderen als für sich selbst getragen.

Schon als sie den Fahrstuhl verließ, sah sie, dass in den beiden Apartments neben dem ihren Betrieb herrschte. Licht schien durch die untere Türspalte auf die speckige, von Zigarettenkippen verbrannte Auslegeware des Flurs.

Im ersten Apartment, vom Lift aus gesehen, hatten Thailänder einen Massagesalon eingerichtet. Die beiden Mädchen, die dort arbeiteten, hatten Charlie sehr freundlich begrüßt, als sie mit der Maklerin zum ersten Mal in das Haus gekommen war, um das Büro des alten Adam zu besichtigen. Dennoch waren die Thais der Grund gewesen, warum sie anfangs gezögert hatte, hier zu mieten. Vor der Tür des Salons roch es penetrant nach einer Mischung aus billigem Parfum, fernöstlichen Gewürzen und totem

Fisch. Charlies Nase war empfindlich, sie hatte sich an dem Tag der Besichtigung gefragt, ob sie diesen Geruch, selbst wenn er nicht in ihr Büro dringen sollte, täglich ertragen könne.

Und die Kunden, was waren das für Menschen, die sich dort bedienen ließen?

Hinter der zweiten Tür, durch die das Licht auf den Teppichboden des Flurs strahlte, hatten sich zwei freie Journalisten eingemietet, ausgebuffte Reporter, die die Welt kannten und schon einige Ups und Downs erlebt hatten. Zurzeit schienen sie sich gerade in einem Down zu befinden. Anders konnte sich Charlie nicht erklären, warum sie von einer so heruntergekommenen Bude aus arbeiteten.

Einer der beiden hieß Frank, ein Fotograf, der andere war Mike, ein Schrank von einem Mann. Frank und Mike hatten Charlie, nachdem sie den Mietvertrag unterschrieben hatte, auf eine Flasche Wein eingeladen und ihr später erlaubt, den DSL-Anschluss und Fotokopierer des Büros mitzubenutzen. Die beiden waren in Ordnung, und sie war froh gewesen, als sie sich ihr vorgestellt hatten, weil sie sich in dem Haus beschützter fühlen würde.

Der größte Coup von Frank und Mike war Anfang der neunziger Jahre Schalck-Golodkowski gewesen. Die beiden hatten den Devisenbeschaffer der DDR in seinem Versteck an einem bayerischen See aufgespürt. Er lebte dort, unbehelligt in einer hochherrschaftlichen mit Antiquitäten vollgestopften Villa, zusammen mit seiner Frau.

Eine andere Geschichte, der sich die Reporter rühmten, war eine Reportage über einen Münchner Gelddrucker und dessen Firma. Der Mann hatte hunderte von Millionen Mark an Steuern hinterzogen – Geld, das er mit afrikanischen Diktaturen verdient hatte.

Bevor Charlie in ihr Büro ging, klopfte sie bei den Reportern.

Mike war allein, er saß vor seinem Rechner und lutschte an einer Lakritzstange.

»Hi, Charlie«, sagte er überrascht ohne das Lakritz aus dem Mund zu nehmen. »Richtiger Hochbetrieb heute Nacht hier. Was ist denn los? Da war gerade …«

Charlie ließ ihren Nachbarn nicht ausreden. Sie wirkte nervös und kurzatmig.

»Hat eben ein Mann nach mir gefragt?«

Mike grinste und sagte: »Ein großer Mann? Gar nicht so schlecht aussehend? Dreitagebart, Kopfhaar durcheinander? Teurer Anzug? Meinst du den?«

»Ja, kann sein, sag schon …«

»Da war einer, ja. Aber das muss schon mindestens fünf Minuten her sein.«

»Nimm mich nicht auf den Arm. Was wollte er?«

»Er wollte zu dir, Charlie.«

»Das weiß ich. Was hat er gesagt, mein ich? Hat er etwas gesagt?«

»Er schien traurig, dass du nicht da warst. Er trug in der einen Hand eine Flasche – Weißwein, wenn ich das richtig erkannt habe – und in der anderen zwei Gläser. Er hat nicht gesagt, was er wollte, aber ich nehme an, er wollte dich flachlegen, Charlie – was ich gut verstehen würde.«

Mike lächelte.

»Spinner«, sagte Charlie und dabei fühlte sie, wie ihr das Blut in den Kopf schoss. Sie war fast neununddreißig und wurde immer noch rot, wenn jemand eine harmlose, saloppe Bemerkung auf Kosten ihrer Sexualität machte. Wahrscheinlich hatte Mike das mit seinem Adlerblick sogar sofort bemerkt und auch noch sympathisch gefunden. Sie ärgerte sich über sich selbst. Louise wäre sicher ganz cool geblieben. Ja, die hätte eine passende Antwort parat gehabt, ohne Zweifel.

Charlie ging in ihr Büro. Warum war sie überhaupt hier? Das Kabel, richtig. Sie zog die Schubladen des Eichenschreibtischs auf.

Warum hatte sie nur ihr Handy zu Hause vergessen?

Das Kabel lag in der untersten Schublade. Wo war die Visitenkarte von Dan Baum?

Er hatte ihr seine Karte hier im Büro gegeben. Nachdem er gegangen war, hatte sie die Nummer in dem Handy und dem Rechner gespeichert. Und die Karte? Was hatte sie mit der Karte gemacht? Sie lag nirgendwo.

Charlie steckte das Kabel in die Manteltasche und machte sich, ohne Umweg, wieder auf den Weg nach Hause. Sie wollte so schnell wie möglich an das Handy kommen.

Um kurz vor Mitternacht, als sie auf ihrem Bett saß, zögerte sie, Baums Nummer zu drücken, obwohl der versucht hatte, sie zu erreichen. Einmal hatte er angerufen, um kurz vor zehn, das sah sie auf dem Display – *1 verpasster Anruf.* Wahrscheinlich hatte sie zu dem Zeitpunkt unter der Dusche gestanden. Jetzt zögerte sie. Sie beobachtete, wie die Fotos von der Kamera auf den Rechner reisten, und hatte nicht den Mut ihren Auftraggeber zurückzurufen.

Sei kein Frosch, Charlie, ruf ihn an. Vielleicht ist es wichtig.

Dann drückte sie.

Es klingelte nur einmal, Baum war sofort am Apparat.

»Charlotte Pacou, entschuldigen Sie die späte Störung, Herr Baum, aber Sie haben versucht, mich zu erreichen?«

»Ja, ich wollte ein Glas mit Ihnen trinken, Charlie, und fragen, wie weit sie sind, ob sie überhaupt schon angefangen haben – und …« Er machte eine Pause.

»Und?«

»Ja, und dann wollte ich Ihnen wahrscheinlich auch erzählen, dass Alexandra ausgezogen ist. Mit dem Jungen.« Baums Stimme klang so, als habe er die Flasche allein ausgetrunken.

»Oh, das tut mir leid«, sagte Charlie und fand ihre Wortwahl im selben Augenblick unangemessen.

»Nein, es ist besser so. Es muss Ihnen nicht leid tun«, antwortete Baum. »Ich weiß auch gar nicht, warum ich Ihnen das erzähle. Wahrscheinlich nur, weil Sie den Höhepunkt des Feuergefechts mitbekommen haben und sonst keine Freunde von mir da waren. Es war ja Alexandras Party.«

»Wie konnte Ihre Frau so schnell ausziehen?«

»Wir haben ein paar Apartments in der Stadt, am Potsdamer Platz. Alles ging ruckzuck.«

Charlie fühlte sich nicht wohl bei dem Gespräch. Sie sagte nichts, ein paar Sekunden lang …

»Sind Sie noch da, Charlie?«

»Ja, ich war heute viel unterwegs für Sie, auf einer Reise in die Vergangenheit. Ich war im Ostpreußenviertel auf der Suche nach *Louise*.«

»Ostpreußenviertel? Wollen Sie mir davon erzählen?«

»Heute nicht mehr, Dan. Ich bin zu erschöpft. Und noch einmal, das tut mir leid mit Ihrer Frau und Ihrem Sohn.« Und, wieder nach einer kurzen Pause, fügte sie hinzu: »Aber es musste ja so kommen.«

Was fiel ihr ein, so einen Satz zu sagen? Wie konnte ihr dieser Satz rausrutschen? Sie kannte den Mann doch gar nicht. Sie wusste nur, dass er in einem großen Haus lebte, dass er die falsche Frau geheiratet hatte, dass seine Mutter ganz offensichtlich gestört war und sein Hund es verstand, den Hitlergruß perfekt nachzuahmen.

Und dass er die fünfziger Jahre hochleben ließ, das wusste sie natürlich auch – Jabal, Eames, der Schneewittchensarg.

Aber sie wusste nicht, was er tat und wovon er lebte.

Klar, er lebte von seinem Geld. Aber wie hatte er das verdient? Oder womit verdiente er es? Und warum war er wie ein Schnösel gekleidet in ihr versifftes Büro gekommen und hatte es andererseits nicht für nötig erachtet, sich zur Feier des dreißigsten Geburtstages seiner Frau etwas Eleganteres anzuziehen als eine alte, abgewetzte Kordhose?

Charlie verstand Baum nicht. Sie wusste nicht einmal, ob sie ihn mochte.

Als die beiden auflegten, hatten sie sich für den nächsten Tag zum Abendessen verabredet. Charlie hatte Chez Maurice vorgeschlagen, was Daniel Baum nicht kannte. Sie hatte von der Blutwurst erzählt, die Karin empfohlen hatte. Baum akzeptierte den Vorschlag mit großer Freude, wie er wörtlich sagte.

»Soll ich Sie abholen, Charlie?«

»Nicht nötig, ich werde mich ohnehin in der Gegend aufhalten, Dan.«

»Dann bis halb acht, also. Morgen Abend.«

»Halb acht, ja.«

Bevor sie schlafen ging, betrachtete sie auf dem Bildschirm ihres Rechners noch einmal die Fassade des Hauses hinter der Jonas Jabal gelebt hatte, das Dachgeschoss mit den Spitzengardinen und der Geranie hinter dem Fenster und neben der Eingangstür die Gedenktafel. Auf schneeweißem Hintergrund, ein wenig vom Widerschein des Blitzlichts geblendet, las sie die kobaltblaue Zeile: *Sein früher Tod hat Großes verhindert.*

Ob die neuen Mieter, die jetzt unter dem Dach wohnten, wohl wussten, dass sich der Maler hier mit Dormolux und einer Rasierklinge der Marke Tutilo das Leben genommen hatte?

Am nächsten Morgen, Charlie nahm es sich ganz fest vor, würde sie in aller Herrgottsfrühe Mo Mommsen anrufen.

Elf

Der Februar 1959 war für die sechszehnjährige Monika Mommsen, genannt Mo, in zweierlei Hinsicht ein sehr trauriger Monat. Zum einen stürzte Buddy Holly auf dem Weg zu einem Konzert nach Fargo, North Dakota, mit dem Flugzeug ab, zum anderen überfiel ein unvorhersehbarer Tornado namens Louise das Ostpreußenviertel in Prenzlauer Berg. Und nichts sollte nach diesem Sturm wieder so sein, wie es einmal war.

Das aber ahnte Mo Mommsen noch nicht, als sie an diesem zweiten Sonntag des Monats mit der Mutter des Malers im Atelier unter dem Dach saß.

Lisa Jabal betrat das Reich ihres Sohnes immer nur mit dessen Erlaubnis, und immer nur dann, wenn sie ihre Nähmaschine benutzen musste – ein Monstrum, das schon vor dem Zweiten Weltkrieg von der Firma H. Grossmann in Dresden hergestellt worden war. In ihrer Wohnung, die einen Stock tiefer lag, nahm das Teil zuviel Platz ein, und so hatte sie Jonas gebeten, im Atelier daran nähen zu dürfen. Wenn die Maschine nicht benutzt wurde, stand sie versteckt hinter dem chinesischen Paravent mit dem feuerspeienden Drachen, den Charlotte Pacou Jahre später auf dem Gemälde *Louise im blauweiß gestreiften Leibchen* entdecken sollte.

Am Nachmittag dieses Sonntags im Februar '59 reparierte Lisa Jabal zwei Hemden ihres Sohnes, deren Kragen durchgescheuert waren. Dabei saß sie auf demselben Thonet-Stuhl vor der Maschine, auf dem später Louise verkehrt herum mit weit geöffneten Schenkeln sitzen sollte.

Während sie den Kragen von einem hellblauen Hemd trennte, lümmelte sich neben Lola, Jonas' Katze, Mo Mommsen auf der Chaiselongue und verschlang in einer Jugendzeitschrift aus dem Westen alles über das tragische Flugzeugunglück und den Tod des Rock-'n'-Roll-Sängers. Dabei hing ihr Herz gar nicht so sehr an Buddy Holly. Sie mochte seine Musik gern, das schon, aber sie war weit davon entfernt, von ihm als Mann zu schwärmen. Ihr Herz gehörte einzig und allein Jonas Jabal, der ihr zum sechzehnten Geburtstag, ein paar Tage zuvor, den Holly-Schlager *Peggy Sue Got Married* geschenkt hatte. Ihre Zwillingsschwester Sabine, genannt Bine, musste sich dagegen mit Hollys Song *It's Not My Fault* zufrieden geben.

Mo hatte diese Geste als Zeichen verstanden, als geheime Botschaft Jonas Jabals.

Nachdem sie mit Hilfe eines Wörterbuchs die beiden Musiktitel übersetzt hatte, glaubte sie, sie sei die Auserwählte des Malers, sie sei Peggy Sue, die zukünftige Frau Jabal. Sie würde ihn heiraten. Ihrer Schwester, davon war sie felsenfest überzeugt gewesen, hatte der Maler mit seinem Geschenk gesagt: *Tut mir leid, ich kann nicht anders, Bine. Ich liebe Mo. It's not my fault.*

Jetzt, während sie auf der Chaiselongue die Zeitschrift las, fürchtete sie, der Absturz in Amerika und der Tod des Sängers könnte ein böses Omen für ihre Zukunft sein. Mo war sehr abergläubisch. In ihrer Wohnung in der Liselotte-Herrmann-Straße 32 war sie einmal von ihrer Mutter dabei überrascht worden, wie sie, auf einer Trittleiter stehend, über der Tür eine geöffnete Schere in den Rahmen steckte. Die alte Evers hatte ihr erzählt, dass dieser Brauch Hexen verjagt.

»Was soll der Unsinn?«, hatte Mos Mutter gefragt.

Und Mo hatte geantwortet: »Die hält die Hexen fern, Mama, weißt du das etwa nicht?«

Da die Schere keinen störte, alt und schon ein wenig stumpf war, hatte Mutter Mommsen ihre Tochter in dem Glauben gelassen. Ein wenig besorgt schien sie aber dennoch gewesen.

»Das ist schrecklich …«, sagte Mo. »Ganz schrecklich.«

Lisa Jabal hatte vier Stecknadeln im Mund. »Was?«, nuschelte sie, »was ist schrecklich, Mo?«

»Buddy Holly ist tot.«

»Wer um Gottes Willen ist denn Buddy Holly?«

»Ein Rock-'n'-Roll-Sänger. Er ist mit seinem Flugzeug abgestürzt in … in Iowa, er war auf dem Weg zu einem Konzert in Norddakota.« Sie sprach Iowa deutsch aus.

»Kein Wunder, das sind doch alles Wilde dort. Warum hat er auch ein Flugzeug?«

»Jonas hat mir eine Platte von ihm zum Geburtstag geschenkt – *Peggy Sue*. Er ist extra für mich ins KaDeWe gefahren.«

»Du solltest besser nicht solche Sachen lesen, Mo. Du solltest lieber gucken, wie man einen durchgescheuerten Hemdkragen repariert. Das ist wichtig fürs Leben. Aber Buddy Holly …« Lisa Jabal schüttelte den Kopf. Dann fragte sie: »War er ein Neger?«

»Nein, er war kein Neger.«

»Wär auch noch schöner, wenn die Neger jetzt schon eigene Flugzeuge haben.«

Mo stand auf und ging zum Fenster. Von dort konnte sie, wenn die Gardinen zurückgezogen waren, in ihre Küche auf der anderen Straßenseite blicken. Die Gardinen waren an diesem Sonntagnachmittag zurückgezogen, und sie sah ihre Schwester, die sich die Haare zum Pferdeschwanz bürstete und mit ihrer Mutter sprach.

»Komm her Mo, hör auf zu träumen und pass auf«, sagte Lisa Jabal. »Es ist wirklich ganz einfach. Guck zu! Du nimmst den durchgescheuerten Kragen und drehst ihn einfach um.«

Sie nahm eine Stecknadel aus dem Mund und befestigte den Kragen damit am Hemd. Das wiederholte sie noch dreimal mit den anderen Nadeln. Dann spannte sie den Stoff in die Maschine und trat in die Pedale. Es ratterte etwa eine Minute lang.

»Fertig! Hemd wie neu. Jetzt muss es nur noch geplättet werden.« Lisa Jabal drehte den Kragen wieder um und sah Mo an. Die verdrehte ihre Augen.

»Glauben Sie, er kommt gleich noch?«, fragte sie.

»Wer? Jonas?« Lisa Jabal wusste, dass Mo ihr nur wegen Jonas Gesellschaft leistete.

Mo nickte.

»Schlag dir den Jungen aus dem Kopf, Kind«, sagte Lisa Jabal. »Du bist zu jung für ihn, glaub mir.«

»Bin ich nicht.«

»Fünfzehn! Das fehlt noch, dass er dir mit fünfzehn ein Balg macht!«

»Ich bin sechzehn.«

»In vier Jahren vielleicht, da kannst du noch mal über ihn nachdenken, Mo. Aber jetzt ...«

In dem Augenblick, als Lisa Jabal das sagte, ging die Tür auf und Jonas stand im Raum, neben ihm ein Mädchen – kein Mädchen, eine junge Frau, die hübscheste Frau aus Fleisch und Blut, die Mo Mommsen jemals gesehen hatte. Nicht mal in den Zeitschriften *Film & Frau*, *Brigitte* und *Constanze*, die sie manchmal in die Finger bekam, waren die Frauen schöner.

Mo erstarrte zu Salzsäule.

»Hallo Mutter«, sagte Jonas, dabei sah er so glücklich aus wie selten in seinem Leben zuvor.

»Was habe ich gehört? Was ist in vier Jahren? Vielleicht in vier Jahren ...«

»Nichts, mein Junge. Nichts, was dich etwas anginge. Mo und ich, wir hatten nur ein Gespräch unter Frauen.«

Jonas lächelte Mo an. Dann stellte er Louise vor. »Das ist Louise, wir haben uns vor ein paar Tagen kennengelernt ... Louise möchte eine deiner berühmten Schmalzstullen probieren, Mutter.«

Lisa Jabal streckte ihre Hand aus und musterte das Mädchen von oben bis unten. »Ich bin Jonas' Mutter. Hallo Louise.«

Louise drückte die Hand der Frau, dann drehte sie sich zu Mo um, um auch sie zu begrüßen. Mo starrte Louise nur ungläubig an. Sie war nicht fähig ihre Hand zu heben, wie gelähmt hing ihr Arm an der Schulter. Noch nie hatte sie Jonas in Begleitung eines Mädchens gesehen, und jetzt tauchte er wie aus dem Nichts mit einem Geschöpf auf, das auf sie wirkte wie ein wunderschönes Wesen aus einer fremden Welt.

»Und wer bist du?«, fragte Louise.

Mo schwieg. Und als Jonas ihr mit der Hand durchs Haar fuhr, wie man einem Kind durch die Haare fährt, und dabei wie ein großer Bruder lächelte, wich sie abrupt zurück. Sie war verletzt, zutiefst verletzt.

»Das ist unsere Monika oder Mo, wie sie sich selbst nennt, die Nachbarstochter von gegenüber«, antwortete Lisa Jabal für Mo. Sie wusste genau, was sich in diesem Moment in der kleinen Mommsen abspielte, und, um möglichst schnell von ihr abzulenken, fügte sie hinzu: »Und wo habt ihr euch kennengelernt, Louise? – Jonas und Sie?«

»Bei Henning«, antwortete Jonas an Louises statt.

»Bei Henning?« Lisa Jabal sah Louise ungläubig an, so als wollte sie sagen: *Das kann gar nicht sein. Schwindle mich nicht an, mein Junge. So etwas wie Louise trifft man nicht nur mal so bei Henning, so etwas wie Louise trifft man höchstens auf der Leinwand im Kino.*

Wahrscheinlich dachte sie in dem Augenblick, als Jonas' frische Bekanntschaft zum ersten Mal vor ihr stand, an *Ein Herz und eine Krone*, den sie ein paar Jahre zuvor am Kurfürstendamm gesehen hatte. Lisa Jabal hatte Mo Mommsen einmal während einer Nähstunde von dem Erlebnis erzählt. Es war das einzige Mal gewesen, dass Mutter Jabal nach dem Krieg in einem Kino gewesen war. Ein Verehrer hatte sie zwei Jahre nach dem Tod ihres Mannes überredet, einen Ausflug in den Westteil zu machen. Vor dem Kinobesuch hatten die beiden im Kranzler ein Kännchen Tee getrunken, sich eine Apfeltorte mit Schlagsahne geteilt und Händchen gehalten. Als sie später, nachdem sie den Film gesehen hatten, mit der S-Bahn nach Hause fuhren, war Lisa Jabal stumm wie ein Fisch gewesen, ihr Verehrer hatte kein Wort mehr aus ihr herausbekommen. Das Mädchen in dem Film hatte sie zu sehr beeindruckt.

Genauso wie sie wahrscheinlich jetzt beeindruckt von Louise war, die der Schauspielerin in ihrer unbekümmerten Art und ihrem Aussehen in verblüffender Weise glich. Louise hatte nur längere Haare und ihre Augen waren grün. Die Augenfarbe der Schauspielerin kannte sie nicht, der Film war in schwarzweiß gedreht worden.

Im Gegensatz zu damals und im Gegensatz zu Mo Mommsen ließ sich Lisa Jabal an diesem Sonntag im Februar 1959 aber nicht anmerken, wie stark beeindruckt sie von dem Mädchen war. Dabei hätte sie große Lust gehabt, Louise zu fragen, wo sie den teuren Stoff für den Mantel aufgetrieben habe und wer der Schneider war, der ihn genäht hatte. Von der Stange, das sah Lisa Jabal mit geschultem Blick, hatte Louise ihn nicht gekauft. So etwas Edles gab es nicht von der Stange, weder im KaDeWe noch bei Lipschitz in der Fasanenstraße.

Mo Mommsen war nicht so gefasst wie Lisa Jabal. Sie starrte Louise immer noch ungläubig an. Und als die dann auch noch ihren Mantel auszog und ihn so selbstverständlich neben die schlafende Lola auf die Chaiselongue warf, als ginge sie in dem Reich unter dem Dach schon seit Jahren ein und aus, war es um Mos Verfassung gänzlich geschehen.

Ihre Ohren begannen zu glühen, ihre Nase wurde knallrot und dann stürzten die Tränen wie ein Wasserfall über ihre Wangen.

Sie hatte sich nicht mehr unter Kontrolle, ihre Gefühle schüttelten sie durch, und sie schämte sich – sie schämte sich so sehr, dass sie sich am liebsten für immer in Luft aufgelöst oder in einen Käfer verwandelt hätte.

Was war in Jonas gefahren, dass er sie dermaßen verriet? Er hatte ihr einen Antrag gemacht. Hatte er das vergessen? Er hatte angefragt, ganz offiziell. Sie war Peggy Sue.

»Beruhig dich doch, Mo«, sagte Lisa Jabal, die vor Schreck ganz weiß im Gesicht geworden war. »Komm her zu mir, Kind! Komm in meine Arme.«

»Was hat sie denn nur?«, fragte Louise.

Und während Jonas zweimal kurz mit den Achseln zuckte, versuchte Lisa Jabal, Mo gewaltsam in die Arme zu nehmen und zu drücken. Doch die riss sich los und rannte zur Tür, sie rannte die Treppen herunter, dabei weinte sie, ach was, sie schrie, sie schrie ihren Schmerz wie am Spieß laut heraus. Die Schreie hallten durchs ganze Ostpreußenviertel.

Und am nächsten Morgen wusste jeder im Quartier, Jonas Jabal, der schüchterne, hochbegabte Maler aus der Allensteiner Straße, hatte sich verliebt – in ein bildschönes Mädchen aus dem Westen, ein Mädchen, das Mäntel trug, die es nur in Paris zu kaufen gab.

Zwölf

Charlotte Pacou saß seit über zwei Stunden auf einem braunen Sofa in der guten Stube im fünften Stock der Lilo-Herrmann-Straße 32 und hörte Mo Mommsen zu, die so gleichmäßig sprach wie ein ruhiger Fluss floss. Obwohl das, was sie erzählte, voller Dramatik war, klangen ihre Sätze fast teilnahmslos, so als berichtete sie nicht die traurige Geschichte ihres eigenen Lebens, sondern die irgendeiner fremden Person, die sie nur vom Hörensagen kannte.

Charlie hatte die Frau am frühen Morgen des Tages angerufen und die hatte sie – nachdem Charlie erklärt hatte, was ihr auf dem Herzen lag – um fünf Uhr am Nachmittag zu Kaffee und Kuchen eingeladen. Charlie hatte gefragt, ob sie sich um das Gebäck kümmern dürfe, und Mo Mommsen hatte geantwortet, dass sie ihr dafür dankbar wäre.

Um Punkt fünf Uhr stand Charlie dann vor der Haustür, an der sie vierundzwanzig Stunden zuvor schon einmal geklingelt hatte.

Mo Mommsen bat Charlie freundlich herein. Sie sah so aus, als komme sie gerade vom Friseur. Sie trug einen Bubikopf, ihre silbernen Haare glänzten frisch gewaschen, ein paar kurze Härchen lagen auf den Schultern ihrer dunkelgrauen, fein gestrickten Wolljacke. Bis auf ein zartes Rosa auf den Lippen war ihr Gesicht ungeschminkt.

»Hereinspaziert in die gute Stube«, sagte sie, »der Kaffee wartet schon.«

Gute Stube, das klang nach gestern. Charlie musste lächeln, als sie die Worte hörte, und reichte der Frau den Karton mit dem Kuchen, den sie bei Leysieffer am Kurfürstendamm gekauft und zusammen mit einer Umhängetasche durch die halbe Stadt getragen hatte. Sechs Stücke hatte sie besorgt, für den Fall, dass auch der Junge mit dem Basecap der New York Yankees wieder da war.

Die Frau wies Charlie den Weg durch den schmalen Korridor ins Wohnzimmer, sie selbst verschwand mit dem Karton in der Küche. Charlie blieb vor dem roten Telefon stehen und wandte sich der Wand mit den Kohlezeichnungen zu. Sie sah Boris Blahnik und dachte daran, wie er seinen eigenen Roman gelobt und anschließend Louise auf dem Segelboot die Hand aufs Knie gelegt hatte. Die Zeichnung wirkte auf sie vollkommen identisch mit der, die sie bei Dan Baum an der Wand gesehen hatte. Von Blahnik fiel ihr Blick auf das Mädchen mit den Zöpfen, es hatte Sommersprossen im Gesicht und lachte.

»Gefällt es Ihnen?« Mo Mommsen stand mit dem Kuchen hinter Charlie, den sie auf einem großen Porzellanteller hübsch drapiert hatte.

»Ja, sehr. Es ist so fröhlich.«

»Das bin ich.«

»Wie alt waren Sie?«

»Sechzehn. Jonas Jabal hat es gezeichnet ... Kurz bevor er sich das Leben genommen hat. Er hat sich nichts anmerken lassen. Und ich war auch nicht so glücklich, wie es scheint.«

»Sie hatten Sommersprossen ...«

»Es war das letzte Jahr, dass ich Sommersprossen hatte. Ein Jahr später waren sie verschwunden. Leider ein Jahr zu spät.«

»Wie meinen Sie das ... ein Jahr zu spät?«

»Egal ... Kommen Sie, wir essen Ihren guten Kuchen. Sie haben zuviel davon mitgebracht, viel zuviel ...«

»Ich dachte, Ihr Enkel sei vielleicht wieder da.«

»Welcher Enkel? Ich habe keine Kinder, geschweige denn Enkel. Ich war nie verheiratet.«

»Der Junge, der mir gestern Ihre Telefonnummer gegeben hat. Er hatte ein Basecap auf dem Kopf und trug ein Shirt von den Böhsen Onkelz.«

»Ah, Sonny, das war der Enkel meiner Schwester. Sie ist im letzten Jahr gestorben. Sonny sieht in mir so eine Art Ersatzgroßmutter. Aber ehrlich gesagt, bin ich dafür nicht gemacht. – Sie waren gestern also auch schon hier?«

»Ja, Sonny hat mir Ihre Telefonnummer gegeben, hat er es nicht erzählt?«

»Sonny spricht nicht.«

Charlie nahm in der guten Stube neben der Standuhr auf dem braunen Sofa Platz, dessen Armlehnen gehäkelte Decken schützten. Bevor sich Mo Mommsen auf den Sessel gegenüber setzte, nahm sie die Kanne vom Stövchen und schenkte behutsam den Kaffee ein. Ihre Hand zitterte dabei. Die Kanne glich einer Taube, sie hatte sogar Flügel. Charlie zog ihren Fotoapparat, das blaue Notizbuch und den Katalog mit den Bildern Jabals aus der Umhängetasche und legte alles vor sich auf den Tisch.

»Was haben Sie uns denn da mitgebracht?«, fragte Mo Mommsen und zeigte auf den Katalog. Ihre Stimme klang gewollt fröhlich, so als wollte sie sich selbst schützen auf der Reise in die traurige Vergangenheit.

»Kennen Sie den nicht?« Charlie reichte ihn ihr.

»Nein, nie gesehen.« Seite für Seite begann die Frau langsam darin zu blättern. »Ich kenne alle Gemälde, sogar alle im Original«, sagte sie leise. »Und nach welchem suchen Sie?«

»Das, das mit dem Stickie markiert ist, in der Mitte des Buches.«

»Stickie?«

»Mit dem hellgrünen Stück Papier.«

Die Standuhr schlug viertel nach fünf.

Mo Mommsen blätterte die Seite auf, und als ihr Blick auf *Louise im blauweiß gestreiften Leibchen* fiel, entdeckte Charlie das einzige Mal an diesem Nachmittag so etwas wie Gefühl und Anteilnahme in dem Blick der Frau, eine Mischung aus Wut und Trauer. Vielleicht bildete sie sich das aber auch nur ein.

Mo Mommsen betrachtete das Bild lange, dann sagte sie: »Auch dieses kenne ich, ja. Nur zu gut. Ich habe es sogar gemacht.«

»Was heißt das, sie haben es gemacht?«

»Ich habe es fotografiert.«

»Sie wollen sagen, das Foto in dem Katalog ist von Ihnen?«

»Ja, von mir. Ich habe es mit der alten Box meines Vaters geschossen. Damals gab es noch nicht diesen modernen Schnickschnack, den sie da haben.« Mo Mommsen zeigte auf Charlies kleine Digitalkamera.

»Und wie kommt es dann in den Katalog, den sie nicht kennen?«

»Max Noske«, sagte Mo Mommsen. Sie nannte den Namen wie aus der Pistole geschossen.

»Wie Max Noske?«, fragte Charlie.

»Max Noske muss es veröffentlicht haben, er ist der Einzige, der einen Abzug von der Fotografie besitzt. Ich habe ihm das Foto geschickt, nach Paris. Ich kann mich noch genau daran erinnern, so etwas vergisst man nicht, auch wenn es schon Jahre her ist. Ich weiß zwar nicht, warum ich das getan habe, aber ich habe es getan. – Noske, dieser falsche Fuffziger!« Mo Mommsen lachte kurz auf. »Mit allem, was einen Rock anhatte, hat er poussiert, er war ein richtiger Draufgänger, ganz anders als Jonas.«

Charlie begriff plötzlich, warum die Qualität der Fotografie von *Louise* im Gegensatz zu den anderen Reproduktionen im Katalog so miserabel war.

»Sie meinen Max Noske hat den Katalog drucken lassen?«

»Eine andere Erklärung habe ich nicht. Er ist der einzige außer mir, der die Fotografie besitzt. Und ich habe mit diesem Buch nichts zu tun, ich sehe es heute zum ersten Mal.«

Und dann erzählte Mo Mommsen, wie Max Noske ein knappes Jahr nach dem Tod seines Freundes Ostberlin für immer verlassen hatte. Er sei nicht sonderlich intelligent gewesen, sagte sie, dafür aber ein Charmebolzen ersten Grades, und er hatte immer eine gute Nase, ein sensibles Gespür für Veränderungen und Umbrüche. Schon 1959 habe er gesagt: *Bevor die mich hier einmauern, bin ich über alle Berge.*

Noske war zuerst nach Westberlin abgehauen, wo er zwei

Monate blieb, bevor er den ganz großen Abgang nach Paris wagte. Im Gepäck hatte er fast das gesamte Werk seines Freundes. Er hatte es Lisa Jabal abgeschwatzt. Die hatte sich zwar Monate lang geweigert, es freizugeben, aber Noske war ein Meister in der Kunst der Überredung. Irgendwann hatte er die Mutter des Malers überzeugt, dass es das Beste für den Ruf ihres Sohnes war, wenn die Gemälde und Zeichnungen das Land verließen. Nur im Ausland, hatte er gesagt, würde Jonas Jabal die Ehre erfahren, die ihm gebührte. Die Bonzen zu Hause würden sein Andenken nicht achten. Ein Künstler, dessen Vater im Juni '53 gegen den Staat auf die Barrikaden gegangen war, hatte keine Chance in dem Land – ein toter Künstler, mit einem verhältnismäßig kleinen Werk, schon gar nicht.

Dieser Satz musste Lisa Jabal schließlich überzeugt haben, sich von den Bildern zu trennen. Das Geld, das ihr Max Noske dabei in Aussicht gestellt hatte, war für sie nicht von Bedeutung.

»Hat er auch *Louise im blauweiß gestreiften Leibchen* mitgenommen?«

»Eben nicht, Charlie.« Mo Mommsen wirkte kurz ungeduldig. »Darf ich Sie Charlie nennen?«

Charlie nickte.

»Das Bild war eines der wenigen, das Lisa nicht rausgerückt hat. Es sei zu persönlich, zu privat, hatte sie gesagt. Davon trenne man sich nicht. Auch das Selbstporträt hat Lisa behalten.« Mo Mommsen zeigte auf das Cover des Katalogs. Und Charlie fragte sich, wie es in so guter Qualität dorthin gekommen war.

»Warum haben Sie denn Noske das Foto geschickt? Sie mochten ihn doch gar nicht.«

»Das kann man nicht sagen, dass ich ihn nicht mochte. Er war ein Filou, ja. Er hat wie ein Bauarbeiter jedem Mädchen hinterher gepfiffen und dachte nur an sich selbst, sicher … Aber dass ich ihn nicht mochte, das kann man nicht sagen. Er war immer sehr herzlich mit mir, wie ein großer Bruder. Mit der Bitte, das Gemälde für ihn zu fotografieren, hat er mir einen Flakon Parfum geschickt – Chanel Nr. 5 und einen echten Hundertfrancschein. Den hab ich heute noch. Das war im August 1962, genau ein Jahr nach dem Mauerbau. Was meinen Sie, wie stolz ich war, als ich damals Post aus Paris bekam. Mir ist heute noch ein Rätsel, warum die Post heil bei mir angekommen ist.«

»Und was ist aus dem Bild geworden?«

»Das weiß ich nicht. Es hat sich genauso in Luft aufgelöst wie die Frau aus Fleisch und Blut, der Jonas den Namen gegeben hatte. Vielleicht hat Lisa Jabal es verbrannt … Wer weiß? Das Bild hat ihre Familie zerstört, hat ihr alles genommen, was ihr lieb und teuer war. Und wenn es nicht das Bild war, dann war es das Mädchen auf dem Bild.«

»Warum ist der Mund des Mädchens so verschmiert. Er sieht aus wie eine blutende Wunde.« Charlie zog den Katalog zu sich heran und streichelte mit der Kuppe des Zeigefingers den roten Mund.

Mo Mommsen schwieg.

»Warum?«, fragte Charlie noch einmal. »Können Sie mir das erklären?«

»Darüber möchte ich nicht sprechen«, antwortete Mo Mommsen. »Das ist zu persönlich. Bitte haben Sie dafür Verständnis, Charlie.«

»Und Sie haben nie mehr nach dem Bild gefragt?«

»Doch, natürlich. 1990 noch, nach dem Tod von Lisa Jabal, habe ich es sogar gesucht. Ich habe die ganze Wohnung auf den Kopf gestellt und das Atelier, das Lisa all die Jahre als Nähstube genutzt hatte. Und mit Tessa habe ich natürlich auch über *Louise im blauweiß gestreiften Leibchen* gesprochen. Sie hatte gesagt, ich solle das Bild vergessen. Sie meinte, es sei sicher dort, wo es hingehörte. Was sie damit meinte, habe ich nicht verstanden.«

»Tessa? Theresa, Jabals Schwester?«

»Ja, sie ist zur Beerdigung gekommen aus Zürich … Mutter und Tochter hatten nur noch wenig Kontakt. Tessa hatte '61 rübergemacht.«

»Da war sie ja gerade mal sechzehn.«

»Ja, Noske hat das gedeichselt.«

Noske, immer wieder Noske. Charlie musste ihn finden. In Paris oder sonst wo auf der Welt.

»Haben Sie eine Fotografie von Noske?«, fragte sie.

»Moment.«

Mo Mommsen stand auf und ging zur Kommode neben der Standuhr. Sie öffnete die mittlere Schublade und nahm eine Zigarrenkiste heraus. Dann setzte sie sich neben Charlie auf das braune Sofa und öffnete die Kiste auf ihren Knien. Ein ganzer Packen Fotos war darin verstaut, die meisten in schwarzweiß mit gezackten Rändern. Mo Mommsen blätterte sie durch. Dann reichte sie Charlie ein paar davon. Eines zeigte Mutter Jabal an der Nähmaschine, hinter ihr der chinesische Paravent; ein anderes, ein Passfoto von Jonas, zeigte sein schmales, fast ein wenig ausgehungertes Gesicht, das linke Ohr war in all seinen Windungen zu erkennen. Damals verlangte ein Passfoto, das linke Ohr deutlich sichtbar abzubilden. Angeblich hatte es die gleiche Beweiskraft wie ein Fingerabdruck.

»Das ist ein Passfoto«, sagte Charlie.

»Ja, Jonas hat mich darum gebeten. Es war gar nicht so einfach, es zu schießen. Und anfangs habe ich mich auch geweigert. Wegen Louise. Aber nachdem er mich dann in den Arm genommen und mir zärtlich einen Kuss auf die Stirn gegeben hat, konnte ich nicht anders. Jonas wusste immer genau, wie er mich rumbekam. Ich war Wachs in seinen Händen.«

»Wofür hat er ein Passfoto gebraucht?«

»Was weiß ich. Damals wurde doch für jedes amtliche Stück

Papier ein Bildbeweis verlangt. Ich habe das Foto mit der Box gemacht. Alle diese Fotos habe ich mit ihr gemacht, mein Vater hat sie mir zum Geburtstag geschenkt. Auch dieses hier, das war aber nicht an dem Tag mit Buddy Holly«, sagte Mo Mommsen. »Das war lange vorher. Da war ich dreizehn oder vielleicht vierzehn. Da war die Welt noch heil, und ich träumte meinen zuckersüßen Traum noch.«

Charlie betrachtete das Foto. Lisa Jabal sah wirklich aus wie eine alte Frau. Dabei hatte sie höchstens zehn Jahre mehr auf dem Buckel als Charlie heute.

»Hier ist es, hier sind die beiden, Jonas und Max – wie Feuer und Wasser, finden Sie nicht? Aber sie haben sich gemocht, sie waren wie Blutsbrüder, sie waren Blutsbrüder.«

Charlie nahm das Foto in die Hand und betrachtete es lange. Ihr kamen die jungen Männer eher vor wie die Blues Brothers. Beide trugen Sonnenbrillen, beide weiße, auf Taille geschnittene Hemden mit schmalen, schwarzen Krawatten und dunkle Anzüge. Wahrscheinlich trug Jonas sogar denselben Anzug, den er auf seiner letzten Reise nach Westberlin getragen hatte, dachte Charlie. Wie Feuer und Wasser kamen ihr die beiden nicht vor, obwohl man Max ansah, dass er, im Gegensatz zu Jonas, der etwas verlegen lächelte, ein Brecher war. Max war voller Power und sah auch ein wenig verschlagen aus.

Vielleicht bildete sich Charlie das aber nur ein, weil sie sich im Kopf schon ein genaues Bild von ihm gemacht hatte. Max' rechter Arm lag auf Jonas' Schultern, seine linke Hand war zur Faust geballt. Max trug eine Meckie-Frisur, Jonas' Haare waren so zerzaust wie die auf dem Selbstporträt. Charlie hörte Max den Satz sagen: *Sei kein Frosch, Jonas, lass uns rübermachen. Hier geht eh alles den Bach runter.* Im Knopfloch des Revers hatten beide eine Nadel stecken, auf der eine kleine Kugel thronte. Charlie konnte nicht erkennen, was es war.

»Und dieser Max hat Jonas am zwölften Juli '59 im Atelier tot gefunden?«, fragte sie. Es tat ihr weh, die Frage zu stellen, obwohl Mo Mommsen sehr gefasst wirkte.

Mo Mommsen nickte, sie sah plötzlich aus wie der verlorene Teenager von damals. »Er hat ihn gefunden, ja – auf der Chaiselongue. Dann hat er das Fenster aufgerissen und die ganze Allensteiner zusammengeschrien. »Jonas ist tot! Holt einen Arzt! Jonas ist tot! Er hat sich umgebracht! – Ich hab sein flehendes Geschrei noch heute in den Ohren. Es war schrecklich, es war fast noch schrecklicher als der Tag, an dem Jonas mit Louise aufgetaucht war.«

Charlie konnte sich ein Lächeln nicht verkneifen. »Und Noske hat keinen Abschiedsbrief gefunden?«

»Nein, nichts. Kein Wort hat uns Jonas hinterlassen. Und das hatte Lisa Jabal fast noch einmal das Herz gebrochen. Sie konnte einfach nicht begreifen, dass ihr Sohn, zu dem sie eine so innige Beziehung hatte, ohne ein letztes Adieu gegangen war. Noch am Tag der Beerdigung hatte sie immer wieder und zu jedem gesagt: Das sieht ihm doch gar nicht ähnlich.«

»Würden Sie mir dieses Foto ein paar Tage ausleihen?«, fragte Charlie.

Mo Mommsen zögerte.

»Nur zwei Tage, wirklich. – Ich scanne es für mich und schicke Ihnen das Original zurück. Gleich morgen. Oder ich bringe es persönlich vorbei.«

»Scanne?«

»Ich mache eine Kopie.«

»Versprechen Sie mir, dass ich es wirklich so schnell wie möglich zurückbekomme.«

»Versprochen.«

Die beiden Frauen redeten über zweieinhalb Stunden lang, die meiste Zeit erzählte die Gastgeberin, Charlie hörte zu. Irgendwann schlug die alte Standuhr halb acht, und Charlie erschrak. Die Zeit war ihr davongelaufen. Daniel Baum saß wahrscheinlich schon bei Maurice und wartete. Charlie bedankte sich bei Mo Mommsen und bat darum, wiederkommen zu dürfen, wenn sie noch Fragen habe.

Auf dem Weg zur Tür zeigte sie auf die Zeichnungen. »Warum hat Noske die nicht mit nach Paris genommen?«

»Das sind doch nur Skizzen, Jonas hat sie mir geschenkt.«

»Darf ich ein paar Fotos davon machen?«

»Nur zu, machen Sie …«

Charlie fotografierte. Auch von der jungen Mo mit den Zöpfen machte sie ein paar Aufnahmen.

»Die fünf Dichter sehen genauso aus wie im *Magazin*«, sagte sie. »Ich habe sogar die Originale gesehen, auch die sehen so aus. Ich erkenne keinen Unterschied. Sie hängen in einer Villa in der Bismarckallee.«

»Bismarckallee in Berlin?«

»Ja, in Grunewald – ich habe sie dort gesehen. Auch Jonas' Selbstporträt hängt dort. Bei einer Familie Baum.«

»Das glaube ich nicht.«

»Es ist aber so, Frau Mommsen. Ich werde es Ihnen beweisen.« Charlie lachte. »Haben Sie mal was von den Baums gehört? Daniel Baum?«

»Nie. Wer soll das sein?«

»Und Tessa? Theresa? Haben Sie von ihr noch mal gehört, haben Sie noch Kontakt zu ihr?«

»Ich hab sie auf Lisas Beerdigung zuletzt gesehen. Aus ihr ist eine eingebildete Gans geworden. Sie ist gleich nach der Beisetzung wieder in die Schweiz verschwunden, sie hat nicht einmal ihren Mann mitgebracht.«

»Wie heißt sie heute, mit Nachnamen, meine ich?«

»Das weiß ich wirklich nicht, Kind.«

Als Charlie die Wohnung verließ, entdeckte sie über der Tür eine gespreizte Schere. Sie sprach Mo Mommsen nicht darauf an. Stattdessen fragte sie, wo der alte Jan Henning früher seine Bierstube hatte.

»Gleich um die Ecke in der Bötzowstraße«, antwortete Mo Mommsen. »Da ist jetzt ein Franzose drin.«

»Chez Maurice?«

Mo Mommsen nickte. »Zu Zeiten der Wende war in den Räumen ein Sero-Laden.«

»Da bin ich jetzt verabredet,« sagte Charlie.

»Dann passen Sie gut auf sich auf. Der Ort bringt kein Glück, Charlie. Er ist des Teufels.«

Charlie lief die knarrenden Stufen herunter, sie roch das Bohnerwachs. Auf halber Treppe, wo früher die Toiletten waren und jetzt die Tür zu einer Besenkammer offen stand, hörte sie, wie Mo Mommsen zweimal ihren Namen rief. Zum ersten Mal an dem Nachmittag klang die Stimme forsch und unbeherrscht. Der ruhige Fluss schien übers Ufer zu treten.

Charlie blieb stehen.

»Ja, Frau Mommsen?«

»Sie war ein Flittchen, Charlie! Vergessen Sie das nicht bei Ihren Nachforschungen! Ein Flittchen, hören Sie? Sie hat immer und überall nur verbrannte Erde hinterlassen. Sie hat sich immer genommen, was sie wollte. Ohne Rücksicht auf Verluste. Sie, und nur sie allein ist Schuld an seinem Tod. Sie hat ihn mir weggenommen.«

»Wer war ein Flittchen, Frau Mommsen? Wer?«

»Louise! Louise natürlich!«

Charlie hielt sich am Treppengeländer fest, ein Schwindel erfasste sie. Sie schloss kurz die Augen, alles drehte sich. Und dann,

dann hörte sie von ganz weit her, wie Monti Sunshine Louises Melodie in die Klarinette blies, die auch ihre Melodie geworden war.

Dreizehn

Vor der Haustür atmete sie tief durch. Den ganzen Nachmittag hatte sie gedacht: Was für eine nette, ältere Dame die Mommsen doch war. Und dann plötzlich das!

Wie konnte man nach fast einem halben Jahrhundert so zornig werden? Was war in sie gefahren? Charlie verstand es nicht. Sie sah auf die andere Straßenseite. Es war stockdunkel, kein Stern am Himmel. Die Straßenbeleuchtung hatte schlapp gemacht. Nur das Licht über der Nummer 10 warf seinen Schein auf die Gedenktafel.

Sein Tod hat Großes verhindert? Nein, Louise hat Großes verhindert. Das hatte Mo Mommsen gemeint, als sie rief: *Sie allein ist Schuld an seinem Tod.*

So ein Quatsch, dachte Charlie.

Mo Mommsen hatte sich geweigert ihre Wohnung zu verlassen, als die Tafel eingeweiht worden war. Sie hatte die Zeremonie in schwarzem Rock und schwarzer Bluse von ihrem Küchenfenster unter dem Dach aus beobachtet, mit einem Opernglas. Jedes Gesicht hatte sie studiert und gehofft, Max Noske wiederzuerkennen. Das war 1999 gewesen, am vierten oder fünften Juli, eine Woche, bevor sich der Todestag Jabals zum vierzigsten Mal jährte. Es war ein wunderschöner Tag gewesen, fast so wie im Juli 1959, nur nicht ganz so heiß.

Max Noske war nicht gekommen. Keiner war gekommen, der Jonas aus der Zeit kannte, als das Bötzowviertel noch Ostpreußenviertel hieß, außer Felix Becker, sein ältester Freund. Die meisten waren ja auch schon tot oder lebten irgendwo im Westen, hatten vor dem Mauerbau rübergemacht oder gleich nach der Wende.

Felix Becker, der Ehemann von Bine Mommsen, hatte es sich nicht nehmen lassen, an der Feierlichkeit teilzunehmen. Verständnislos hatte er sich die Rede angehört, die der Professor aus Paris zum Besten gab. Theoretisches Kauderwelsch und blutleer, hatte Becker die Ansprache später während des Abendessens mit den Zwillingen genannt und im selben Atemzug gefragt, warum man ihn nicht gebeten habe, ein paar persönliche Worte zu sagen.

Er jedenfalls hätte erzählen können, wie Jonas Matchbox-Autos geklaut hat und Brausepulver, Waldmeister und Himbeere, und er hätte beschreiben können, wie zerrissen sein Freund war und voller Selbstzweifel, wie dutzende Bilder in den Ofen aus Gusseisen unter dem Dach in Nummer 10 gewandert waren, weil er der Kunst, seiner Kunst nicht traute.

Über Louise, die Schlampe, hätte er selbstverständlich auch ein paar Sätze verlieren können. Und über Jonas' Angst vor Mädchen im Allgemeinen, natürlich.

»Das ist einfach nicht mein Ding, Felix«, hatte der Maler seinem Freund immer gesagt. »Mädchen sind nicht mein Ding. Lass mich in Ruhe damit.«

Mo Mommsen, Beckers Schwägerin, hatte sich die Gedenktafel erst nach der Feier aus der Nähe angesehen, seitdem aber immer wieder, Tag für Tag. Sie bekreuzigte sich sogar jedes Mal davor, und wenn das Andenken mit Graffitis beschmiert war, was nicht selten vorkam, wischte sie es mit einem terpentindurchtränkten Tuch wieder sauber. Dabei wunderte sie sich jedes Mal, wie einfach sich die Farbe von dem schneeweißen Porzellan löste. Einmal musste sie sogar einen knallroten, erigierten Penis, der auf den Vornamen des Malers ejakulierte, von der Tafel entfernen. Sie hatte sich dabei geschämt und gehofft, dass niemand sie beobachtete.

Charlie stellte sich vor, wie die Mommsen auf einer Trittleiter stand oder einem Stuhl und das Porzellan von dem steifen Schwanz befreite, als ihr Handy in der Umhängetasche klingelte.

Daniel Baum war am Apparat, er fragte, ob Charlie schon bei Maurice sei, dann entschuldigte er sich, dass er zu spät war, zwanzig Minuten brauche er noch. Charlie antwortete, dass sie dankbar für jede freie Minute für sich sei. Sie könnten das Date auch verschieben, sagte sie, ihr Tag sei sehr nervenaufreibend gewesen. Sie sei voller neuer Eindrücke, die sie erst einmal verarbeiten müsse. Mit *Louise*, sagte sie, habe er ihr ein Rätsel aufgegeben, das sie nicht mehr los lasse.

»Lassen Sie uns das Treffen verschieben, Dan.«

»Kommt gar nicht in Frage«, antwortete Baum. »Sie sind mein Date, Charlie, und der einzige Lichtblick in meinem verpfuschten Leben. Ich brauche Sie. Außerdem habe ich Hunger wie ein Holzfäller. Sie haben doch gesagt, die Blutwurst ist gut. Lassen Sie mich jetzt nicht im Stich.«

Baums Stimme klang bestimmt, aber auch ehrlich flehend, obwohl er sich bemühte, ihr einen Hauch von Ironie beizumischen. Charlie hatte seinen Satz vom Lichtblick als Kompliment aufgefasst. Gleichwohl ärgerte sie sich, dass ihr das Wort Date rausgerutscht war. Appointment wäre der richtige Ausdruck gewesen. Sie hatte kein Date mit Dan Baum, Dan Baum interessierte sie gar nicht. Louise interessierte sie. Was hatte sie angestellt, dass alle sie verachteten? Charlie wollte es genau wissen.

An der Ecke zur Bötzowstraße blieb sie stehen. Sie blickte auf die andere Seite zum Knotenpunkt und überlegte, ob sie ihre Schulden bei Karin zahlen sollte. Die Wirtin stand rauchend hinter der Bar und bewegte sich langsam zur Musik. Charlie sah sie aus zwanzig Meter Entfernung durchs Fenster und kniff ihre Augen dabei leicht zusammen, sie hatte die Brille nicht auf.

Zwei Männer und eine Frau hockten am Tresen und würfelten. Ein Mann spielte am Geldautomaten und schlug mit der flachen Hand gegen die Scheibe des Geräts. Die Tür zur Kneipe war angelehnt. Charlie hörte lautes Lachen und den Schlager, zu dessen Rhythmus Karin schunkelte. Charlie erkannte die Melodie, wusste aber nicht mehr, wer das Lied sang und wie es hieß. Irgendeine Schwulenhymne war es, die sie oft im Vagabund in der Knesebeckstraße gehört hatte. Nick Seeberg hatte sie immer dorthin mitgeschleppt, er war von der Idee besessen gewesen, dass Charlie einen Schwulen umdrehte.

Was hatte sie alles für den Scheißkerl auf sich genommen.

Sie ging weiter. Die Schulden bei Karin konnten warten. Vielleicht würde sie später noch auf einen Absacker im Knotenpunkt vorbeischauen ...

Obwohl es schon kurz vor acht war, herrschte bei Maurice noch Totenstille. In der Tür zum Restaurant stand eine junge Frau in weißer, bodenlanger Schürze und schwarzem, dünnen Pullover. Um ihren Hals hatte sie ein rotes Tuch gewickelt. Sie sah so aus wie das Foto in der Gebrauchsanweisung für das Geduldsspiel *Wie bastle ich mir eine Französin*. Sie hatte dunkles Haar, das glatt auf die Schultern fiel und einen Schmollmund. Und sie war bewundernswert schlank. Der Pullover klebte wie eine zweite Haut auf ihrem Körper und betonte ihre Taille.

Wider Willen kam Charlie noch einmal Seeberg in den Sinn, der ihr das Buch *Why French Women Don't Get Fat* geschenkt hatte. Sie hatte Seeberg zuliebe aufgehört zu rauchen und drei Kilo zugenommen, was nicht besonders viel war. Seeberg aber hatte sofort mit dem Buch reagiert. Er fand die Idee hinreißend komisch.

»Du stehst doch so auf Franzosen«, hatte er gesagt. »Dann leb doch auch so.«

Charlie begrüßte die junge Frau, und die erwiderte den Gruß mit *Bonjour Madame*. Das Restaurant war in zwei Räume aufgeteilt. Der vordere Raum war kleiner, nur drei Tische standen dort. Dafür hatte er aber eine Bar mit vier Hockern. Im zweiten Raum standen sieben Tische. Charlie warf einen Blick hinein. Nur ein Tisch war besetzt. Ein Liebespaar küsste sich im Kerzenschein vor einer halbleeren Flasche Wein.

»Wollen Sie etwas essen, Madame?«, fragte die junge Französin.

Charlie nickte. »Bis mein Bekannter kommt, warte ich an der Bar. Könnten Sie mir einen Tee machen? Schwarz?«

»Selbstverständlich, Madame.«

Charlie ging das Madame-Getue auf die Nerven, ließ es sich aber nicht anmerken. Sie stellte ihre Umhängetasche auf den Boden und nahm auf einem der Hocker Platz. Am Ende der Bar brannte eine Kerze in einer dickbäuchigen Korbflasche, die mal mit Rotwein gefüllt gewesen sein musste. Ein Wachstropfen suchte im Schneckentempo seinen Weg auf der Verkleidung.

Ob es wohl dieselbe Marke Wein war, die Jonas mit Dormolux versetzt hatte?

Charlie sah, wie die rechte Hand des Malers, die so wunderschöne Bilder geschaffen hatte, mit einer Rasierklinge in das Gelenk der linken schnitt. Sie sah, wie das Blut spritzte und die Hand in den mit Wasser gefüllten Eimer fiel. Dann schüttelte sie sich wie ein nasser Hund, als wollte sie ihre Gedanken von dem Bild befreien. Es gelang ihr nicht. Sie sah, wie Jabal langsam auf der Chaiselongue einschlief und sich das klare Wasser in dem Eimer rot verfärbte.

»Ihr Tee, Madame«, sagte die junge Frau und stellte das Glas auf der Bar ab. Charlie bedankte sich, sie schlug die Beine übereinander und drehte sich zur Tür. Mit dem rechten Ellenbogen stützte sie sich auf dem Tresen der Bar ab.

So ähnlich musste sich die Szene am selben Ort fast ein halbes Jahrhundert zuvor abgespielt haben. Louise saß an einem Tisch in Hennings Bierstube, vor ihr ein Kännchen Tee, in ihrer Hand ein Buch, das von einem Boris geschrieben worden war, einem Franzosen. Dann ging die Tür auf und Jonas Jabal trat herein.

Ich wusste, du würdest kommen, Karotte!

Charlie schloss kurz die Augen, und als sie sie wieder öffnete, stand Dan Baum vor ihr. Er war aus der Puste und sagte: »Jetzt bin ich aber froh, dass Sie noch da sind, Charlie. Sie sind der Trost für einen beschissenen Tag.«

Baum atmete schwer, er sah lustig aus. Seine Haare standen hoch, ein Kragen seines karierten Hemds war unter dem Pullover versteckt, der andere sah heraus, der offenen, braunen Lederjacke fehlte ein Knopf. Die Jacke war am Kragen vollkommen verspeckt.

»Sind Sie den ganzen Weg gelaufen?«, fragte Charlie, dabei lächelte sie.

»Ich habe keinen Parkplatz gefunden«, antwortete Baum. »Den ganzen Tag haben mich diese Scheiß-Rechtsverdreher festgehalten, und dann sucht man Stunden lang nach einem Parkplatz.« Und während er sich mit einer Suada von Beschimpfungen auf Anwälte Luft machte – er sagte, die gehörten eigentlich alle hinter Schloss und Riegel – fragte sich Charlie, wie es angehen konnte, dass der Mann bei jedem neuen Treffen verwahrloster aussah. Als er ein paar Tage zuvor in ihr Büro gekommen war, hatte er blitzblankpolierte Budapester Schuhe getragen, jetzt waren es ausgetretene, schief gelaufene Timberlands.

»Sie kommen vom Rechtsanwalt?«

»Ja, wegen der Scheidung.«

»Scheidung?«

»Alexandra und ich, wir lassen uns scheiden.«

»Ist das nicht ein wenig überstürzt?«

»Heiraten, sich scheiden lassen und Schlitten fahren muss schnell gehen. Das sagt meine Mutter immer. Das Geburtstagsfest meiner Frau hat unserer Ehe den Rest gegeben ... Aber lassen Sie uns heute Abend über fröhlichere oder zumindest interessantere Dinge reden, als über die Fehler der Vergangenheit.«

Baum sah sich im Restaurant um. »Es gefällt mir hier. Sehr sogar«, sagte er. »Haben Sie alle Tische für uns reserviert, Charlie?«

Vierzehn

In den folgenden Stunden unterhielten sich Charlotte Pacou und Daniel Baum wie zwei Menschen, die sich zu einem Blind Date verabredet hatten. Sie erzählten sich ihre Familiengeschichte. Louise und ihr Maler kamen nicht vor in dem Gespräch. Und dass das Lokal sich während des Abends bis auf den letzten Platz füllte, nahmen beide nicht wahr.

Charlie erzählte von ihren älteren Geschwistern, drei Brüder, die alle im Ausland lebten, von ihrem Vater, einem Oberstudienrat für Französisch und Geschichte, der schon seit Jahren pensioniert war, und von ihrer Mutter, die, bis zur Geburt ihres ersten Sohnes, als Cutterin bei der Deutschen Wochenschau gearbeitet und sich später, als die Kinder aus dem Haus waren, der Malerei zugewandt hatte. Dabei gestand Charlie, dass sie keine, wie sie bei ihrer ersten Begegnung behauptet hatte, waschechte Berlinerin war, sondern aus Hamburg stammte, wohin die Familie ihres Vaters vor Urzeiten geflohen war, nachdem die Franzosen sie vertrieben hatte.

Dass sie keine Detektivin war, verriet Charlie ihrem Auftraggeber hingegen nicht.

»Und wann sind Sie nach Berlin gekommen?«, fragte Baum.

»Erst nach der Wende, zum Studium.«

»Was haben Sie studiert?«

»Germanistik und Romanistik.«

Baum lachte. »Und wie kommt man mit dem Studium zu dem Beruf?«

Charlie erfand blitzgeschwind, wie sie den alten Friedrich Adam im vergangenen Sommer auf der Terrasse des Manzini kennengelernt und der sie um Hilfe gebeten hatte, eine aus dem Nichts aufgetauchte, handgeschriebene Fontane-Erzählung auf ihre Echtheit zu prüfen zu lassen. Ein Klient Adams wollte das Manuskript erwerben. »Es war natürlich eine plumpe Fälschung«, sagte Charlie, »aber der Job, das herauszufinden, hat mir großen Spaß gemacht.« Dann fragte sie Baum, ob er studiert habe.

»Ja, Philosophie und Kunstgeschichte.«

»Und Ihr Beruf?«

»Mir gehört eine Bank.«

Jetzt lachte Charlie. »Eine Bank?«

Baum nickte.

»Eine Geldbank meinen Sie? Sie sind also Banker? Sie vermehren Geld?«

»So kann man es nennen, so sollte es sein. Baum & Baum, in der Fasanenstraße in Charlottenburg.«

Charlie lehnte sich in ihrem Stuhl zurück. Sie sah den geschwungenen Schriftzug auf dem Haus vor sich, Baum & Baum, Privatbankiers. Sie kannte das Gebäude genau, es stand schräg gegenüber dem Haupteingang des Kempinski-Hotels, gleich neben dem jüdischen Gemeindehaus, nur einen Steinwurf von der Paris Bar entfernt. Sie war mindestens schon tausendmal daran vorbeigelaufen, gerade vor ein paar Tagen noch, bevor sie Nele auf den Kaffee bei Caras getroffen hatte. Sie hatte gesehen, wie der alte Rudolph Springer, den sie von einem Empfang kannte und der eine Galerie in derselben Straße besaß, im Rollstuhl von einem jungen Mann in das Bankgebäude geschoben worden war. Jetzt saß sie also vor dem Besitzer dieses Hauses.

Daniel Baum sah Charlie an, wie es in ihr arbeitete, und begann, ohne gefragt worden zu sein, von seinem Vater zu erzählen, der das Geldhaus nach dem Krieg zusammen mit seinem Bruder, Daniel Baums Onkel, wieder aufgebaut hatte. Sein Vater, sagte Dan Baum, sei der liebevollste und großzügigste Mensch der Welt gewesen. Er habe ihm jeden Wunsch von den Lippen abgelesen. *Hauptsache, du lebst, mein Junge!* war sein Lieblingssatz gewesen. Nur einen Fehler habe er gehabt, er sei Anfang der achtziger Jahre viel zu früh gestorben. »Ich war gerade mal dreiundzwanzig. Mein Onkel, kinderlos, hat mich damals in die Pflicht genommen. Ich musste mein Studium mitten im Semester abbrechen und die Banklehre beginnen. Es hat lange gedauert, bis ich mich damit abgefunden hatte.«

Charlie lächelte ihr Gegenüber an. Sie war gerührt, ehrlich gerührt. Mit seinen struppigen, in alle Himmelsrichtungen stehenden Haaren kam Baum ihr vor wie ein Vogel, der aus dem Nest gefallen war und nicht wie ein Banker. Sie wusste nicht warum, aber er tat ihr leid. Sie beugte sich vor, streckte ihren Arm aus und sagte: »Darf ich?« Dann zog sie, ohne eine Antwort abzuwarten, den linken Kragen des karierten Hemds unter Baums Pullover hervor.

Baum bedankte sich.

»Und Ihre Mutter?«, fragte Charlie.

»Meine Mutter? Sie haben sie doch kennen gelernt …«

»Schon, ja. Sicher. Entschuldigen Sie, aber ich meine früher … Wie war sie früher?«

»Sie war ein Feuerwerk.«

»Das ist sie zweifellos auch heute noch.« Charlie lachte laut auf und entschuldigte sich gleich darauf noch einmal. Auch Baum musste lachen, dann sagte er: »Sie hat den Laden geschmissen, das Gesellschaftliche, mein ich. Sie hat große Feste veranstaltet, Wohltätigkeitsfeste. Noch lange nach dem Tod meines Vaters fand bei uns im Haus auch an jedem letzten Donnerstag im Monat ein Salon statt. Alle sind gekommen – Günter Grass, Walter Höllerer, Wolf Siedler, der junge Michael Krüger. Und Friedrich Luft ist bei uns ein und ausgegangen …«

»Luft?«, unterbrach Charlie.

»Ein berühmter Berliner Theaterkritiker – gleiche Welle, gleiche Stelle – RIAS«, antwortete Baum. »Jeder war bei uns in der Bismarckallee willkommen, der etwas im Kopf hatte. Meiner Mutter war Geist wichtiger als Geld. Dennoch: ohne sie hätte unsere Bank sicher nur halb soviel Kunden. Mein Vater war ihre große Liebe, sie hat ihn angebetet – er sie allerdings auch. Richtig vergöttert hat er sie. Das war die Liebesgeschichte des Jahrhunderts zwischen den beiden.«

Charlie lächelte, dann fragte sie: »Seit wann ist Ihre Mutter so krank?«

»Krank – ich weiß nicht, ob sie krank ist, ob man das krank nennen kann. Es scheint so, als verabschiede sie sich gelegentlich in eine andere Welt, als nehme sie Urlaub von dem Dreck um sie herum. So wie Sie meine Mutter erlebt haben, ist sie vielleicht seit zwei, drei Jahren, obwohl ich ihr die Aussetzer oft nicht abnehme. Manchmal glaube ich, dass sie simuliert, dass sie ihre Krankheit wie eine Präzisionswaffe benutzt.«

»Und gegen wen ist die Waffe gerichtet?«

»Gegen alles, was sie stört, Charlie. Gegen alles.«

»Alexandra?«

»Ja, vielleicht auch Alexandra …«

Im selben Augenblick, als Charlie der Name herausgerutscht war, bedauerte sie zutiefst, dass sie ihn genannt hatte. Sie gab dem vielen Wein die Schuld, den Baum bei der Bilderbuchfranzösin geordert hatte. Warum hatte sie nur soviel davon getrunken?

Er hatte Burgunder bestellt, keinen Bordeaux. »Und erst recht keinen Italiener. Wir sollten die Chance nutzen, Charlie«, hatte er gesagt. »Wenn wir schon bei einem Franzosen sind, sollten wir auch einen französischen Wein trinken, den man nicht immer trinkt. Der rote Burgunder ist unterschätzt.«

Charlie war das egal gewesen.

Um kurz vor elf bestellte Baum die Rechnung. Sie hatten zusammen ein Dutzend Austern gegessen, danach jeder eine Boudin mit lauwarmem Kartoffelsalat und zum Nachtisch eine Mousse au chocolat, die sie sich mit zwei Löffeln geteilt hatten. Die Rechnung betrug hundertachtundsiebzig Euro. Der Wein musste den hohen Betrag ausgemacht haben. Baum zahlte mit einem Zweihunderteuroschein. Das Wechselgeld überließ er der Französin, was Charlie ein wenig übertrieben fand. Der Betrag stand für sie in keinem Verhältnis zum aufdringlichen, antrainierten Charme der Bedienung.

Bevor sie das Restaurant verließen, sagte Charlie: »Hier haben die beiden übrigens die ersten Sätze gewechselt.«

»Wer?«, fragte Baum.

»Na, wer wohl, Dan?«

»Entschuldigung, jetzt bin ich auf den Kopf gefallen.«

»Louise, natürlich. Louise und Jonas.«

Es arbeitete in Baum. Er dachte an Blahniks Erzählungen, an das, was er Charlie erzählt hatte. Dann erinnerte er sich: »Sie meinen die Kneipe.«

»Hennings Bierstube, ja. 1959 war das hier Hennings Bierstube, später dann, ich vermute nach Hennings Tod, ein Sero-Laden, Sekundär-Rohstofferfassung, das heißt, die Ossis haben hier ihre leeren Flaschen abgegeben – Bierflaschen, Brauseflaschen, aber auch Alete-Gläser. Sero mit S, wohlgemerkt, nicht Zero wie null, obwohl das ja auch Sinn gemacht hätte. Zero Flüssigkeit. Flasche leer.«

Charlie kicherte. Sie war albern und wusste nicht, warum. *Wahrscheinlich der Burgunder,* dachte sie. Baum nutzte den Moment und hängte sich bei ihr im Arm ein. Es nieselte. Die beiden gingen Richtung Knotenpunkt. Charlie zeigte mit dem Finger auf die Liselotte-Herrmann-Straße und sagte: »Dort hinten, an der Nummer 10 hängt die Gedenktafel für Jonas. Zu seiner Zeit hieß die Straße noch Allensteiner.«

»Er hat eine Gedenktafel in der Stadt?«

»Wollen Sie sie sehen? Es sind nur ein paar Meter.«

Es kam Charlie spanisch vor, dass ein Mensch so verrückt nach Jabals Bildern war und angeblich nicht wusste, dass eine Gedenktafel ihn in der Stadt ehrte.

Als sie vor der Tafel standen, drehte Charlie sich um. Sie blickte hinauf zum Küchenfenster von Mo Mommsen und bildete sich ein, den Umriss des Körpers der Frau hinter der Gardine zu erkennen.

Baum las die kobaltblauen Zeilen, dabei bewegten sich die Lippen, die Stimme aber blieb stumm.

»Er hat hier gewohnt, unterm Dach«, sagte Charlie. »Dort hat er sich auch umgebracht. – Waren Sie denn nie hier, Dan?«

»Nein, nie. Ich liebe Jabals Bilder. Damit hat's sich dann aber auch.« Es klang fast ein wenig trotzig.

»Kann man denn Bilder lieben, ohne den Künstler zu kennen, der sie geschaffen hat? Das gehört doch zusammen.«

»Darüber habe ich noch nie nachgedacht«, sagte Baum. Und fügte hinzu, alles, was er über Jabal wisse, wisse er von Boris Blahnik, und ein wenig habe ihm auch ein Pariser Halsabschneider erzählt.

»Etwa Max Noske?«

Dan Baum nickte. Er war erstaunt, als Charlie den Namen nannte. Er hängte sich wieder bei ihr ein und sagte: »Aber der ist kein Thema heute Abend, Charlie. Wir wollen doch nur über schöne Dinge reden.«

Bis zum Knotenpunkt sprachen die beiden kein Wort. Vor der Tür der Kneipe sagte Charlie, dass sie noch Schulden bei der Wirtin habe. Sie fragte Baum, ob er draußen auf sie warten wolle oder mit reinkomme. Es gehe ganz schnell. Baum antwortete, er habe sich geschworen, dass ihn keine Frau mehr im Regen stehen lasse.

Karin und Charlie begrüßten sich wie alte Freundinnen. Karin saß auf ihrem Hocker an dem Tresen und würfelte mit zwei Männern, einem jüngerem mit Basecap und einem älteren ohne Haare. Der jüngere berührte mit seinem Knie Karins Schenkel, und die ließ ihn gewähren.

»Dass ich dich so schnell wieder sehe, Charlie«, sagte sie.

»Ich will nur meinen Kredit auflösen«, antwortete Charlie.

Karin lachte, während sie den Würfelbecher schüttelte. »Hast du dafür deinen Banker mitgebracht?«

»Ja, das ist Dan, mein Privatbankier. Baum & Baum, Fasanen-straße.«

»Hallo Dan, wollt ihr beiden Hübschen etwas trinken, bevor wir das Geschäftliche regeln?«

»Nein, danke«, sagte Charlie, »wir hatten schon zuviel.«

»Ich nehme gern einen Wodka auf Eis«, widersprach Baum.

Karin rutschte von ihrem Hocker, dabei sah man, dass sie Strümpfe trug.

»Ich hab aber nur Gorbatschow?«

Baum zuckte mit den Schultern und sagte gleichzeitig: »Kennste einen, kennste alle.«

»Und du – Charlie?«

»Von mir aus, aber mit Tonic, bitte.«

Karin würfelte ein letztes Mal im Stehen und ließ den Becher auf den Würfeln liegen. »Nicht schummeln, Jungs. Bin gleich zurück.«

Während Baum sich in der Kneipe umsah, las Charlie die Etiketten der Lieder in der Musicbox. Sie wollte herausbekommen, wie die Schwulenhymne hieß, die sie bis auf die Straße gehört hatte, als sie von der Mommsen gekommen war.

Es waren fast nur deutsche Lieder in dem Kasten und ein paar uralte amerikanische Schlager. Charlie summte die Melodie der Hymne.

»Suchen Sie was Bestimmtes, Charlie?«, fragte Baum, als er aus dem zweiten Raum zurückkam, wo der abgedeckte Billardtisch stand.

Charlie drehte sich kurz zu ihm um und lächelte. »Ja, ein Liebeslied.«

»Brauchen Sie einen Euro?«

»Ja, bitte. Einen Euro für die Liebe. – Ah, hier! Das ist aber ein Zufall.« Charlie freute sich.

»Haben Sie's gefunden?«

»Nein, aber ein anderes, eines das wichtiger ist, ein berufliches …«

Sie drückte die Einsdreivier und Buddy Holly spielte auf, *Peggy Sue Got Married.*

»Peggy Sue?«, sagte Baum. »Was hat Peggy Sue mit Ihrem Beruf zu tun?«

»Das werde ich Ihnen jetzt erklären, Herr Baum. Und ich fürchte, wenn ich fertig bin, müssen Sie doch noch ein paar Sätze über Max Noske verlieren, auch wenn Ihnen das den schönen Abend kaputtmacht. Ihre *Louise* gibt es nämlich nicht ohne Noske. Das ist mir inzwischen klar geworden. Noske ist das Scharnier, das alles zusammenhält.«

Sie drückte wahllos noch drei Lieder, bevor sie tänzelnd von der Musicbox ans Ende der Bar ging, wo sie sich auf den letzten Hocker neben dem Spielautomaten setzte. Baum folgte ihr mit den Gläsern in der Hand. Charlie spürte seinen Blick auf ihren Beinen und roch das Rosenwasser auf ihrer Haut, die in dem überhitzten Gastraum zu schwitzen begonnen hatte. Beides gefiel ihr. Warum auch nicht? Louise hatte schließlich auch Gefallen daran gefunden, wenn man sie ansah. Sie hatte Blahniks Blick auf dem Segelboot genossen und sicher auch den von Jonas Jabal, als sie verkehrt herum auf dem Stuhl saß. Wahrscheinlich hatte sie von dem Maler sogar verlangt, in dieser Position gemalt zu werden. Und sicher hatte sich Louise auch selbst gern gerochen. Louise hatte sich geliebt und war deshalb in der Lage gewesen, so viele andere zu lieben.

»Auf Sie, Charlie,« sagte Dan Baum und hob das Wodka-Glas.

»Auf *Louise*, Dan. Und darauf, dass wir sie finden«, antwortete Charlie.

Nachdem die beiden angestoßen hatten, fing sie an von ihren Recherchen zu berichten. Sie begann mit dem Nachmittag, an dem Lisa Jabal das Hemd für ihren Sohn repariert hatte, sie erzählte von Peggy Sue und der abergläubischen Mo Mommsen, von der das laienhafte Foto aus der Box im Katalog stammte, sie beschrieb die Beerdigung Jabals und den Leichenschmaus, obwohl sie sich fast sicher war, dass Daniel Baum, auch wenn er es leugnete, die Geschichte längst kannte.

Warum sollte ausgerechnet er die Website über Jabal nicht gesehen haben? Warum sollte Baum nur mit Boris Blahnik über Jabal gesprochen haben und mit dem Halsabschneider in Paris, wie er Max Noske nannte?

Charlie erzählte alles, was ihr einfiel, ohne dabei auf die Chronologie der Ereignisse zu achten.

Dass Theresa, die Schwester des Malers, *Louise im blauweiß gestreiften Leibchen* kryptisch dort vermutete, wo sie hingehörte, erzählte sie ebenso wie das Gerücht, Jonas habe Louise geprügelt – so blutig, dass sie angeblich ins Krankenhaus eingeliefert werden musste. Sie erzählte, dass das Mädchen dem ganzen Ostpreußenviertel ein Dorn im Auge gewesen war, dass man es gehasst hatte – »ja, gehasst, Dan!«, sagte Charlie. »Die Menschen haben Louise Flittchen genannt und Schlampe. Aber das war sie nicht. Da bin ich mir inzwischen ganz sicher.«

Charlie redete ununterbrochen. Als ihr nach drei Wodka Tonic nichts mehr einfiel, fragte sie laut: »Habe ich etwas vergessen, Karin?«

Karin hatte gar nicht zugehört. Sie saß fünf Meter entfernt und knobelte immer noch mit den beiden Männern. Sie konnte gar nichts gehört haben, sie hob die Schultern und ließ sie wieder fallen.

Die Antwort gab Charlie sich dann selbst: »Nein, ich glaube nicht. Nein, das war's wohl. Louise hat es eben nicht so genau genommen. Sie war ein modernes Mädchen in einer unmodernen Zeit.«

»Was hat sie nicht so genau genommen?«, fragte Baum.

Charlie schwieg.

Baum wiederholte seine Frage. »Was, Charlie? Was hat sie nicht so genau genommen?«

Charlie legte ihrem Auftraggeber die Hand auf die Schulter und sah ihm in die Augen. »Das mit dem Ficken, Dan.«

»Wie bitte?«

»Das Ficken, Dan. Ich glaube, Louise war so frei wie ein Vogel. Und sie musste sich die Freiheit nicht einmal erobern, sie hat sie geschenkt bekommen. Von wem auch immer und warum auch immer. Das hat man ihr übel genommen.«

Charlie sprach undeutlicher, ihre Zunge schien schwer. Sie starrte auf den Tresen und begann mit dem Finger aus dem feuchten Ring, den ihr Glas auf dem Holz markiert hatte, ein Herz zu malen. Dann nahm sie ein Streichholz aus dem Aschenbecher, tauchte die Spitze wie eine Schreibfeder in das Glas mit dem Wodka Tonic und schrieb in geschwungener, lateinischer Schrift *Louise* ins Herz.

Dan Baum beobachtete sie dabei, Minuten lang starrte er sie an wie ein Wesen aus einer anderen Welt. Er wusste nicht, was er denken sollte. Schließlich sagte er: »Karin, zahlen bitte.«

Es war kurz nach halb zwei, als sie den Knotenpunkt verließen. Sie waren die letzten Gäste. Auf der Liselotte-Herrmann-Straße atmete Baum tief durch, dann legte er den Arm um Charlies Schulter. »Wo habe ich den Wagen abgestellt?«, fragte er. »Ich habe es vergessen.«

»Vielleicht auf dem Mond, Dan«, antwortete Charlie und kicherte. »Vielleicht auf dem Mond.«

Teil Zwei

Fünfzehn

Als Charlie in dem Café Les Mouettes in der Rue de Babylone, Ecke Rue du Bac am vierten Sonnabend im November 2007 früh am Morgen ihre Brioche tief in den Milchkaffee tauchte, konnte sie noch nicht ahnen, dass nur ein paar hundert Meter von diesem Ort entfernt La Pagode lag, das Kino, in dem Jonas Jabal Anfang Mai 1959 zusammen mit Louise seinen ersten Film in französischer Sprache gesehen und so gut wie nichts verstanden hatte.

Charlie ahnte natürlich auch nicht, dass die beiden mit einer ganzen Gruppe von jungen Menschen im Kino waren, zu der auch, obwohl nicht mehr ganz so jung, der Schriftsteller, Trompeter und Chansonnier Boris Vian gehörte, dessen Skandal-Buch *Ich werde auf eure Gräber spucken* zu dieser Zeit gerade verfilmt wurde und irgendwann Ende Juni desselben Jahres in die Kinos kommen sollte.

Aber, wie gesagt, all das wusste Charlie am Morgen des vierundzwanzigsten November 2007 noch nicht. Sie war in der Stadt ihrer Träume, und das genügte ihr vorerst. Irgendetwas würde sie aus Max Noske schon herausbekommen. Daniel Baum hatte sie zwar vor dem Mann gewarnt, ihr aber dann doch die Adresse der Galerie 59 in der Rue des Beaux-Arts gegeben, wo sie, wenn er noch lebte, den ehemals besten Freund Jabals finden sollte.

Baum hatte Noske Betrüger geschimpft und erzählt, dass er ihm ein paar Jahre zuvor für hundertzwanzigtausend Euro zwei Picasso-Zeichnungen verkauft hatte, die gefälscht gewesen waren. Außerdem, hatte er gesagt, bringe er, Noske, Charlie auf der Suche nach *Louise* keinen Schritt voran. Wenn Noske wüsste, wo das Gemälde versteckt war, hätte er längst Kapital daraus geschlagen und ihn, Baum, informiert – Betrug hin, Betrug her. Noske wisse, wie stark sein Interesse an dem Bild war.

Doch Charlie hatte sich von ihrem Vorhaben nicht abbringen lassen. Sie war stur geblieben. Vielleicht auch deshalb, weil sie solange nicht in Paris gewesen war, wofür sie Nick Seeberg die Schuld gab, weil er die Stadt nicht mochte, besonders die Bedienungen in den Restaurants nicht, die sich ihm gegenüber weit weniger unterwürfig gebärdeten als die Berliner Kellner.

»Wenn Sie *Louise* haben wollen, führt kein Weg an Noske vorbei«, hatte Charlie gesagt.

Und Baum hatte geantwortet: »Sie sind der Detective, Charlie.«

Jetzt war sie also da – in Paris, der Stadt, die sie vor ihrer Zeit mit Seeberg so oft besucht hatte. Sie hatte nach der Schule sogar ein dreiviertel Jahr hier gelebt, Französisch gelernt und die verwöhnten Kinder eines Rechtsanwalts in der Rue du Bac gehütet. Ja, und auch ihre Unschuld hatte sie hier verloren – in der *chambre de bonne*, unter dem Dach, ganz romantisch, *comme il faut*, bei Kerzenschein und einer Flasche Rotwein.

Unschuld, sie musste lachen, als ihr das Wort durch den Kopf schoss. Sie war neunzehn Jahre alt gewesen. Ihre Freundinnen hatten sich schon lustig über sie gemacht, dass sie so spät dran war. *Our Virgin*, hatten die sie immer genannt oder auch *Nonne*. *Charlie, unsere Nonne*. Dann aber kam der Neffe des Advokaten, der ein paar Straßen weiter in der Eliteschule Sciences Po studierte, ein bildhübscher Kerl mit schwarzen Locken, die auf die Schultern fielen. Laurent hieß er. Charlie dachte oft an ihn, auch jetzt noch, sie hatte erst vor Kurzem, nachdem ihre Beziehung zu Seeberg in die Brüche gegangen war, im Internet nach ihm gesucht und herausgefunden, dass er inzwischen verheiratet war, fünf Söhne hatte und in Poitiers in der Charentes lebte. Dort war er ein hohes Tier bei den Sozialisten, er hatte sogar als Wahl-kampfmanager für Ségolène Royal gearbeitet. So stand es jeden-falls in Wikipedia. Charlie war nach der Lektüre des franzö-sischen Lexikoneintrags kurz versucht gewesen, ihm ein Mail zu schreiben, hatte dann aber, mit Rücksicht auf die Gebärmaschi-ne, wie sie ihre Nachfolgerin nannte, davon abgesehen.

Unschuld – was für ein absurdes Wort. Wer sich zum ersten Mal zärtlich lieben ließ, machte sich schuldig – oder was? Und Laurent hatte sie zärtlich geliebt. Er war das Beste gewesen, was ihr passieren konnte. Noch Jahre lang musste sich jeder Mann, der ihr über den Weg lief, an Laurent messen lassen.

Wo hatte Louise wohl ihre Unschuld verloren?

Vielleicht auch hier in der Gegend. Charlie hatte sich im Ho-tel Saint Germain in der Rue du Bac eingemietet, das genau ge-genüber der Wohnung des Advokaten lag, der den Ort aber längst verlassen hatte, geschieden oder vielleicht sogar gestorben war. Jedenfalls deutete am Portal des Hauses nichts mehr auf seine Existenz hin. Sie hatte das als erstes gecheckt, nachdem sie am Morgen das Hotel verlassen hatte. Anschließend war sie das ganze Viertel abgelaufen und dann doch zufrieden gewesen, dass sich – anders als in Berlin, wo es vorkommen konnte, dass ganze Straßen innerhalb von zwei Wochen verschwanden – alles noch an seinem Platz befand. Sie bildete sich sogar ein, die Menschen seien dieselben wie Jahre zuvor – der Fischhändler mit dem Men-jou-Bärtchen, der gerade seine Auslagen dekorierte, der Käse-händler mit der weißen Haube auf dem Kopf, der die Straße in eine Duftwolke tauchte, während er die Rollläden seines Ge-schäfts hochkurbelte, die Handschuhverkäuferin, die die Fens-terscheiben polierte und auf einen kalten Winter hoffte.

Danach sah es im Augenblick allerdings nicht aus. Der Him-mel war zwar bedeckt, die Temperatur für einen November aber angenehm warm. Man konnte ohne Mantel herumlaufen, und vor den Cafés standen sogar Tische auf den schmalen Trottoirs, an denen überwiegend Männer saßen, die Kaffee tranken, Zeitung lasen oder einfach nur den Frauen auf dem Weg zur Arbeit oder zum Einkaufen nachschauten.

Charlie jedoch hatte es an diesem Morgen vorgezogen, im Innern des Cafés zu frühstücken. Sie stand an der Bar von Les Mouettes und blickte zu dem in Sichtweite gelegenen Kaufhaus Bon Marché, das sie durch *Das Paradies der Damen* so gut kannte. Zolas Roman, der das Bon Marché in der Rue du Bac beschrieb, war das einzige Buch, das sie freiwillig von der ersten bis zur letzten Seite auf Französisch verschlungen hatte. Es war ein Geschenk von Laurent gewesen, der es ihr zusammen mit einer roten Rose nach ihrer ersten Liebesnacht vor die Tür gelegt hatte. Charlie nahm sich vor, in dem Kaufhaus ein Paar Schuhe zu kaufen, sobald sie ihre Arbeit erledigt hatte. Bei einem Erfolg ihrer Mission würde sie sich vielleicht sogar zwei Paar gönnen oder auch drei.

Gegen halb elf machte sie sich langsam auf den Weg in die Rue des Beaux-Arts. Sie ging kreuz und quer durch das Viertel, das sie so liebte. Dabei kam sie an einer Galerie vorbei, die *Le voleur d'images* hieß. Der Name passte irgendwie zu ihrem Auftrag. Wenn Noske seine Galerie *Der Bilderdieb* genannt hätte, wäre sie auch nicht verwundert gewesen. Sie war auf den Mann gut vorbereitet, sie wusste, dass man ihm nicht trauen durfte, nicht für drei Cent. Trotzdem oder vielleicht gerade deshalb hatte sie sich schön angezogen – den schwarzen, engen Rock, der ihren runden Hintern betonte, das schwarze Twinset, die Perlenkette, hautfarbene Strümpfe und lachsfarbene Pumps. Den lachsfarbenen Mantel trug sie über dem rechten Arm, an den Riemen, die auf der linken Schulter lagen, baumelte ihre Marc-Jacobs-Tasche mit Jabals Katalog, dem blauen Notizbuch und der digitalen Kamera. Sie sah aus wie eine Französin und war stolz darauf.

Um Punkt elf erreichte sie Galerie 59. Die beiden Ziffern standen schlicht auf der Eingangstür, darunter *L'Art Contemporain? À chaque Époque son Art.* Charlie war aufgeregt und konnte sich nicht erklären warum. Vielleicht fürchtete sie die Begegnung mit Noske sogar ein wenig. Vielleicht durchschaute er sofort, dass sie mehr an der Geschichte des Bildes als an dem Bild selbst interessiert war. Noske war schlau, das wusste sie, wenn auch nicht intelligent, wie Mo Mommsen behauptet hatte, aber schlau – und offensichtlich sehr erfolgreich. Seit Jahrzehnten verkaufte er hier, in einer der schönsten Straßen der Stadt, Kunst, Phantasien von Menschen, die anderen Menschen viel Geld wert waren. Ein Schlappschwanz mit seinem Hintergrund hätte das jedenfalls nicht fertiggebracht. Charlie dachte an das Foto von Mo Mommsen, dessen Kopie sie in ihrer Tasche trug. Die beiden jungen Männer in den schwarzen Anzügen und mit den Sonnenbrillen – Max der Starke, der Macher, Jonas der Schwache, der in und von seinen Träumen lebte.

War *Louise* in der Galerie 59, entgegen Noskes Beteuerungen, doch gegen einen Scheck eingetauscht worden? Oder war sie vielleicht für bar über den Tisch gegangen? Wie viel war ihre Schönheit wert, die blutende Wunde? Zwanzigtausend? Dreißig? Oder sogar noch viel mehr?

Charlie warf einen Blick durch die Scheiben. Ein fettleibiger, behelmter Polizist holte neben dem Eingang mit einem Schlagstock aus. Auf dem Boden krümmte sich ein Schwarzer, verängstigt, halbnackt. Der Mann trug nur Shorts. Der rechte Fuß des Polizisten drückte seinen Oberkörper zu Boden. Charlie hatte die gleiche Skulptur schon im MoMA in New York gesehen. Damals war sie schockiert gewesen, in dieser Umgebung aber kam sie ihr ein wenig kitschig vor. Sie öffnete die Tür und betrat die Galerie. Eine junge, blonde Frau saß hinter einem Glastisch und las in der *Vogue*. Sie hob nicht den Kopf, als Charlie hereinkam. »Sehen Sie sich um«, nuschelte sie gleichgültig.

»Ich habe aber eine Frage ...«, antwortete Charlie.

Erst jetzt sah die Frau auf. Sie ähnelte den Freundinnen Alexandra Baums, die Charlie auf dem dreißigsten Geburtstag in der Bismarckallee gesehen hatte. Ihr Pony war über den Augen so gerade geschnitten, als habe man mit einem Lineal einen Strich gezogen. Und sie hatte einen antrainierten Schlafzimmerblick. Ihr kurzer Rock war weit über die Schenkel gerutscht. Das konnte man durch das Glas des Tisches sehen.

»Ja, bitte?«

Charlie zog den Katalog aus der Tasche, schlug die Seite mit *Louise* auf und legte ihn vor die junge Frau auf den Glastisch.

»Ich suche dieses Bild von Jonas Jabal.«

»*Louise en chemisette rayée bleu et blanc*«, murmelte die Frau, dann kicherte sie albern und sagte: »Wir sind hier doch nicht im Louvre ..., hier wird zeitgenössische Kunst verkauft.« Dabei zeigte sie auf eine Leinwand, auf die tausend Kreuze gemalt waren. Sie verwandelten sich diagonal von oben links nach unten rechts von einem hellen, leuchtenden Grau in ein tief dunkles, mattes Schwarz. Durch die paar Sonnenstrahlen, die durchs Fenster fielen, sah es so aus, als ob ein paar Kreuze sich bewegten.

Charlie ärgerte sich über die Unbedarftheit der Frau. Allein, wie sie Bildzeile *Louise en chemisette rayée bleu et blanc* vorgelesen hatte – wie eine Drittklässlerin. Sie beugte sich über den Glastisch, schlug kopfüber den Katalog zu und deutete mit dem Zeigefinger, streng wie eine Lehrerin, auf den Titel mit dem Selbstporträt des Künstlers.

Jonas Jabal
Tableaux et Dessins
Edition Cinquanteneuf

»Ich dachte nur die Edition Cinquanteneuf und die Galerie Cinquanteneuf könnten vielleicht etwas miteinander zu tun haben …« Sie stellte sich mit Absicht dumm.

»Wollen Sie mich auf den Arm nehmen? Hier steht 1963. Das Buch ist über vierzig Jahre alt. Da ging meine Mutter noch in die Vorschule.« Die Frau lachte spöttisch. Dann aber wurde sie unvermittelt freundlicher, sie sah an Charlie vorbei. »Vielleicht kann Max Ihnen ja helfen?«

»Wer ist Max?«

»Der Besitzer, er ist der Eigentümer dieser Galerie.« Die Frau stand auf und zog mit beiden Händen verlegen ihren Rock ein wenig tiefer über die Schenkel. Es sah aus wie eine Twistbewegung.

»Und wo kann ich diesen Max erreichen?«

»Hier«, sagte leise eine Männerstimme hinter Charlie.

Sie war erschrocken. Sie hatte nicht vernommen, dass jemand nach ihr in die Galerie gekommen war. Sie drehte sich um. Vor ihr auf dem dunklen Parkett stand ein großer Mann in einem grauen Anzug und in teuren Schuhen. Um seinen Hals hatte er einen breiten, weinroten Kaschmirschal geschlungen. Der Mann musste sich hereingeschlichen haben. In seiner rechten Hand führte er einen kleinen, schwarzen Hund an der Leine, die linke spielte mit einem iPhone wie mit einem Handschmeichler. Seine kurzen Haare waren schlohweiß, er hatte eine gesunde Gesichtsfarbe und auf der Nase thronte eine dunkelbraune Hornbrille. Sollte der Mann wirklich Noske sein, so sah man ihm sein Alter nicht an. Wenn Charlie ihn hätte schätzen müssen, sie hätte ihm kaum mehr als fünfundfünfzig Jahre gegeben, dabei musste er schon an der Siebzig kratzen. Sie hatte sich ein vollkommen anderes Bild von Noske gemacht. Ihr schoss wieder die Fotografie von Mo Mommsen durch den Kopf.

Auch der Mann betrachtete Charlie von oben bis und unten,

dabei lächelte er, wie man lächelte, wenn einem eine Maus in die Falle gegangen war.

»Max Lenôtre, wie kann ich Ihnen helfen, schöne Frau?«

Er streckte die Hand aus, ohne die Leine in die andere zu nehmen. Hatte Charlie ihn richtig verstanden? Hatte er Lenôtre statt Noske gesagt? Sie erwiderte seinen Gruß, ärgerte sich aber, dass er deutsch sprach. Er musste sie an ihrem Akzent sofort als Deutsche ausgemacht haben. Und sie bildete sich etwas ein auf ihr Französisch. Andererseits hatte sich auch Noskes Stimme nach all den Jahren verändert, er sprach mit einem leichten französischen Akzent, den sie als charmant empfand.

»Charlotte Pacou«, sagte sie ebenfalls auf Deutsch. »Ich bin auf der Suche nach dem Gemälde ... nach einem Gemälde – *Louise im blauweiß gestreiften Leibchen*. Sie kennen es, das Bild, das Jonas Jabal von seiner Freundin gemacht hat. Sie sitzt verkehrt herum auf einen Thonet-Stuhl, mit weit geöffneten Schenkeln.«

»*Louise*, immer wieder *Louise*«, antwortete Noske. »Hat Baum Sie etwa geschickt, der Verrückte? Will er nicht glauben, dass ich keinen blassen Schimmer habe, wo sie ist? Einmal unterstellt er mir, ein Fälscher zu sein, danach schleicht er sich durch die Hintertür wieder herein. Typisch.« Noske lachte. »Der Mann lässt wirklich nichts unversucht, um an sein Ziel zu kommen. Eigentlich müsste mir das schon wieder gefallen. Aber ich weiß nun mal nicht, wo *Louise* sich versteckt hat. Ich hätte sie ihm herzlich gern verkauft, für einen saftigen Preis, versteht sich. Dieser Geizhals.«

Charlie leugnete, Baum zu kennen. Sie sagte, dass sie persönlich an dem Bild interessiert sei. Sie habe eine Gedenktafel in Berlin entdeckt, in der Liselotte-Herrmann-Straße, früher Allensteiner. Und da sie von dem Maler vorher nie etwas gehört hatte, sei sie neugierig geworden. Sie habe sich ein bisschen über sein Leben sachkundig gemacht, – »ein trauriges Leben in einer traurigen Gegend, aber auch spannend, als Geschichte, meine ich«, sagte sie. Und schließlich fügte sie hinzu, dass ihr auch Noske bei ihren Recherchen über den Weg gelaufen sei. Sie wisse, dass er der beste Freund des Malers gewesen war, das habe sie auf einer Webpage nachgelesen, auf der unter anderem auch von der Beerdigung Jabals berichtet wurde.

Noske schien überhaupt nicht zu gefallen, was Charlie von sich gab. »Wieso traurige Gegend?«, fragte er. Seine Stimme klang fast ein bisschen erzürnt, so als habe sie ihn persönlich angegriffen. Er sagte: »Sie täuschen sich, die Gegend war alles andere als traurig, so wie unser Leben damals auch.«

Der Hund zerrte an der Leine und kläffte dreimal kurz. Noske ließ sein Handy in der Jackentasche verschwinden, bückte sich und nahm ihn in den Arm. »Nicht wahr, Kali, die Gegend war alles andere als traurig?« Dann sah er Charlie an. »Ich habe Kali alles erzählt. Es war eine aufregende Zeit damals in einer aufregenden Umgebung. Jonas' Tod war traurig, ja sicher. Vor allem aber war er überflüssig. Man bringt sich doch nicht für eine Frau um, und für eine wie Louise schon gar nicht … ich meine, wenn man ein so bedeutendes Leben vor sich hat. Jonas wäre mit seiner Begabung ein ganz Großer geworden. Ich hätte ihn zu Picasso gemacht. Und der Idiot ritzt sich das Handgelenk auf und schluckt Schlafpulver, bevor das Leben richtig losgeht. Da versteht man doch die Welt nicht mehr.«

Charlie streichelte Kalis Kopf, dabei berührte sie Noskes Hand, an dessen Ringfinger ein blauer Siegelring mit den eingravierten Initialen MN steckte, die sie an die Schweinebäuche in Adelaide erinnerten. »Wie alt ist der Hund?«, fragte sie.

»Kali ist kein Er. Sie ist ein Mädchen. Nicht wahr Kali, du bist ein Mädchen, ein ganz wundervolles, braves, sexy Mädchen? Sie ist drei, gerade gestern geworden. Ich habe sie Kali nach der Göttin genannt.«

»Göttin?«

»Kali, die hinduistische Göttin der Zerstörung, aber auch die der Erneuerung. Ohne Zerstörung, keine Erneuerung. Verstehen Sie?«

Charlie sah Noske zweifelnd an.

»Kali heißt Kali, weil sie so schwarz wie die Göttin ist, die um ihren Hals eine Kette aus Totenköpfen getragen hat, genauso selbstverständlich wie Sie Ihre Perlen tragen. Aber ich gebe zu, der Name Kali passt nicht wirklich zu ihr. Dafür hat sie einen viel zu guten Charakter. Auf Ihre Louise hätte er gepasst – die hatte echten Spaß an der Zerstörung. Die hat aus allem Kleinholz gemacht, in Nullkommanichts. Sie war die fleischgewordene Provokation. Und schamlos war sie – unglaublich schamlos.«

Noske fuhr sich mit der Zungenspitze über die Oberlippe, Kali kläffte noch einmal, die junge Frau saß wieder hinter dem Glastisch und blätterte gelangweilt in der Vogue.

»Übertreiben Sie jetzt nicht ein wenig?«, sagte Charlie.

»Ich übertreibe überhaupt nicht.«

Wie bei Mo Mommsen spürte sie auch bei Noske eine für sie nicht ergründbare Aggression gegen Louise. Sie fragte sich, wie das nach so vielen Jahren angehen konnte. In ihr erwachte der Beschützerinstinkt. Sie glaubte, Louise verteidigen zu müssen und sagte dasselbe, was sie schon in der Nacht im Knotenpunkt zu Dan gesagt hatte: »Ich glaube, Louise war ein modernes Mädchen in einer unmodernen Zeit.«

Noske lachte wieder, ein verächtliches Lachen. »Eine Schlampe war sie, eine hochintelligente, verwöhnte, kleine Schlampe – und sonst nichts. Sie hat mit Menschen gespielt wie Kinder mit Knetmasse, sie verstand es, jeden zu manipulieren. Sie war Jonas' einzige Frau, jedenfalls die einzige, bei der es geklappt hat.«

»Was geklappt hat?«

»Na, was wohl? Mit der Liebe natürlich, mit der körperlichen

Liebe. Dieses Rein und Raus, dieses ewige Hin und Her, um das sich doch alles dreht im Leben. Und jetzt kommen Sie und wollen mir erklären, wie diese Person funktioniert hat.«

Charlie stockte der Atem, sie errötete. Wie konnte Noske so mit ihr reden? Er kannte sie doch gar nicht. Ein paar Sekunden dachte sie darüber nach, ihn aufzufordern, seine Sprache zu zügeln. Doch stattdessen sagte sie: »Woher wissen sie das, das mit der Liebe, mein ich?«

»Ich weiß es eben. Wenn Sie's genau wissen wollen: von ihm selbst. Und in seinem Tagebuch steht es auch. Er war verzweifelt. Sie hat ihn um den Verstand gebracht.«

»Tagebuch hat er geführt?«

»Nicht direkt Tagebuch. Er hat in einem kleinen Schulheft seine Zeit mit Louise aufgeschrieben. Und ich hab's eingesteckt, nachdem ich ihn auf der alten Chaiselongue gefunden hatte.«

»Sie haben das Heft einfach eingesteckt? Sie haben sich strafbar gemacht. Ist Ihnen das klar?«

»Strafbar ist man nur, wenn man sich erwischen lässt. Ich wollte Lisa schützen, die Mutter von Jonas. Das ist alles. Das Buch hätte sie umgebracht. Sie war ein kleines Miststück, diese Louise. Glauben Sie mir. Sie hat Jonas um den Verstand gebracht.«

Noske hatte sich in Rage geredet. Charlie war überrascht, dass man nur Louises Namen erwähnen musste, um die Menschen vor Wut die Wände hochlaufen zu lassen, irgendetwas musste sie haben, was sie noch nicht begriffen hatte. Ihre Chuzpe und Unbeschwertheit, vielleicht auch ihre gelegentliche Leichtfertigkeit allein konnten es nicht sein.

Charlie ging nicht mehr auf die Beschimpfungen Noskes ein, obwohl sie gerade jetzt den Drang verspürte, nachzufragen. Louise tat ihr leid, und sie hatte große Lust, sich für sie ins Zeug zu werfen, wie der unbekannte Mann oder die unbekannte Frau

in dem Blog auf der Website *Das viel zu kurze Leben des begnade-*
ten Malers Jonas Jabal es getan hatte, aber sie fürchtete, der Galerist könne das Gespräch beenden und sie einfach abblitzen lassen.
Noske fackelte sicher nicht lange.

»Wo und wann haben Sie Louise zum ersten Mal gesehen?«

In dem Augenblick, als sie die Frage stellte, klingelte ihr Telefon. Die Nummer, die auf dem Display erschien, kannte sie inzwischen gut. Sie war kurz versucht, das Gespräch anzunehmen,
tat es dann aber doch nicht. Sie drückte auf die rote Taste und sah
zu Max Noske, der sie von oben bis unten musterte.

Dan Baum ... Sie lächelte. Irgendwie gefiel ihr, dass er sie sprechen wollte. Vielleicht spürte er in seiner Villa in Berlin, dass
Noske, der Halsabschneider, gerade dabei war, sie mit den Augen
zu entkleiden, Stück für Stück, ganz langsam. Wahrscheinlich
hatte er Louise genauso angesehen, als er ihr zum ersten Mal begegnet war. Männer wie Max Noske änderten sich nicht.

Sechzehn

Jonas und Louise waren im Frühjahr des Jahres 1959 zusammen
in Paris gewesen. Die Reise hatte Jonas widerwillig und überstürzt angetreten. Und voller Panik.

Louise hatte Tage lang gebeten und gebettelt, dass er mit ihr
kommen möge. Sie müsse in die Stadt, hatte sie gesagt. Ihre Eltern hatten ihr eine Arbeit während der Semesterferien bei einem
bekannten Buchverlag im siebten Arrondissement vermittelt.
Doch bevor sie im Juli dort anfing, wollte der Lektor für auslän-
dische Belletristik sie kennenlernen.

Jonas hatte es schroff abgelehnt, Louise zu begleiten. Genauso,
wie er es eine Woche zuvor schroff abgelehnt hatte, an der Ersten
Bitterfelder Konferenz teilzunehmen, einem Treffen zwischen

Kulturschaffenden, Funktionären und Arbeitern in dem jungen Arbeiter- und Bauernstaat. Der Vater der Sasse-Brüder, die Jonas fast halbblind geprügelt hatten, ein hoher Parteifunktionär, hatte den Maler versucht zu überreden, die Konferenz zu besuchen. »Du musst dahin, Jonas, gerade jetzt, wo du berühmt wirst und deine Arbeiten sogar in Zeitschriften veröffentlicht werden«, hatte Vater Sasse gesagt. »Das bist du deinem Staat schuldig.«

»Ich bin niemandem etwas schuldig«, hatte Jonas trotzig geantwortet und sich über sein offenes Bekenntnis im selben Augenblick gewundert. Dabei war ihm Boris Blahnik in den Sinn gekommen und die Wut des Schriftstellers auf den Staat, der Fontane und Storm aus den öffentlichen Bibliotheken verbannt hatte. Doch das war nicht der Grund gewesen, warum er es abgelehnt hatte, nach Bitterfeld zu fahren. Politik interessierte Jonas einfach nicht. Er begriff sie als Belästigung, als Eingriff in seine persönliche Freiheit, ja, als Freiheitsberaubung, obwohl er das nie laut gesagt hätte. Er wollte in Ruhe gelassen werden, das war alles. Er wollte arbeiten, arbeiten wie Morandi, der sich auch nicht vom Fleck bewegte und nur Flaschen malte. Der Maler aus Bologna war Vorbild für den Maler aus Berlin. Jonas hatte im *Magazin* einmal eine Reportage über Morandi gelesen, in der geschrieben stand, dass es dem Italiener große Probleme bereitete, sich von seiner vertrauten Umgebung zu entfernen. Im schweizerischen Winterthur, wohin ihn einmal eine Ausstellung getrieben hatte, war er fast eingegangen wie eine Primel. Diese lächerliche kleine Reise hatte ihn vollkommen aus der Bahn geworfen.

Jonas Jabal hatte das nur allzu gut verstanden. Auch sein Leben spielte sich in einem Mikrokosmos ab, im Ostpreußenviertel – der Bötzowstraße, der Allensteiner, der Braunsberger, alles, was darüber hinausging, interessierte ihn nicht. Schon die Fahrradfahrt an den Müggelsee zusammen mit Louise, obwohl die Erinnerung daran schön war, hatte ihn anfangs Überwindung gekostet und die gelegentlichen Ausflüge in den Westen erst recht.

Seinen ersten, da war er gerade dreizehn, hatte er als Mutprobe begriffen. Er hatte gefürchtet, von Felix Becker vor anderen Schulkameraden als Schlappschwanz hingestellt zu werden, wenn er sich geweigert hätte, mitzugehen. Nachdem Becker und er, die Taschen voller gestohlener Matchbox-Autos, Wertheim verlassen hatten, waren sie um ihr Leben gerannt. Erst hinter der Urania auf einer Brücke, die über dem Landwehrkanal führte, waren sie völlig aus der Puste stehengeblieben. Becker hatte sich ausgeschüttet vor Lachen, er hatte den Diebstahl wie einen Sieg über Adenauer und den Kapitalismus gefeiert. Jonas hingegen hatte gekotzt. Die Arme, abgestützt auf dem Geländer der Brücke, hatte er seinen Kopf gehalten und so viel von Mutter Lisas Haferflockensuppe gespuckt, dass Becker ihn ermahnen musste, aufzupassen.

»Wenn du weiter so reiherst, müssen wir nach Hause schwimmen«, hatte er gesagt. »Und du bist ein schlechter Schwimmer, Jonas. Denk daran …«

Louises Flehen im Mai 1959, Jonas möge sie nach Paris begleiten, war für ihn das Verrückteste und Absurdeste, was er jemals gehört hatte. Er hatte auf seine Art auf ihren Wunsch reagiert. Je mehr Louise von der Reise sprach, von ihren Freunden in Paris, je mehr sie die Fröhlichkeit, die Schönheit und den Esprit der Stadt pries, desto mehr verkroch er sich wie eine Schnecke ins Haus. Zum Schluss schwieg er einfach nur noch. Er hielt einen dünnen Kohlestift in der Hand und machte eine Skizze des feuerspeienden Drachen auf dem Paravent. Louise, die auf der Chaiselongue saß, beachtete er nicht mehr.

Als sie spürte, dass der Versuch ihn zu überreden zwecklos war, sagte sie nur: »Gut, dann fahr ich eben alleine. Aber ich bin sehr traurig, Jonas. Ich habe viel für diese Reise getan, ich habe alle Beziehungen meiner Familie genutzt, dass wir die Papiere bekommen. Wenn du es dir also doch noch anders überlegen solltest: Morgen früh um sechs an der Prinzenstraße. Ich warte auf dich, unter unserer Kastanie am Engelbecken.« Sie machte eine kurze Pause, dann fügte sie hinzu: »Manchmal muss man einfach was riskieren, Jonas.«

Die Tränen, die sie in den Augen hatte, als sie das Atelier verließ, nahm er nicht wahr, oder er wollte sie ganz einfach nicht wahrnehmen.

Später, am Abend desselben Tages, war Max Noske ins Atelier gekommen. Jonas lag auf der Chaiselongue. Er hatte die Arme hinter den Kopf gelegt und starrte an die Decke. Sein kariertes Holzfällerhemd war aufgeknöpft, sein unbehaarter Oberkörper sah aus wie der eines Kindes und glänzte wie Lack.

»Was ist los?«, fragte Noske. »Liebeskummer?«

Jonas schwieg.

»Ich habe uns etwas ganz Feines mitgebracht.« Der Freund hielt dem Maler eine grüne Flasche mit einem gelben Etikett vor die Nase, einen bitteren Kräuterlikör aus der Tschechoslowakei. »Hab ich von meinem Onkel. Er hat drei Pullen davon aus Karlsbad mitgebracht. Du weißt, das ist der Schampus der Tschechen.«

Jonas rührte sich nicht.

»Hey, Alter! Was ist los? Hat sie dich etwa sitzen lassen oder was?« Noske öffnete den Drehverschluss der Flasche, dann ging er zur Spüle hinter dem Paravent. Auf dem Holz der Nähmaschine standen zwei Tassen. Eine davon hatte keinen Henkel und roch nach Terpentin. Er spülte sie aus. »Ich will uns ja nicht vergiften«, sagte er. »Wir haben doch noch viel vor, Jonas. Ist doch so, oder? Mach jetzt bloß nicht schlapp.«

Nachdem er die Tassen mit dem Kräuterlikör gefüllt hatte, setzte er sich neben seinen Freund auf die Chaiselongue.

»Hier trink! Und erzähl endlich, was passiert ist … Sie hat dich verlassen, ja? Das musste ja so kommen. Ich hab dich gewarnt: Sie hat nur mit dir gespielt. Ich kenne diesen Typ Frau genau.«

Noske gab an wie Bolle. Er hatte Louise nur einmal in Hennings Bierstube gesehen, und sie hatte ihn links liegenlassen, obwohl er sich wahnsinnig ins Zeug gelegt hatte, ihr zu gefallen. Er war parfümiert gewesen und hatte sich für das Treffen sogar das schwarze, mit Nieten besetzte Lederblouson von seinem Onkel geliehen, der sechzehn Jahre jünger war als sein Vater und heimlich in einer Rock-'n'-Roll-Band an der Oberbaumbrücke spielte. Da Louise kein Auge auf Noske geworfen hatte, war er überzeugt gewesen, dass sie nichts anderes als eine verwöhnte Zicke aus dem Westen war.

»Schieß los, Jonas. Rück raus, was los ist? Hat sie dich ausgelacht?«

»Ausgelacht? Wieso ausgelacht?«

»Entschuldigung … ich mein ja nur. Ich dachte, vielleicht ist dir mit ihr das gleiche passiert wie mit Connie.«

Jonas setzte sich abrupt auf und nahm einen Schluck von dem Likör, dabei verzog er sein Gesicht, als bekäme er von seiner Mutter drei Esslöffel Lebertran auf einmal verabreicht. Er schüttelte sich, dann erzählte er leise, wie er Louise behandelt und es strikt abgelehnt hatte, mit ihr zu verreisen. Sie wisse doch genau, wie schwer es ihm falle, das Nest zu verlassen, sagte er. Er werde krank bei dem Gedanken, Grenzen zu überschreiten. Und sie verstehe ihn einfach nicht, obwohl sie doch so blitzgescheit sei.

Noske hörte ruhig zu. Als Jonas fertig war, sagte er: »Und wie hat sie es sich vorgestellt, dich über die Grenzen zu bringen, ich meine von Westberlin durch die DDR in die BRD? Du willst ja nicht flüchten. Du bist ja so blöd und willst zurück in dieses

Drecksnest. Du willst ja deine Mutter und deine Bilder nicht im Stich …«

Jonas unterbrach seinen Freund. »Sie hat mir einen Pass machen lassen, einen BRD-Pass …«

»Sie hat was?«

»Ihr Paps hat das gemacht. Er hat beste Beziehungen.«

»Ihr Paps, ihr Paps!« Noske schoss vor Wut das Blut in den Kopf. »Du willst mir also weismachen, dass drüben gültige Papiere auf dich warten. Du willst mir sagen, du bist ein freier Mann, du kannst gehen, wohin du willst …«

Jonas nickte. »Wenn das für dich die Freiheit ist.«

»Allerdings.« Noske schnaufte. Er zog den Bistro-Stuhl vor die Chaiselongue und setzte sich nah vor seinen Freund. Die Ellenbogen stützte er auf den Knien ab, den Kopf vergrub er in den Händen.

»Noch mal, nur damit ich klar sehe: Du hast einen gültigen BRD-Pass, der drüben auf dich wartet …«

»Ja, ich muss ihn nur noch unterschreiben. Sie hat gesagt, ich müsse aufpassen, dass meine Hand dabei nicht zittert.«

»Das Passfoto von dir? Hat sie dich fotografiert?«

»Nein, das hat Mo gemacht. Ich habe sie darum gebeten. Sie hat es mit ihrer Box geschossen. Aber da habe ich das Ganze noch für ein Spiel gehalten …«

»Paris?« Noske machte eine kurze Pause. »Sie hat dich eingeladen, mit ihr nach Paris zu fahren? Sie hat dir einen Pass besorgt, einen BRD-Pass.« Pause. »Und du hast nein gesagt?« Pause. »Das versteh ich gut, man geht ja auch nicht so einfach nach Paris … Will sie mit dem Auto fahren?«

»Ich glaube, ja. Mit dem Auto ihres Vaters. Er leiht es ihr. So ein Franzosen-Auto, das die französischen Gangster immer fahren.«

»Bist du denn von allen guten Geistern verlassen.« Noske fasste sich an den Kopf. »Und wo würdet ihr in Paris wohnen?«

»Ihre Eltern haben dort ein *pied à terre*.«

»Ein was?« Noske schrie.

»So was wie ein Zimmer, Louise hat es mit Absteige übersetzt.« Jonas hatte über den Begriff lachen müssen, als Louise ihn gebrauchte. Zur Strafe hatte sie ihn die Worte dann fünf Mal hintereinander wiederholen lassen, bis er sie perfekt beherrschte. Jetzt musste er wieder lachen, als ihm das *pied à terre* so flott über die Lippen ging.

»Mensch, die ist verknallt in dich, du Dussel«, schrie Noske. »Bis über beiden Ohren verknallt. Merkst du das nicht? Bist du blind? Und du gibst ihr einen Korb. Du hast die Chance, die aufregendste Stadt der Welt kennenzulernen. Auf lau! Und du sagst nein …« Er zeigte Jonas einen Vogel.

Während der folgenden zwei Stunden leerten die beiden die halbe Flasche Becherovka, und Noske war dabei mit nichts anderem beschäftigt, als sich aufzublähen und seine ganze Überzeugungskraft dafür zu nutzen, den Freund doch noch umzustimmen.

Paris! Er wusste nicht viel über Paris, es war fast lächerlich, was er wusste, aber er begann die Stadt zu preisen, die wunderschönen Bauwerke, die kein Krieg zerstört hatte, er schwärmte von den Bouquinisten an der Seine ebenso wie von Balzac, Molière und Camus, obwohl er nichts von ihnen kannte, von Pigalle, Zizi Jeanmaire und Picasso, aber auch von Brigitte Bardot, deren Film *Und ewig lockt das Weib* sie im Zoopalast gesehen hatten. Und dann erinnerte er Jonas natürlich auch an Henry Millers *Stille Tage in Clichy*, und wie sie zusammen davon geträumt hatten, auch dort zu leben. Und der Gangsterfilm, den sie ein Jahr zuvor ebenfalls im Zoopalast gesehen hatten, fiel ihm natürlich auch ein. »Wie hieß er noch? Von diesem Melville … *Drei Uhr Nachts*, richtig. Das alles ist Paris … Und Jonas Jabal hat eine Freundin, die ihm die Stadt auf den goldenen Tablett servieren will. Aber

Jabal sagt: Nein. Er hat Angst zu verreisen, Angst vor ich-weiß-nicht-was.«

Irgendwann, während Noskes Suada, schlief Jonas auf der Chaiselongue ein. Der kleine, kantige Kopf ruhte auf der Armlehne, die Spitzen der rotblonden Haare zeigten zum Boden, der Adamsapfel steil zur Decke. Noske hatte große Lust, sich neben den Freund zu legen, doch er fürchtete wegzunicken. Und so lief er, über zwei Stunden lang, obwohl todmüde und angetrunken, im Atelier auf und ab und vertrieb sich die Zeit. Er roch ein paar Mal an der Terpentinflasche, kochte sich mit dem Tauchsieder einen Pfefferminztee auf, blätterte in einem prachtvoll aufgemachten sowjetischen Bildband von Rodin und in einem zweiten, etwas bescheidener aufgestatteten aus der BRD von Morandi, bevor er schließlich das Fenster zur Allensteiner Straße öffnete, tief durchatmete und sich eine Zigarette anzündete.

Nur nicht einschlafen, dachte er immer wieder. *Nur nicht einschlafen.* Dabei beobachtete er, wie ein wolkenverhangener Tag langsam die Nacht eroberte, jener Tag, an dem er den Freund auf seine erste große Reise bringen wollte. Er war sich sicher, dass ihm das gelingen würde, er musste ihn nur unvorbereitet erwischen, sozusagen kalt, er musste ihn noch im Halbschlaf überraschen und dann zwingen, zu fahren. Notfalls mit Gewalt. Er musste ihm klar machen, dass ihrer beider Zukunft von der Reise abhing.

Louise, dieses verwöhnte Geschöpf aus dem Westen, sah er plötzlich in einem anderen Licht. Sie war für ihn Komplizin geworden, Wegbereiterin in eine Zukunft, die alles in den Schatten stellte, was sie sich in ihrem Land erträumen konnten. Und darauf zu verzichten, nur weil Jonas Angst vor der Fremde hatte wie andere Leute vor der Hexe und sich deshalb eine gespreizte Schere über die Tür steckten, das war Noske nicht gewillt zu akzeptieren.

Um halb fünf am Morgen begann er den Rucksack zu suchen, in dem Jahre zuvor einmal Jonas' sieben Sachen verstaut gewesen waren, als sie einen Ausflug mit den Pfadfindern zum Müggelsee unternommen hatten. Noske vermutete ihn in der alten Kommode, den seine Mutter einmal Jonas' Mutter geschenkt hatte. Aber wo stand die? Sein Blick tastete im Morgengrauen das Atelier ab. Schließlich entdeckte er sie gleich links neben der Eingangstür, versteckt hinter einer Leinwand, die Jonas mit der Vorderseite zum Möbel vor die vier Schubladen gestellt hatte. Noske drehte sie um und erkannte Louise als zarte Skizze mit einem dünnen Kohlestift gezeichnet. Sie saß breitbeinig, verkehrt herum auf einem Stuhl, dabei war sie untenherum allerdings nicht nackt wie *Louise im blauweiß gestreiften Leibchen*, sie trug Caprihosen und Ballerinas, und ihr Gesicht gab auch kein Rätsel auf, es wirkte so, als alberte sie herum. Ihr Mund war keine Wunde, sie lachte übers ganze Gesicht und ihre Haare flogen wild durch die Luft.

Der Rucksack war in der untersten Schublade verstaut, in den beiden Laden darüber lagen Unterwäsche, Socken und Hemden, und in der obersten Lade entdeckte Noske die schon etwas ausgewaschene, mit Nieten besetzte Wrangler. Sie war Jonas' ganzer Stolz. Er hatte sie von einem Mann bekommen, der dem Tod gerade noch einmal von der Schippe gesprungen und von Lisa Jabal in der Charité gesundgepflegt worden war. Noske packte das gute Stück zuerst in den Rucksack, dann folgten der weinrote Nikki-Pullover, drei Oberhemden, mehr besaß sein Freund offensichtlich nicht, und jeweils fünf weiße, gerippte Unterhosen und Unterhemden. Die Socken übersah er. Ganz zum Schluss steckte er noch einen Zeichenblock in den Sack und einen Karton mit Kohlestiften in verschiedenen Stärken. Sollte Jonas auch Ölfarben brauchen, musste er sich die in ihrer neuen Stadt besorgen. An Ölfarben mangelte es den Franzosen sicher nicht, dachte

Noske. Und das Geld dafür würde diese Louise schon aufbringen.

Um viertel vor fünf war es dann soweit. Jetzt musste alles schnell gehen. Jonas durfte keine Zeit zum Nachdenken bleiben. Schlaftrunken musste er sich dem Freund fügen. Das war der Plan. Noske schüttelte ihn an der Schulter, und als das nicht half, hielt er ihm die offene Terpentinflasche unter die Nase.

»Hey, Alter! Aufstehen! Wir müssen los.«

Jonas fuhr erschreckt hoch. Er kapierte nicht, was um ihn herum geschah.

»Was? Los ... wohin los?«, stammelte er.

»Wir müssen zur Beerdigung. Hast du das vergessen? Deine Tante in Neukölln ist gestorben.«

Jonas räkelte sich, sein Schädel schmerzte. Mit den Zeige- und Mittelfingern massierte er sich die Schläfen.

»Meine Tante?«

»Komm, mach schon! Wasch dein Gesicht! Putz dir die Zähne! – Louise wartet nicht lange. Sie wird abfahren, ohne dich.«

»Ich will nicht. Ich hab's dir doch gesagt, Max, ich will nicht.«

»Du musst, Jonas. Du wirst es sonst ewig bereuen. Diese Reise ist unsere große Chance. Hier machen sie bald die Schotten dicht. Muss ich das immer wiederholen?«

Zwanzig Minuten später fuhren sie auf Noskes Fahrrad die Allensteiner Straße herunter. Jonas trug seinen schwarzen Anzug und saß auf der Stange, Noske trat in die Pedalen. Der Rucksack, in dessen Seitentasche er, noch kurz bevor sie das Haus verlassen hatten, Jonas' Ausweis und zwei Zwanzigerscheine Westmark verstaut hatte, baumelte am Lenker. Anfangs hatte er gezögert, Jonas das Geld zuzustecken, sich dann aber entschlossen, den Betrag als Investition für ein blühendes Morgen zu betrachten.

An der Ecke zur Braunsberger Straße wurden beide kurz aufgehalten. Wie ein Verkehrspolizist versuchte Vater Sasse, der dabei war, seinen nagelneuen Trabant zu waschen, das Fahrrad der jungen Männer zu stoppen. »Wohin so früh, Jungs?«, rief er mit ausgebreiteten Armen, dabei lachte er und drückte den Schwamm aus, den er bei ausgestrecktem Arm in der Hand hielt. Das Seifenwasser klatschte aufs Kopfsteinpflaster.

»Sei still«, flüsterte Jonas Noske zu, doch der ließ sich nicht zurückhalten. Gekonnt wie Jacques Tati in *Jour de Fête* umfuhr er Sasse in einem eleganten Bogen und antwortete laut und fröhlich: »Gen Westen, Herr Sasse … gen Westen, frische Luft schnappen.«

»Bist du des Teufels!«, zischte Jonas. »Willst du uns unbedingt in Schwierigkeiten bringen?«

Von dem Moment an sprachen die Freunde bis kurz vorm Übergang Prinzenstraße kein Wort mehr. Jonas war zu aufgeregt, er begann zu fantasieren und sah sich schon in Handschellen, sah sich, wie er abgeführt und verhört wurde. Dann stellte er sich vor, wie man ihm die Zeichenstifte und das Papier in der Zelle verweigerte und Louise daran hinderte, ihn zu besuchen. Er kannte die staatliche Gewalt genau, er hatte sie zu spüren bekommen, als er sich an der Kunsthochschule Weißensee einschreiben wollte. Mit der Mappe seiner Arbeiten und seinem Reifezeugnis war er dort vorstellig geworden. Keine fünf Minuten hatte der Termin gedauert. Und noch heute hallte der letzte Satz des Vorsitzenden der Aufnahmekommission in seinen Ohren wider: »Wir wollen es kurz machen, Herr Jabal: Ihrem Vater hat es am sozialistischen Anstand gemangelt und Ihnen mangelt es am sozialistischen Strich. So hat jeder sein Kreuz zu tragen. Tut uns leid.«

Auf Noskes Gesicht hingegen lag an diesem Morgen, Anfang Mai 1959, ein zufriedenes Lächeln, Zweifel an seinem Tun empfand er nicht. Er radelte ganz ruhig und gleichmäßig über die spiegelblanken Steine des Straßenpflasters. Obwohl es ein kleiner

Umweg war, nahm er den Weg am Volkspark Friedrichshain entlang, dann fuhr er über den Leninplatz zum Strausberger und warf einen Blick auf die protzigen Bauten der Stalinallee, die Jonas' Vater mit aufgebaut hatte, bevor dessen Auftraggeber ihn umbrachten. Fast genau sechs Jahre waren seitdem vergangen. Doch Noske kam es vor wie gestern, noch immer hörte er die anklagenden Schreie Lisa Jabals im Treppenhaus der Allensteiner Straße Nummer 10, als ihr die Todesnachricht überbracht wurde.

Jetzt war Noske fest davon überzeugt, Jonas würde sich für den Tod des Vaters rächen und für sie beide in einem anderen Land den Grundstein für ein weniger trostloses Leben legen. Dabei waren es nicht einmal so sehr die Bonzen, die Noske störten, es war vor allem das Grau an allen Ecken und Enden der Stadt, die kaputten Fassaden ehemals wunderschöner Bürgerhäuser, die traurigen, hoffnungslosen Gesichter, in die er Tag für Tag blickte. Das wurde ihm besonders an diesem Morgen klar, an dem es zu nieseln begann, und er die Menschentrauben an den Bus- und Straßenbahnhaltestellen beobachtete. Mit hängenden Schultern standen die Wartenden wie schlaffe, angefaulte Pilze dort herum. Nicht eine glückliche Gestalt konnte Noske ausmachen, nicht eine einzige Frau war dabei, die er gern aufs Kreuz gelegt hätte. Und er war weiß Gott nicht wählerisch, gewöhnlich nahm er alles, was ihm über den Weg lief und ein Loch hatte.

Loch ist Loch, das war immer einer seiner Standardsätze.

Um zehn vor sechs erreichten sie die Jannowitzbrücke, durch deren glitschige Holzplanken Nebel kroch und sich am Boden ausbreitete. Noske erschrak, als er auf die Uhr sah und trat kräftiger in die Pedalen. Er wusste genau, wenn man sie am Übergang jetzt aufhielt, war Louise über alle Berge. Sie würde sicher keine halbe Stunde mehr warten, dafür war der Korb, den Jonas ihr gegeben hatte, zu verletzend gewesen.

Kurz bevor das Rad vor den beiden Grenzpolizisten zum Stehen kam, beugte sich Noske vor und flüsterte in das linke Ohr des Freundes: »Vergiss nicht: Deine Tante ist gestorben, Jonas, du bist auf dem Weg zur Beerdigung.«

Jonas antwortete nicht.

»Hast du mich verstanden? Guck einfach so, wie du jetzt guckst. Die Trauer steht dir ins Gesicht geschrieben. Du musst ihnen ja nicht gestehen, dass du so verzweifelt bist, weil dein Freund dich zwingt, mit einer schönen Frau nach Paris zu fahren.«

»Schnauze!«, antwortete Jonas.

Die beiden Grenzpolizisten sahen müde aus. »Unsere letzten Gäste für heute«, sagte einer von ihnen.

Noske zog Jonas' Papiere aus der Seitentasche des Rucksacks und seine eigenen aus dem Jackett.

»Wohin geht die Reise?«, fragte der Grenzer.

»Mein Freund beerdigt um zehn seine Tante in Neukölln, und ich fahre zur Arbeit.« Noske wunderte sich, wie lässig ihm die Worte über die Lippen kamen.

Der Mann studierte die Ausweise. An seinem Revers hing eine Medaille aus Bronze an einem olivgrünen Band mit der Aufschrift *Für vorbildlichen Grenzdienst*. »Sehen Sie mich an, Herr Jabal«, sagte er.

Jonas blickte auf, dabei erweckte er den Eindruck, als ginge er zu seiner eigenen Beisetzung.

»Und wo arbeiten Sie, Herr Noske?«

»In der Setzerei Luckner in der Kochstraße.«

»Sie sind Setzer?«

Noske nickte.

»Meinen Sie, in unserer Republik werden keine Setzer gebraucht?« Der Mann stellte die Frage in einem Ton, der keine Antwort verlangte, und bevor Noske reagieren konnte, winkte er die beiden durch. Noske steckte die Papiere ein und fuhr weiter.

Jetzt hatte er nicht einmal mehr fünfhundert Meter zurückzulegen.

»Wo ist eure Kastanie?«, fragte er, kurz bevor sie das Engelbecken erreichten.

»Gleich dahinten«, antwortete Jonas, und im selben Augenblick sahen die beiden ihn auch schon, den knallroten Citroën DS. An dem tristen Morgen wirkte der Wagen wie ein tanzender Feuerball in der Nebellandschaft.

An die Fahrertür gelehnt stand Louise, sie trug einen geblümten Glockenrock und einen Pullover in der Farbe des Autos. Der Nieselregen schien sie nicht zu stören. Aus dem Radio erklang die Klarinette Monti Sunshines, Louises Oberkörper bewegte sich im Takt zur Melodie. Als sie die beiden Männer erkannte, riss sie ihre Arme gen Himmel und schrie dreimal hintereinander ganz laut: »Ja! Ja! Ja!« Dazu hüpfte sie wie ein Mädchen über sein Springtau, bevor sie ihre Hände zu einem Megaphon formte und rief: »Ich wusste es, Jonas Jabal! Ich wusste, du würdest kommen! Und damit du gleich Bescheid weißt, auf was du dich einlässt: Ich liebe dich!«

»Halt an!«, sagte Jonas.

Noske blieb stehen. Jonas nahm den Rucksack vom Lenker, hängte sich einen Träger über die linke Schulter und ging leicht gebeugt die letzten dreißig Meter zu Fuß. Noske folgte ihm nicht. Zurückhaltend, ganz im Gegensatz zu seinem Temperament, beobachtete er aus der Entfernung, wie sich das junge Glück in die Arme fiel. Und als Louise ihm – kurz bevor sie ins Auto stieg und mit seinem Freund davonfuhr – lächelnd und vielleicht sogar ein wenig dankbar zuwinkte, wusste er, er hatte alles richtig gemacht.

Die lange Nacht, die er sich so qualvoll um die Ohren geschlagen hatte, war in diesem Augenblick mit dem schönsten und dankbarsten Lächeln der Welt belohnt worden.

Siebzehn

Charlies Mutter nannte Männer wie Max Noske immer Lebemänner. Noske war so einer. Daran zweifelte Charlie nicht mehr, als sie mit ihm zusammen und Kali auf seinem Arm das Restaurant Lipp am Boulevard Saint-Germain betrat. Sie fürchtete, die Kellner könnten glauben, sie sei Noskes jüngste Eroberung. Sie schämte sich ein wenig, obwohl sie wusste, dass das albern war. Warum sollte sie nicht mit einem Mann ausgehen, der ihr Vater sein könnte?

Noske kannte jeden Kellner, und jeder Kellner kannte Noske. »Salut, Max«, hieß es allenthalben, woraufhin Noske ebenfalls mit einem Salut antwortete. Dabei fügte er immer den jeweiligen Vornamen der Person hinzu, die er begrüßte.

»Salut, Pierre.«

»Salut, Jean-Claude.«

»Salut, Roland.«

Die etwas bucklige, kleine Frau an der Garderobe begrüßte er mit: »Bonjour, Bernadette. Wie geht es meinem Herzblatt heute?« Dabei reichte er ihr zusammen mit seinem weinroten Schal und Charlies lachsfarbenen Mantel einen Fünf-Euro-Schein.

Es spielte sich immer das gleiche Ritual ab, wenn Noske die Brasserie betrat. An diesem Sonnabend waren Charlie und der Galerist die ersten Gäste. Noch hörte man die Bestecke nicht auf dem Porzellan klappern, noch musste man seine Stimme nicht erheben, um sich verständlich zu machen. Doch das sollte sich bald ändern.

Nachdem der Oberkellner die beiden an den Tisch geleitet hatte und wortlos verschwand, fragte Charlie: »Sie sind Stammgast hier?«

»So kann man es nennen. Ich bin immer hier. Nicht wahr, Kali? Wir sind immer hier.«

»Jeden Tag?«

»Jeden Mittag, seit Jahrzehnten, seit ich mir es leisten kann. Mittags bin ich treu, abends esse ich à la carte, wo auch immer.«

Ein Kellner kam und stellte eine Karaffe Weißwein auf den Tisch und eine zweite mit Wasser. Kali, die Noske zu seinen Füßen platziert hatte, bekam auch Wasser – in einer kleinen Emaille-Schüssel, auf deren Boden ein schwarzer Knochen abgebildet war.

Noske schenkte den Wein ein.

»Habe ich mich verhört, oder haben Sie sich vorhin mit Lenôtre vorgestellt?«, fragte Charlie.

»Sie haben sich nicht verhört.«

Noske hob das Glas, um mit Charlie anzustoßen.

»Es war damals nicht leicht als Boche hier Geschäfte zu machen. Und dann auch noch Noske … das klang ja fast so wie SS. In den ersten Jahren bin ich Monat für Monat haarscharf an der Pleite vorbeigeschrammt. Dann, Ende dreiundsechzig, glaube ich, habe ich beschlossen aus Noske Lenôtre zu machen, irgendwo hatte ich den Namen am Schaufenster eines Zuckerbäckers gelesen. Damals war das einfach für einen Deutschen aus dem Osten. Seitdem lief alles wie geschmiert. Sogar die Boches waren hier dann irgendwann en vogue, jedenfalls die Maler. An dem neuen Namen hat's also wahrscheinlich gar nicht gelegen, wahrscheinlich hatte ich einfach nur Glück. Glauben Sie an das Glück, Charlie?«

Charlie antwortete nicht. Warum hatte Dan Baum ihr nicht erzählt, dass Noske seinen Namen geändert hatte? Er musste es doch wissen. Er hatte Geschäfte mit ihm gemacht, war doch angeblich von ihm um hundertzwanzigtausend Euro betrogen worden. Aber Dan wollte ja gar nicht, dass sie Noske traf. Sicher war das der Grund. Charlie blickte verträumt auf die Manschettenknöpfe ihres Gegenübers, die die Form alter amerikanischer

Hotel-Wasserhähne hatten. In schwarzer Schrift stand auf weißer Emaille *Hot* auf dem einem und *Cold* auf dem anderen geschrieben.

»Jonas Jabal hat nicht an das Glück geglaubt. Und wissen Sie was? Weil er nicht daran geglaubt hat, hat er es nicht bekommen.«

Charlie lachte. »Nein, das ist zu einfach …«

Der Kellner kam und stellte eine große Platte mit einem Dutzend Austern auf den Tisch.

»Haben Sie die bestellt?« Charlie sah verwirrt auf die Muscheln.

»Am Sonnabend gibt es immer Austern und danach Lammkeule. An meinem Tisch wird gegessen, was ich esse. Ich hoffe, Sie sind keine Vegetarierin?«

»Bin ich nicht, nein.«

»Da bin ich aber froh, ich mag die nämlich nicht, sie riechen meistens aus dem Mund und glauben, die Welt zu verbessern, indem sie uns Fleischfressern ein schlechtes Gewissen machen. Verstehen Sie, was ich meine? Und außerdem sind sie auch sonst nicht sexy, sie sind langweilig, und die meisten von ihnen haben Ringe unter den Augen.«

Bevor Noske, den Charlie Max nennen sollte, was Charlie auch ohne zu überlegen annahm, an seiner ersten Auster roch, kam ein Mann an den Tisch. Er begrüßte den Galeristen mit einem Salut, und Noske erwiderte den Gruß. Dann erzählte der Mann mit einem harten, aber nicht unsympathischen Akzent, dass er das Geld für sein Projekt endlich beisammen hatte und das Theater der Uraufführung in Rom auch schon gefunden war. In einem Jahr, sagte er, sei Premiere. Ohne ihn anzusehen beglückwünschte Noske den Mann, der sich daraufhin sofort wieder verabschiedete.

»Was ist das für ein Projekt?«, fragte Charlie.

»Unwichtig. Er ist ein Spinner.« Noske presste eine paar Tropfen der halben Zitrone, die er in der linken Hand hielt, auf die Auster.« Ein Italiener! Er hat das Libretto für ein Musical über Silvio Berlusconi geschrieben, sein Sohn hat es vertont. Aber bevor es aufgeführt wird, liegen beide auf dem Grund des Tiber – mit einem Sack Wackersteinen an den Füßen. Das wissen sie nur noch nicht.«

Noske schlürfte die Auster.

»Greifen Sie zu, Charlie. Die Hälfte davon gehört Ihnen.«

Charlie nahm eine von der Platte, roch daran und führte sie zum Mund.

»Und nun erzählen Sie, was führt Sie wirklich hierher?«, bat Noske.

»Es ist so, wie ich es Ihnen gesagt habe: Jonas Jabal. Den Namen habe ich zufällig auf der Gedenktafel in der Liselotte-Herrmann-Straße entdeckt. Die Zeilen kamen mir sonderbar vor, sie haben mich neugierig gemacht, aber auch ein wenig traurig, und so habe ich angefangen, mich zu erkundigen, wer er war. Und immer bin ich dabei auf Sie gestoßen, Max … Auf Noske natürlich, nicht auf Lenôtre. Wenn ich Max Lenôtre gegoogelt hätte, würde ich wahrscheinlich mehr wissen …«

»Dann würden Sie über Jabal auch nicht viel mehr wissen. Sie würden aber wissen, dass Sie vor einem bedeutenden Kunsthändler sitzen, der es in den achtziger und neunziger Jahren in Frankreich zu einem beachtlichen Vermögen vorwiegend mit deutscher Kunst gebracht hat.«

Noske zwinkerte Charlie durch die braune Hornbrille zu, dann nahm er seine dritte Auster und schlürfte sie, ohne daran zu riechen.

»Sie haben vergessen, dran zu riechen.«

»Manchmal muss man einfach was riskieren, Charlie.«

Das Restaurant war inzwischen brechend voll, an der Eingangstür bettelten Menschen um Platz. Der Oberkellner ging nicht auf sie ein. Er ermahnte einen Gast, nicht zu telefonieren und zeigte dabei auf eine Tafel, die auf das strikte Handy-Verbot in den Räumen der Brasserie hinwies. Noske und Charlie mussten lauter reden, um sich verständlich zu machen. Am Nebentisch breitete sich ein amerikanisches Ehepaar mit seinen beiden quengelnden Kindern aus, die Hamburger essen wollten und *french fries*. Der Vater begann über die Preise auf der Karte zu lamentieren und den hohen Kurs des Euro. Die Mutter zog zwei Nintendo-Geräte aus ihrer Tasche und reichte sie ihrer Brut. Es dauerte keine dreißig Sekunden, bis die Kinder den Spielzeugen fiepende und krächzende Töne entlockten.

»Jetzt wird es leider ein wenig ungemütlich, Charlie«, sagte Noske. »Aber erzählen Sie, wo überall sind Sie auf mich gestoßen?«

»Ich habe im Netz von Jabals Beerdigung gelesen, an der Sie teilgenommen haben. Sie haben mit Theresa geflirtet, Jonas Schwester …« Charlie lächelte und fügte mutig, aber vollkommen überflüssig hinzu: »Sie haben ihre Brust gestreichelt.«

»So ein Unsinn! Theresa war ein Kind.«

»Haben Sie heute noch Kontakt?«

»Nichts mehr gehört von ihr. Seit Jahrzehnten nicht. Undank ist der Welten Lohn. Sie ist damals von hier aus in die Schweiz gegangen. Ich glaube, sie hat gut geheiratet.«

»Wissen Sie wen?«

»Nein. Aber schießen Sie los, Charlie, was haben Sie über mich noch herausgefunden?

»Mo Mommsen hat viel über Sie erzählt. Sie hat nett von Ihnen gesprochen, obwohl Sie ein Filou gewesen sein sollen. Ja, Max, Mo Mommsen hat Sie einen Filou genannt. Aber sie mag Sie. Sie haben ihr als Dankeschön einen Flakon Chanel Nr. 5 geschickt, weil sie *Louise im blauweiß gestreiften Leibchen* für Sie fotografiert hat, für den Katalog. Die Mommsen hat mir sogar ein Foto von Jonas und Ihnen überlassen. Wollen Sie es sehen? Ich habe es dabei.«

»Alte Fotos machen mich immer traurig – aber bitte, zeigen Sie es.«

Noske nahm sich die Brille von der Nase, hauchte die Gläser an und putzte sie mit einem weißen Taschentuch, das mit seinen Initialen bestickt war, MN wohlgemerkt, nicht ML. Danach schien er sich für ein paar Momente in die Welt von gestern zu verabschieden, er kaute auf seiner vierten oder fünften Auster, ohne sie zu genießen. Er blickte an Charlie vorbei ins Nichts, während sie aus ihrer Marc-Jacobs-Tasche das blaue Notizbuch hervorkramte, in das sie die Fotografie der beiden jungen Männer in den schwarzen Anzügen gelegt hatte. Sie spürte genau, wohin die Zeitreise Noske führte, sie sah es seinem Gesicht an, das plötzlich älter wirkte und einen Hauch von Wehmut ausstrahlte. Sie wusste, Noske lief in diesem Augenblick in Gedanken die Allensteiner Straße ab, sie sah ihn, wie er die nach frischem Bohnerwachs riechenden Treppen hinaufstieg, um Jonas in seinem Atelier zu besuchen oder um sich, ein Stockwerk tiefer, eine Schmalzstulle von Lisa Jabal schmieren zu lassen.

»Hier, das sind Sie, Jonas und Sie, Max.« Charlie reichte das an den weißen Rändern gezackte Foto über den Tisch.

Noske nahm es zwischen Zeigefinger und Daumen und betrachtete es lange. Dann sagte er: »Das ist fast ein halbes Jahrhundert her … Ich habe damals vor Kraft gestrotzt. Ich war sogar Mitglied in einem Boxverein. Mein Vater hat mich dahingeschickt. Ich solle meine Kraft vernünftig nutzen, hatte er gesagt … und mich nicht wie die Rocker drüben benehmen, die aus allem Kleinholz machen.«

»Jonas und Sie, Sie tragen beide die gleiche Nadel mit einer kleinen Kugel am Revers … Was hat das für eine Bewandtnis?«

»Kinderkram.«

»Nun sagen Sie schon, Max. Was hat das zu bedeuten? Die Kugeln müssen doch einen Sinn haben?«

»Wirklich, Kinderkram.« Noske genierte sich, während er erzählte. »Wir haben unser Blut gemischt, jeder nur ein paar Tropfen selbstverständlich. Und die haben wir in einem Reagenzglas zu einem Glasbläser in Köpenick gebracht, der uns die Perlen gefüllt mit dem gemischten Blut an der Nadel angefertigt hat.«

Charlie war gerührt, während sie ihre letzte Auster verdrückte. »Besitzen Sie Ihre Nadel noch?«

»Nein, selbstverständlich nicht. Wir waren Kinder, dreizehn, vielleicht vierzehn Jahre alt.«

»Auf dem Foto waren Sie älter …«

»Irgendwann verlieren die Dinge ihre Bedeutung, man trägt oder benutzt sie und weiß nicht mehr, warum. Man hat sich an sie gewöhnt wie an den Sonnenuntergang oder an den Regen.«

»Vermissen Sie Jonas?«

Noske hob das Weinglas, um noch einmal mit Charlie anzustoßen.

»Ob ich ihn vermisse? Keine Ahnung. Ich weiß nur, dass er ohne mich noch am Leben wäre, ohne mich hätte er diese Dummheit nicht begangen.«

»Wieso denn das?«

»Wenn ich ihn nicht gezwungen hätte nach Paris zu fahren, wäre er noch am Leben. Da bin ich mir ganz sicher.«

»Das müssen Sie mir erklären, Max, denn ich glaube, jetzt reden Sie schon wieder Unsinn.«

Und so begann Noske den Hergang jener Nacht zu erzählen, als er mit der Flasche Becherovka ins Atelier seines Freundes gekommen war. Er erzählte langsam und reich an Details, und als er schließlich fertig war, kamen die Kellner und räumten das Porzellan ab, von dem er seine Lammkeule gegessen hatte, ohne sich daran zu erinnern, ob sie ihm geschmeckt hatte oder nicht. Charlie indessen hatte beides genossen, die Erzählung und das rosa Fleisch. Nicht einmal hatte sie Noske unterbrochen, obwohl sie gelegentlich versucht gewesen war, es zu tun. Sie hätte ihn zum Beispiel gern auf einen Widerspruch aufmerksam gemacht.

In der Rue des Beaux-Arts war Noske fast aus der Haut gefahren, weil Charlie die Gegend, in der er aufgewachsen war, als traurige Landschaft bezeichnet hatte. Er hatte sie angeblafft, dass die Gegend alles andere als traurig gewesen war. Und die Zeit damals auch, er hatte sie als aufregend beschrieben, so wie man ein Abenteuer beschrieb, das einem gelegentlich böse mitgespielt hatte, an das man sich aber trotzdem nach Jahrzehnten noch gern erinnerte.

Ganz anders hatten seine Sätze jetzt geklungen, als er ihr von dem Morgen erzählte, an dem er Jonas auf der Stange seines Fahrrads zur alten Kastanie am Engelbecken gefahren hatte. In der Beschreibung hatte Tristesse mitgeklungen, und voller Abscheu hatte er von den Gebäuden an der Stalinallee erzählt.

Charlie überlegte kurz, ob sie Noske jetzt auf den Widerspruch aufmerksam machen sollte, ließ es aber bleiben, weil sie von sich selbst wusste, wie es war, wenn man ein und dasselbe Ereignis aus verschiedenen Stimmungen heraus beschrieb.

Stattdessen fragte sie: »Wer war Connie?«

»Connie?« Noske legte seine hohe Stirn in Falten.

»Sie haben eine Connie erwähnt, die Jonas ausgelacht haben soll ...«

»Connie ja ... Connie war eine junge Frau in der Braunsberger Straße. Jung, was heißt jung? Sie war Mitte, vielleicht auch schon Ende dreißig. Sie war die Frau des Schusters, der sein Geschäft zwei Häuser weiter hatte ...«

»Und was hat die mit Jonas zu tun?«

»Connie hat uns alle rübergelassen, Charlie. Sie war so frei.«

»Sie wollen mir sagen, diese Connie hat ihren Mann betrogen und mit Ihnen geschlafen.«

»Nicht nur mit mir, mit allen, dem ganzen Viertel. Für die meisten von uns war Connie die erste Frau. Wir haben sie *Unsere Matratze* genannt. Sie hat jeden genommen, sogar die Gebrüder Sasse. Nicht einmal vor deren Bonzen-Vater hat sie Halt gemacht.«

»Und Jonas …«

»Das ist es ja, ihn eben nicht. Oder, ja – auch Jonas. Aber mit ihm hat es eben nicht geklappt.«

»Nicht geklappt?«

»Seien Sie nicht kindisch, Charlie. Sie wissen, wovon ich rede. Il n'a pas bandé … Er hat ihn nicht steif gekriegt …« Noske flüsterte. »Muss ich wirklich so deutlich werden?«

»Und sie hat gelacht?«

Noske streckte seinen Arm aus und legte die Hand mit dem Siegelring auf Charlies Hand.

»Ja, sie hat ihn ausgelacht und allen erzählt, was passiert ist. Seitdem war die Sache für Jonas gelaufen. Frauen interessierten ihn nicht mehr. *Frauen sind einfach nicht mein Fall*, hat er immer gesagt.«

»Bis Louise kam …«

»Ja, bis Louise kam – Louise hat ihn in Paris zum Mann gemacht.«

»Erst in Paris. Die beiden haben sich im Februar kennen gelernt, und sie haben erst im Mai in Paris miteinander geschlafen … Das wissen Sie so genau?«

»Ja, das weiß ich so genau. Ganz genau.«

»Trotzdem verstehe ich nicht, warum Sie Schuld an seinem Tod sein sollen. Ist in Paris denn etwas passiert? War er unglücklich in der Stadt? Hat Louise ihn verlassen?«

»Im Gegenteil: Paris war die aufregendste und glücklichste

Zeit seines Leben. Er war ein anderer Mensch, nachdem er zurückgekommen war. Seine Zweifel schienen verflogen, er hatte keine Angst-Attacken mehr, wenn er ans Verreisen dachte. Er sah plötzlich den Frauen hinterher und malte wie besessen, war immer fröhlich und pfiff manchmal sogar das Lied von diesem Engländer, das Louise ihm wie einen Floh ins Ohr gesetzt hatte …«

»Dann verstehe ich wirklich nicht, wieso Sie sich die Schuld an seinem Tod geben. Erzählen Sie von der Woche in Paris. Erzählen Sie, Max … bitte.«

Noske hob seine Hand und winkte einen Kellner herbei. »Noch eine Karaffe Chablis, Jean-Claude.«

Um kurz nach halb fünf verabschiedeten sie sich vor der Brasserie. Es hatte schon zu dämmern begonnen, und es war kälter geworden. Von einem Sonnabend Ende November sollte man auch in Paris nicht all zuviel verlangen. Noske half Charlie in den Mantel, dabei zog er so an der Hundeleine, dass Kali sich auf die Hinterpfoten stellen musste, um nicht gewürgt zu werden. Charlie beugte sich, nachdem sie den letzten Perlmuttknopf am Kragen geschlossen hatte, hinunter und verabschiedete sich auch von ihr.

»Du bist wirklich ein ganz braves Mädchen, Kali.«

Noske zeigte auf ein Gebäude auf der anderen Straßenseite. »Dort oben im dritten Stock wohne ich, die vier Balkone gehören zu meinem Apartment.«

»Liegt dort auch das Tagebuch? Besitzen Sie es noch?«

Noske runzelte seine Brauen. »Jonas' Aufzeichnungen über seine Zeit mit Louise, meinen Sie? Das Schulheft?«

»Ja.«

»Ja, das müsste auch dort sein. Irgendwo in einem verstaubten Schuhkarton liegt es sicher noch herum. Aber das ist nichts für Sie, Charlie. Sie würden alles nur falsch verstehen …«

Noske verabschiedete sich ein zweites Mal, dieses Mal mit einem angedeuteten Handkuss. Charlie fühlte sich geschmeichelt. Wenn sie Lust habe, sagte er, könne sie ihn am nächsten Tag nach Deauville begleiten, dort müsse er sein Sommerhaus winterfest machen, am Abend sei er wieder zurück. Wenn nicht, könne sie ihn anrufen, wann immer sie wolle. Er habe Zeit, und es ehre ihn, sich in so charmanter Begleitung zeigen zu dürfen. Er gab ihr seine Karte mit der mobilen Nummer.

Charlie schlenderte langsam den Boulevard Saint-Germain Richtung Nationalversammlung hinauf, dabei verweilte sie dann und wann vor den Auslagen der Geschäfte, die schon weihnachtlich dekoriert waren. Doch sie nahm nicht wirklich wahr, was sie sah, zu sehr war sie mit Jonas Jabal beschäftigt, dessen früher Tod, je mehr sie über den Maler erfuhr, ihr immer unverständlicher erschien.

Aber auch Max Noske oder Lenôtre, wie er sich jetzt nannte, ging ihr nicht aus dem Kopf. Zum zweiten Mal innerhalb kurzer Zeit schien sie sich ein vollkommen falsches Bild von einem Menschen gemacht zu haben. Genauso wie Daniel Baum hatte sie auch den Galeristen nicht richtig eingeschätzt.

Wie lächerlich war ihr Baum in seinem Outfit während der ersten Begegnung in dem Büro in der Lietzenburger Straße vorgekommen – in dem Kamelhaarmantel und mit den zurückgelierten Haaren! Wie albern hatten seine gönnerhaften Gesten auf sie gewirkt! Ganz anders dann sein Auftritt, als er mit zerzausten Haaren, wie ein Vogel, der aus dem Nest gefallen war, bei Maurice durch die Tür kam. Bei Maurice, da war sie sich inzwischen sicher, hatte er sein wahres Ich gezeigt.

Charlie erinnerte sich, dass er am Vormittag versucht hatte, sie zu erreichen. Das war in dem Augenblick gewesen, als Max Noske sie in der Galerie mit seiner Anwesenheit überrascht und sie von oben bis unten gemustert hatte.

Sie hatte Baum weggedrückt.

Ruf ihn zurück, nun mach schon!, sagte sie jetzt zu sich selbst, zog ihr Telefon aus der Tasche und drückte Baums Nummer. Während es klingelte, fiel ihr ein, dass sie Noske nicht nach der Wunde an *Louises* Mund gefragt hatte.

Sie ärgerte sich, doch dann dachte sie: *Selbst wenn er es weiß, er hätte es mir nicht gesagt.*

Keiner wird es mir sagen.

»Baum … Hallo? Sind Sie es Charlie?«

Achtzehn

An die meisten Ereignisse der ersten Stunden neben Louise in dem knallroten Citroën konnte Jonas Jabal sich nicht mehr erinnern, nachdem er neun Tage später wieder nach Hause zurückgekehrt war und seinem Freund Noske von der Reise berichtete. Er wusste lediglich noch, dass Louise ihm die Papiere abverlangt hatte, die ihn als Bürger der Deutschen Demokratischen Republik auswiesen. Sie hatte sie in einen Umschlag gesteckt und bei einer Freundin in der Meinekestraße im Briefkasten deponiert.

»Falls wir gefilzt werden«, hatte sie verschwörerisch geflüstert.

Im Auto, vor dem Haus der Freundin, musste Jonas anschließend auf einer hellbraunen College-Mappe, die als fester Untergrund diente, den grasgrünen Pass unterschreiben, der ihn zum Westdeutschen machte. Natürlich hatte seine Hand dabei gezittert. Da Louise aber spürte, dass Jonas voller Angst war, und sie fürchten musste, er könne noch in letzter Minute abspringen, machte sie ihm keinen Vorwurf, sondern sagte: »Das sieht doch sehr passabel aus, mon peintre.« Und bevor sie ihm dann einen Kuss gab, zeigte sie auf die gegenüberliegende Straßenseite.

»Dort drüben in dem eingerüsteten Haus«, sagte sie, »befand sich früher das Palästinaamt der Jewish Agency. Die Leute dort haben meinen Eltern 1938 die Ausreise ermöglicht.«

»Deine Eltern sind geflohen?«

»Wir sind geflohen. Ich war schon im Bauch meiner Mutter.«

»Und wann seid ihr wieder zurückgekommen?«

»Ziemlich genau heute vor zehn Jahren, im Juni 1949.«

Das war aber auch schon alles, an was Jonas sich nach seiner Rückkehr erinnerte. Er musste den ersten Teil der Reise wie in Trance verbracht haben. Er konnte sich nicht einmal mehr ins Gedächtnis rufen, wie sie die Grenzübergänge passiert hatten, nicht den von Westberlin in die DDR und auch nicht den von der DDR in die BRD, ja, er konnte seinem Blutsbruder nicht einmal mehr sagen, ob sie über Marienborn und Helmstedt in die Bundesrepublik eingereist waren oder im Süden über Hirschberg-Rudolfstein. Und auch an Westdeutschland hatte er keine Erinnerung, er wusste nur noch, dass es ununterbrochen geregnet hatte und das Land ihm genauso trist vorgekommen war wie sein eigenes.

Obwohl ein Riesenumweg, hatte Louise beschlossen über den Südwesten der Bundesrepublik nach Frankreich zu fahren, sie hatte eine schöne Erinnerung an das Elsaß, wo sie einmal nach einem Urlaub an der Riviera zusammen mit ihren Eltern Rast in Straßburg gemacht hatte, um in einem Restaurant zu essen, das Au Renard Prêchant hieß. In Unkenntnis der Geschichte dieses Landstrichs hatte sie sich seinerzeit, sie war sechzehn Jahre alt gewesen, darüber gewundert, dass der Name des Restaurants, das früher angeblich einmal als Kapelle gedient hatte, nicht nur auf Französisch, sondern auch auf Deutsch geschrieben war: Wo der Fuchs den Enten predigt.

Wieso gab ein Wirt seinem Restaurant diesen Namen?

Ihre Großmutter hatte ihr einmal die Fabel von der Ente und

dem Fuchs erzählt, die sie immer noch auswendig aufsagen konnte. Die Ente war darin so schlau, dass sie dem Ruf des gerissenen Fuchses nicht folgte und ans Ufer schwamm. Sie hatte den Braten gerochen, den der Fuchs sich versprach.

Das Restaurant allein war aber nicht der Grund gewesen, warum Louise den großen Umweg in Kauf genommen hatte. Bei dem Besuch mit ihren Eltern hatte sie im Renard Prêchant eine Hochzeitsgesellschaft beobachtet. Besonders der Bräutigam hatte es ihr angetan. Er war ihr immer noch so gut im Gedächtnis, dass sie ihn hätte malen können. Es war ein verträumter, junger Mann gewesen, hoch aufgeschossen mit einem kantigen Gesicht und rotblonden Haaren. Während ihres Aufenthalts hatte Louise ihn ununterbrochen angestarrt, nicht einmal hatte er seine Augen von der Braut gelassen, sie verzehrten sich nach ihr, und man sah ihnen an, wie sehr sie sich wünschten, dass die Festgesellschaft sich in Luft auflöste und der Bräutigam allein mit der Braut sein konnte. Die Braut hingegen genoss im Mittelpunkt den Trubel um sich herum, für die Zweisamkeit, so schien sie zu denken, würden sie und ihr Mann noch ein ganzes Leben lang Zeit haben.

Louise hatte sich damals auf den ersten Blick in den Bräutigam verliebt, und als sich Jahre später ihr Weg mit dem des Malers aus dem Ostpreußenviertel auf der Allensteiner Straße kreuzte, erkannte sie sofort die Ähnlichkeit zwischen ihm und dem schüchternen, jungen Mann im Renard Prêchant, dessen verlorenes Gesicht sich ihr wie ein Brandmal im Gedächtnis eingeprägt hatte. Sie war sich vorgekommen wie der Fuchs in der Fabel. Anders als jener aber sollte sie erfolgreicher sein. Der Maler hatte sie sofort erhört und war ihr in die Bierstube des dicken Henning gefolgt. Er war ihr auf den Leim gegangen, und sie würde ihn fressen, ganz langsam – mit Haut und Haaren.

Als Louise und Jonas an diesem verregneten Tag, es war der erste Mittwoch im Mai 1959, gegen elf Uhr in der Nacht Straßburg erreichten, hatten sie fast sechzehn Stunden in dem knallroten Citroën zurückgelegt. Abgesehen von zwei Unterbrechungen, die sie genutzt hatten, um die Stullen zu essen, die Louise geschmiert hatte, und sich auf den verdreckten Toiletten der Benzinstationen unter kalten Wasserhähnen frisch zu machen, den Wagen zu tanken und den Ölstand zu überprüfen, waren sie ununterbrochen gefahren. Jonas fühlte sich vollkommen erschöpft, als sie schließlich das Renard Prêchant erreichten, sein Rücken schmerzte und vor seinen Augen tanzten wild Punkte wie kleine Seifenblasen, was ihm Angst einjagte. Seit die Sasse-Brüder ihn verprügelt hatten, fürchtete er nichts mehr, als sein Augenlicht zu verlieren.

»Hoffentlich werde ich nicht blind«, sagte er, nachdem er Louise erklärt hatte, was sich in seinen Augen abspielte.

Sie lachte. »Du wirst nicht blind, mon peintre. Du bist nur müde, todmüde.«

Sie selbst hingegen wirkte so frisch und aufgekratzt wie am Morgen bei der Abfahrt. Sie triumphierte immer noch, dass ihr der Coup gelungen war, Jonas zu überreden, sie zu begleiten. Und es schien ihr überhaupt nichts auszumachen, dass das Restaurant, für das sie den großen Umweg in Kauf genommen hatte, geschlossen war. Eine knappe halbe Stunde vor Mitternacht standen sie vor dem Fachwerkgebäude, das das Renard Prêchant beherbergte, und sahen nur noch Licht durch die Fenster im ersten Stock.

»Dann eben nicht«, sagte Louise. »Fahren wir weiter …«

»Lass uns eine Pause machen«, erwiderte Jonas, seine Stimme klang flehend. »Lass uns ein paar Stunden schlafen. Du musst doch müde sein, du brauchst Schlaf.«

»Ich brauch dich, Jonas. Sonst nichts. Kapier das doch endlich.« Louise lächelte.

Ungefähr anderthalb Stunden später, kurz nachdem sie Pont-à-Mousson, eine kleine Stadt in Lothringen, passiert hatten, machte sie dann doch schlapp. Sie gähnte ununterbrochen und rieb sich die Augen. Im Halbdunkel des Autos kam sie Jonas vor wie ein Raubkatzen-Baby. Er wiederholte noch einmal: »Lass uns eine Pause machen.«

Louise nickte und bog nach einem Kilometer links in den nächsten Feldweg ein. Sie fuhr ein paar hundert Meter langsam über holprigen Boden, der Wagen schaukelte wie ein Boot bei Wellengang. Und in dem Augenblick, als Jonas Louise zum Halten auffordern wollte, ertönte ein Knall, es klang wie ein lauter Schuss, woraufhin dann nicht ganz so laute, rhythmische Schläge im Sekundentakt gegen das Blech der Kühlerhaube folgten. Louise drückte das Gaspedal bis zum Anschlag durch, der Motor heulte auf, doch der Wagen bewegte sich keinen Zentimeter mehr voran.

»Und nun?«, fragte Jonas.

»Das war's wohl vorerst«, antwortete Louise.

Jonas verstand nicht, warum sie dabei lächelte. »Und nun?« wiederholte er.

»Nun? Nun gehen wir schlafen, mon peintre«, antwortete Louise. »Wir können ja doch nichts ändern, bis es hell wird.« Sie stieg aus dem Wagen und ging zum Kofferraum. Es regnete nicht mehr, am Himmel standen ein paar Sterne und der halbe Mond. Bevor Louise den Kofferraum öffnete, reckte und streckte sie sich. Jonas beobachtete sie dabei durch die Heckscheibe.

Wie schön sie war im Widerschein des rötlichen Lichts! In dem geblümten Glockenrock und dem engen Pullover, der ihre kleine Brust betonte! Warum hatte dieses Bild von einem Mädchen sich ihn ausgesucht? Den Sohn einer verwitweten Krankenschwester vom Prenzlauer Berg, einen Maler, dessen Zukunft so ungewiss war wie die Ankunft in Paris.

Warum hatte sie nicht einen Bankier gewählt, einen Arzt oder den Sohn eines reichen Bauunternehmers, von denen es im Westteil ihrer gemeinsamen Stadt doch so viel gab wie Sand am Meer? Warum nicht einen Athleten, einen wie Armin Hary, der Gold geholt hatte in Stockholm und eines Tages vielleicht der schnellste Mann der Welt sein würde?

Louise hätte jeden haben können. »Jeden«, sagte Jonas und erschrak, als das Wort plötzlich laut über seine Lippen kam.

Warum war sie überhaupt an jenem Tag im Februar durch die Allensteiner Straße gelaufen, mutterseelenallein und angeblich ohne Ziel vor Augen? »Ich hab dich gesucht, Jonas Jabal«, hatte sie ihm einmal auf die Frage geantwortet. »Ich war auf der Suche nach einem Mann, einen Mann, der mir gefällt, und ich habe ihn gefunden. So einfach ist das.«

Ein Dutzend Mal hatten sie sich seitdem gesehen, sie waren zweimal ins Kino gegangen, vielleicht auch dreimal, einmal mit Boris und Lena Blahnik, einmal mit Max Noske. Mit Noske hatten sie auch einen Jazzclub in der Bleibtreustraße besucht. Aber sie waren auch allein im Zoo gewesen. Sie hatten sich im Affenhaus zum ersten Mal geküsst, richtig geküsst, mit Leidenschaft. Sie waren auf dem Rummel gewesen und hatten an einem Liebes-Barometer ihre Verträglichkeit getestet. Sie hatten in Hennings Bierstube den zwanzigsten Geburtstag von Felix Becker gefeiert und zu *Petite Fleur* getanzt, eng umschlungen und selbstvergessen. Wie ein Zirkuspferd war Louise an diesem Abend von allen begafft worden. Ein Gast in mittleren Jahren, den Jonas nicht kannte, hatte auf dem Pissoir zu ihm gesagt: »Die Kleine besorgt es dir sicher richtig gut, nicht wahr?« Jonas hatte große Lust gehabt, dem Mann einen Kinnhaken verpassen.

Sein Freund Noske hätte es getan.

Ja, und dann war da natürlich auch noch der Ausflug an den Müggelsee zu Boris Blahnik. Louise in der Hängematte vertieft in

Iwan Iljitsch, anschließend die Bootstour ins Ausflugslokal Rübezahl ... *Mein Gott, wieso liebt sie mich so sehr?,* dachte Jonas. Und sie liebte ihn wirklich, das fühlte er. Sie liebte ihn ohne Bedingungen. Den größten Beweis ihrer Liebe hatte sie ihm geliefert, nachdem Lisa Jabal das Mädchen aus dem Westen eines Abends gebeten hatte, zum Essen zu bleiben. Es gab Schwarzsauer.

»Lieber nicht, Mutter. So etwas isst Louise nicht. Das wird sie umbringen.«

»Umbringen«, hatte Louise geantwortet. »Wieso umbringen? Bist du verrückt geworden, Jonas?« Sie hatte gelacht. »Natürlich bleibe ich zum Essen, Frau Jabal. Und danke für die Einladung.«

Und dann hatte sie das Schwarzsauer mit Gänseklein gegessen, ohne ihr schönes Gesicht dabei zu verziehen. Jonas hatte sich gewundert, dass sie nicht auch noch den Teller ausgeleckt hatte. Sie hatte nicht gefragt, was sie aß, sie hatte vermutet, dass es so etwas wie Schweineblut war, unreines Blut, aber gefragt hatte sie nicht.

Auch später nicht, nachdem sie und der Maler sich ins Atelier zurückgezogen hatten. Kein Wort hatte sie mehr über das Essen verloren. Sie hatte sich hinter dem chinesischen Paravent ausgezogen und war splitternackt über die knarrenden Holzdielen zu Jonas gegangen, der sich, ausgestreckt auf der Chaiselongue, seinen vollen Bauch hielt. Sie hatte sich neben ihn gelegt und gesagt: »Lass uns nicht mehr warten, Jonas. Lass es uns tun. Jetzt tun. Sofort.«

»Ich kann nicht«, hatte Jonas geantwortet.

»Du kannst nicht? Was heißt das, du kannst nicht?«

Und dann hatte er ihr sein Erlebnis mit der Frau des Schusters aus der Braunsberger Straße erzählt. Er war ganz ehrlich dabei gewesen, kein Detail hatte er ausgelassen.

Louise schlug die Haube des Kofferraums zu und kam mit einer Decke in der Hand zum Wagen zurück. Sie bückte sich und sah Jonas durch die geöffnete Fahrertür an. Sie glaubte Zweifel auf seinem Gesicht zu lesen.

»Was quält dich?«, fragte sie.

Jonas lächelte. »Nichts, gar nichts. Ich bin glücklich.«

Louise nahm Platz und kurbelte die Rückenlehne ihres Sitzes bis zum Anschlag zurück, Jonas tat es ihr auf seiner Seite gleich. Dann legten sie sich beide unter die Decke und sahen sich an. Minuten lang. Sie sprachen kein Wort und rührten sich nicht. Jeder fragte sich, was der andere wohl dachte.

Irgendwann suchte Louise dann Jonas' rechte Hand und führte sie zwischen ihre Schenkel, dorthin, wo die Strümpfe endeten. Und als Jonas zaghaft begann, sie zu streicheln, öffnete sie mit der linken Hand die Knöpfe seiner dunklen Anzughose. Sie rückte noch etwas näher an ihn heran und ließ die Hand in der Hose verschwinden.

»Wie hieß die Frau des Schusters, Jonas?«, flüsterte sie.

Er antwortete nicht. Louise hörte seinen Atem.

»Wie hieß sie, Jonas. Sag schon!«

»Warum?«

»Wie hieß sie? Nun sag schon!«, wiederholte Louise noch einmal. Ihre Stimme klang jetzt ungeduldig.

»Connie … sie hieß Connie. Warum willst du das wissen?«

Louise kicherte. »Wenn mich nicht alles täuscht, muss diese Connie etwas falsch gemacht haben … Glaubst du nicht auch, Jonas? Irgendetwas muss sie falsch gemacht haben, anders kann ich mir nicht erklären, wieso …«

Sie sprach den Satz nicht zu Ende. Stattdessen kicherte sie wieder.

Ein paar Stunden später – sie lagen immer noch wie in Stein gehauen in gleicher Position nebeneinander – nur die Decke war zu Boden gefallen – wurden sie durch ein kräftiges Klopfen geweckt. Es war taghell draußen. Zwei Grimassen starrten sie durch die Fenster auf der Fahrer- und Beifahrerseite an. Jonas fuhr erschrocken auf, Louise zog ihren Rock über die Knie herunter. Sie brauchte einen Moment, um sich zu orientieren. Die Männer – beide Mitte, vielleicht Ende zwanzig – lachten und feixten. Es waren kräftige Kerle, Bauernburschen, einer war so fett wie ein chinesischer Sumo-Ringer, der andere trug einen Schnauzbart wie Boris Blahnik.

»Huh«, sagte Louise, »mit denen ist sicher nicht gut Kirschen essen.« Jonas sah immer noch so aus, als wisse er nicht, was Sache war.

Louise öffnete langsam die Tür und stieg aus.

»Bonjour«, sagte sie.

Hinter dem Citroën parkte ein Traktor mit Anhänger, auf den ein großer Kessel mit einem aufgemalten Totenkopf montiert war. Es war erstaunlich warm für die frühe Morgenstunde, keine Wolke verklärte den Himmel, die Sonne schien. Der Citroën stand auf einem schmalen Weg, der links und rechts von Rebstöcken begrenzt wurde, an denen kleine Trauben wuchsen.

»Gibt es ein Problem?«, fragte der Mann mit Schnauz auf französisch, dabei musterte er Louise von oben bis unten. Zu seinem Kumpel meinte er: »Ist sie nicht süß, die Kleine, Jean?«

Jean nickte dreimal kurz. Er sah aus, als könne er nicht bis drei zählen. Louise war sich sofort im Klaren, dass der Mann einen Dachschaden hatte.

»Ja, die ist süß, süß, süß.« Er grinste und steckte sich einen Zeigefinger in den Mund, lutschte daran, zog ihn heraus und wiederholte: »Süß, süß, süß.«

»Wir haben eine Panne«, sagte Louise ebenfalls auf französisch. »Könnten Sie uns vielleicht abschleppen? Ich zahle Ihnen auch etwas dafür.«

»Geld? Sie meinen Geld?«, fragte der Mann mit Schnauz.

»Was sonst?«

Jonas hatte den Wagen inzwischen auch verlassen, er stand mit über der Brust verschränkten Armen neben der Beifahrertür und versuchte zu verstehen, was vor sich ging. Er sah jämmerlich aus in seinem zerknitterten dunklen Anzug und dem offenen Hosenschlag.

»Springt er nicht an?«, fragte der Mann mit Schnauz.

»Doch, der Motor springt an, aber der Wagen bewegt sich nicht von der Stelle.«

Der Mann ging an Louise vorbei, setzte sich, ohne zu fragen, hinters Steuerrad, drehte den Zündschlüssel um und trat das Gaspedal durch. Der Motor heulte auf. Der Mann stieg wieder aus, ging zur Kühlerhaube und öffnete sie. Louise und Jonas folgten ihm. Auch Jean trottete herbei, er lachte glucksend wie ein Kind.

»Der Keilriemen ist gerissen«, sagte der Mann mit Schnauz.

»Und? Was können wir da machen?«

Der Mann sah auf Louises Beine und sagte: »Geben Sie mir einen Strumpf …«

»Was soll ich?«

»Ziehen Sie einen Strumpf aus und geben Sie ihn mir.«

Jonas sah Louise an, dass sie irritiert war. »Was sagt er?«, fragte er. Er fühlte sich nicht wohl in der Situation, sie erschien ihm bedrohlich. Seine Arme hielt er immer noch über der Brust verschränkt, seine Hände ballten sich zu Fäusten.

»Er will, dass ich ihm einen Strumpf gebe.«

»Was soll das denn?«

Louise zuckte mit den Achseln und lächelte. Dann sagte sie wieder auf französisch: »Wenn's der Sache dient …« Sie schlüpfte aus dem linken Schuh, hob den Glockenrock hoch und begann am Strumpfband herumzunesteln. Der Mann mit Schnauz und Jean starrten sie an, Jean kicherte.

Louise machte keine Anstalten, sich den Blicken der Männer zu entziehen. Vor aller Augen löste sie den Strumpf von den Haltern und rollte ihn langsam am Bein am hinunter. Dann reichte sie ihn dem Mann mit dem Schnauz.

Jonas sagte kein Wort, er verstand Louise nicht. Er hatte das Gefühl, dass ihr die Situation Spaß bereitete. Ihm schoss das Blut in den Kopf.

Die Finger des Mannes umschmeichelten für ein paar Sekunden das dünne, hautfarbene Material, dann hielt der Mann es Jean unter die Nase. Der atmete zweimal tief ein.

»Mmmmm! Mmmmm!«

Schließlich nahm der Mann die beiden Enden des Strumpfes und zog sie dreimal kurz wie einen Expander auseinander.

»Das müsste halten«, sagte er. Er entfernte in Nullkommanichts den gerissenen Keilriemen unter der Kühlerhaube und verknotete an dessen Stelle straff den Nylonstrumpf. Das ganze dauerte keine zwei Minuten.

»Jetzt können Sie versuchen, ob der Wagen fährt.«

Louise setzte sich hinters Steuer, drehte das Zündschloss um und legte den ersten Gang ein.

Tatsächlich, der Citroën fuhr wieder. Nach etwa zehn Metern hielt sie an und stieg aus.

Der Mann mit dem Schnauz schien zufrieden: »Bis zur nächsten Garage sollte es keine Probleme geben.«

Louise bedankte sich und fragte, was sie ihm schulde. Der Mann musterte sie noch einmal von oben bis unten, dann winkte er ab und murmelte: »Lassen Sie es gut sein.«

Jean schien anderer Meinung. Er schüttelte heftig den Kopf und zeigte auf Louises Beine. Danach legte er seinen Arm um den

Mann mit Schnauz und flüsterte ihm etwas ins Ohr. Der Mann zögerte, doch schließlich sagte er in Louises Richtung: »Mein Bruder hätte gern den zweiten Strumpf.«

Louise lächelte. Sie sah Jean an, keine fünf Meter von ihr entfernt stand er wie ein Fleischberg in der Landschaft. Seine Hände hatte er tief in den Taschen einer speckigen Latzhose vergraben, seine feuchten Lippen waren geschürzt. *Er ist ein waschechter Idiot,* dachte sie. Nichtsdestotrotz schlüpfte sie ganz selbstverständlich aus dem rechten Schuh, bevor sie den zweiten Strumpf von dem Halter löste. Jonas bildete sich ein, dass sie sich dafür noch mehr Zeit nahm als beim ersten Mal. Und als Jean den Strumpf schließlich wie einen toten Hamster in beiden Händen hielt und seine fleischige Nase darin vergrub, explodierte er fast vor Zorn.

Jonas verstand Louise nicht mehr.

Auch später nicht, als sie schon wieder auf der Landstraße Richtung Paris fuhren. Die beiden wechselten kaum ein Wort. Wieder und wieder fragte er sich, was über sie gekommen war, so mit dem Feuer zu spielen.

Er hatte schon ein paar Mal beobachtet, wie Louise auf Männer wirkte, dabei hatte er aber immer die Männer als Schuldige ausgemacht, die Louise als Objekt ihrer Begierde betrachteten, egal, ob es die Bauarbeiter am Alexanderplatz waren, die ihr ein paar Mal in Jonas' Beisein hinterher gepfiffen hatten, oder der Mann auf dem Pissoir in Hennings Bierstube, dessen Fantasie sie offensichtlich so sehr auf Trab gebracht zu haben schien, dass der sich nicht entblödet hatte, beim Pinkeln Jonas den obszönen Satz an den Kopf zu schleudern.

Auch Boris Blahnik fiel ihm in diesem Zusammenhang natürlich ein. Jonas hatte vom Bug der Jolle aus sehr wohl mitbekommen, wie sich der Dichter in Louises Gegenwart zum Gockel gemacht hatte. Damals war Jonas aber überzeugt gewesen, dass das nichts mit ihr zu tun gehabt hatte, nicht mit der unbeschwerten Art, die sie meistens an den Tag legte – dem kindlichen Tanz im Hula-Hoop-Reifen oder dem Ablegen ihrer Bluse und des hauchzarten Büstenhalters vor aller Augen unter freiem Himmel auf dem Müggelsee.

Jonas hatte nicht den Lockvogel verantwortlich gemacht, sondern die, die sich von ihm locken ließen. Das wurde ihm jetzt klar, als Louise und er bedächtig die von Weinreben eingerahmte Landstraße auf den weichen Polstern des Citroën DS Richtung Paris fuhren.

Erst als sie in einem kleinem Ort, etwa zehn Kilometer hinter Pont-à-Mousson, in einem Bistrot Rast machten, während in der Garage nebenan der Nylonstrumpf gegen einen neuen Keilriemen ausgetauscht wurde, befreite sich Jonas langsam von den Gedanken.

Louise und er hatten auf dem Trottoir des Bistrots an einem runden Tisch Platz genommen. Es war warm und die Sonne schien. Louise hatte zwei Milchkaffee und zwei Hörnchen bestellt. Jetzt beobachtete sie Jonas, wie er ein Hörnchen in den Kaffee tauchte, zum Mund führte und genussvoll darauf herumkaute. Zu Hause gab es, solange Jonas denken konnte, fast immer nur Schrippen und Muckefuck oder auch Lorke, wie Lisa Jabal den Kaffeeersatz nannte. Echter Bohnenkaffee wurde in der Allensteiner Straße nur zu festlichen Anlässen getrunken – an Geburtstagen, am Ostersonntag oder am ersten Weihnachtstag.

»Schmeckt dir der Kaffee?«, fragte Louise, während sie sich erhob, um auf die Toilette des Bistrots zu gehen. Sie wollte sich frisch machen für den letzten Teil der Reise.

Jonas nickte. *Er schmeckt sogar besser als im Kranzler,* dachte er, *viel besser.*

Aber es war nicht nur der Geschmack des Kaffees, der ihn plötzlich daran erinnerte, dass er sich in einem fremden Land aufhielt, die ganze Umgebung kam ihm unwirklich vor, der Wein der überall wuchs, die Häuser, die so anders aussahen und keine Spuren des Krieges aufwiesen. Es roch sogar anders hier. Und selbst das Gebell des angeketteten Hundes auf dem Hof der Garage klang in seinen Ohren harmloser als das Gebell der Hunde zu Hause. Zum ersten Mal, seit er am Engelbecken in den Wagen gestiegen war, fühlte er sich richtig wohl und frei von Angst.

Und als Louise aus dem Bistrot zurückkehrte, sich rittlings auf seinen Schoß setzte und die Arme um seinen Hals legte, war er sogar glücklich. Glücklich, dass er dieses Abenteuer eingegangen war, in das ihn sein Freund Noske getrieben hatte.

»Geht es dir jetzt besser?«, fragte Louise.

Jonas sah sie an, als wisse er nicht, worüber sie redete. Sie lächelte. Sie war so schön, sie hatte ihre Haare zum Pferdeschwanz zurückgekämmt und ihre Lippen rot angemalt. Jonas wunderte sich, dass man ihr die Strapazen der vergangenen vierundzwanzig Stunden nicht ansah. Er deutete auf den Schönheitsfleck auf ihrer Wange. »Den hab ich ja noch nie gesehen«, sagte er.

»Kein Wunder, den trage ich nur in den Ferien … Aber du hast meine Frage nicht beantwortet, Jonas. Geht es dir jetzt besser?«

»Ging es mir schlecht?«

»Tu nicht so! Ich weiß doch, es war ein furchtbarer Tag für dich gestern – die Angst an den Grenzen, der stundenlange Regen und schließlich auch noch die Panne.« Sie machte eine kurze Pause, um den Rest ihres inzwischen kalten Milchkaffees zu trinken. Dann fuhr sie fort: »Und gerade eben! Die beiden Kerle! Aber was hätte ich machen sollen? Ich musste dem Idioten doch den zweiten Strumpf geben. Das verstehst du doch, oder?«

»Ja, das versteh ich.«

»Ich weiß, du warst eifersüchtig … aber es musste einfach sein.«

»Eifersüchtig? Wieso eifersüchtig?«

»Na, es war doch dein Strumpf, Jonas. Jetzt tu nicht so. Ein paar Stunden vorher hast du ihn noch liebkost – und dann steckt der Idiot seine fette Nase da rein. Ich weigere mich, mir vorzustellen, was er noch alles damit anstellen wird.«

Louise lachte. Dann sagte sie: »Wie hieß sie noch, die Frau des Schusters?«

Jonas gab keine Antwort. Er schüttelte nur den Kopf, während er die Augen verdrehte.

»Ach ja, Connie. Richtig!« Louise klatschte ihre flache Hand auf die Stirn. »Die dumme Connie. Von nichts hat sie eine Ahnung.«

Neunzehn

»Baum … Hallo? Sind Sie es Charlie?«

»Ja, Dan. Entschuldigen Sie, dass ich Sie heute Morgen einfach weggedrückt habe, aber es ging nichts anders …«

»Noske?«

»Ja, Noske. Er stand in dem Augenblick genau vor mir. Und er ist ja wirklich nicht Ihr Freund.«

»Haben Sie etwas Neues erfahren?«

»Ja, viel! Zwar nicht über den Verbleib des Bildes, aber viel über die Darstellerin.«

»Darstellerin?«

»Über Louise. Sie scheint wirklich ein außergewöhnliches Mädchen gewesen zu sein. Und langsam glaube ich, dass sie mit Jabals Tod zu tun hat.«

»Hat Noske das gesagt?«

»Er hat es angedeutet. Aber er erzählt nicht alles, was er weiß. Vielleicht ist er auch nicht ganz unschuldig. Jedenfalls hat er das Tagebuch geklaut …«

»Welches Tagebuch?«

»Der Maler hat so etwas wie Tagebuch über seine Zeit mit Louise geführt. Jabal soll alles in ein Schulheft geschrieben haben, was ihn berührt hat … jedenfalls im Zusammenhang mit dem Mädchen berührt hat. Noske hat das Heft neben der Leiche gefunden und es mitgehen lassen … Das ist doch unglaublich, aber ich bin mir sicher …«

Charlie redete und redete, sie schien gar nicht mehr zu merken, dass sie redete.

Irgendwann unterbrach Baum den Wortschwall: »Charlie! Hören Sie, Charlie?«

»Ja, Dan?«

»Sie haben den Auftrag ein Gemälde zu finden, ich habe Ihnen nie gesagt, dass Sie einen Selbstmord aufklären sollen. Und schon gar nicht einen, der sich vor fast fünfzig Jahren ereignet hat.«

»Ich weiß, Dan … ich weiß, aber wir werden *Louise im blauweiß gestreiften Leibchen* nie finden, wenn wir die Zusammenhänge nicht kennen. Und ich bin mir sicher, das Gemälde ist nicht zerstört worden, irgendwo unter unserer Sonne hängt es an irgendeiner Wand …«

»Wo sind Sie gerade, Charlie?«

»Ich schlendere den Boulevard Saint-Germain hinauf. Ich bin auf dem Weg in mein Hotel, das heißt, jetzt stehe ich gerade vor einem Schuhgeschäft, im Schaufenster liegt ein überlebensgroßer Eisbär, er soll wohl an Weihnachten erinnern, so ein Stofftier, Sie wissen schon … Neben dem Viech steht eine Schaufensterpuppe, sie sieht aus wie Angelina Jolie, vielleicht ist sie es sogar. Sie trägt Stiefel bis weit über die Knie wie D'Artagnan. Ich werde mir die Stiefel gönnen, bevor ich zurückfliege … egal, ob ich *Louise* finde oder nicht. Was meinen Sie, Dan?«

»Darf ich sie Ihnen schenken, Charlie?«

»Das geht nicht, Dan. Das wissen Sie doch …«

»Wieso geht das nicht?«

»Man schenkt einer Frau keine Schuhe. Das bringt kein Glück. Sie läuft Ihnen damit davon. Hat Ihnen Ihre Mutter das nicht beigebracht?«

Sie kicherte und fühlte sich ein wenig wie Louise.

Die beiden redeten noch ein paar Minuten. Schließlich beendete Baum das Gespräch mit dem Satz: »Ich freue mich, Sie bald wiederzusehen, Detective.« Die Berufsbezeichnung sprach er englisch aus. In Charlies Ohren klang der Satz wie Ironie.

Sie bog vom Boulevard Saint-Germain links in die Rue Saint-Guillaume ein. Auf den Stufen vor dem Haupteingang der Sciences Po saß ein Mädchen und weinte. *Liebeskummer,* dachte Charlie. *Kopf hoch, Mädchen. Wird schon wieder!* Das Café an der Ecke zur Rue de Grenelle war wenig besucht, es war Samstagnachmittag, die Schule geschlossen. Charlie sah durch die Fenster: Ein Paar umarmte sich, ein anderes Mädchen und ein anderer Junge saßen auf der roten Bank einträchtig neben der Bar vor ihren Laptops. Der Barmann las Zeitung. Wie oft hatte Charlie an diesem Ort zusammen mit Laurent ihre freien Mittwochabende verbracht. Sie hatten Zukunftspläne geschmiedet. Während Serge Gainsbourg und Joe Dassin in der Musicbox sangen, hatten sie von einem Haus am Meer geträumt und von vielen gemeinsamen Kindern.

Fast zwanzig Jahre waren seitdem vergangen.

Mein Gott! Zwanzig Jahre!

Laurent hatte sich den Traum inzwischen erfüllt – nur mit einer anderen eben … Das stand bei Wikipedia.

Fünf Söhne!

Und sie? Charlotte Pacou? Was war aus ihr geworden? Sie hatte sich weggeworfen, sechs Jahre lang. Sechs lange Jahre hatte sie sich von einem Schnösel, der Wohnungen und Häuser vermakelte, flachlegen lassen. Und wofür? Für ein schönes Zuhause, okay. Für ein paar schöne Reisen, okay. Für Essen in teuren Restaurants, für einen Mini Cooper, für die Perlen, die sie um den Hals trug … und?

Ja … und für lange, quälend langweilige Gespräche.

Jetzt nahm eine Wanda ihren Platz ein, ein Mädchen mit blondem Pony aus der Ukraine.

Hör auf zu jammern, Charlie! Sei nicht pathetisch! Nimm dir ein Beispiel an Louise!

Sie überquerte den Boulevard Raspail. Gallimard, die Buchhandlung, schloss gerade, bei Barthélemy, dem Käsehändler, herrschte noch Hochbetrieb, die Kunden standen Schlange, überall auf der Straße roch es nach Käse.

Warum konnte sie nicht sein wie Louise? Warum konnte sie nicht denken wie Louise? Nicht so antworten? Warum beunruhigte es sie, wenn eine geschwätzige Kosmetikerin ihr riet, die Falten um den Mund wegzuspritzen? Mein Gott, sie war achtunddreißig, sie hatte keine Falten. Und wenn sie welche hatte, dann waren sie nicht der Rede wert.

Du bist begehrenswert, Charlie!

Vor dem Supermarkt an der Ecke zur Rue du Bac blieb sie stehen und betrachtete ihr Spiegelbild im Fenster. Sie sah eine Frau mit einer Marc-Jacobs-Tasche in einem lachsfarbenen Mantel und in lachsfarbenen Schuhen.

War sie begehrenswert?

Natürlich, die Männer sahen ihr nach, wenn sie an ihnen vorbeiging, und Noske hätte kein Wort mit ihr gesprochen, wenn sie nicht begehrenswert gewesen wäre – geschweige denn, dass er sie ins Lipp ausgeführt und für einen Tagesausflug nach Deauville eingeladen hätte.

Selbst auf den Chinesen an der Rezeption machte sie Eindruck. Das fühlte sie. Der kleine Mann erhob sich vom Stuhl, als sie das Hotel betrat, dabei strahlte er wie ein Honigkuchenpferd.

»Nummer vierundzwanzig.«

Der Chinese gab ihr den Schlüssel, und als sie sich Richtung Fahrstuhl verabschiedete, rief er ihr nach: »Madame, in der Lounge wartet ein Herr auf Sie.«

Hatte sie ihn richtig verstanden?

Charlie drehte sich um, sah auf die weiße Sitzgruppe aus Sky, sah einen Mann im Sessel. Der Mann lächelte. Er trug ein Tweedjackett, eine graue Hose und Budapester Schuhe. Die langen Beine hatte er lässig übereinandergeschlagen.

»Hallo, Detective.«

Charlie war kurz sprachlos. Doch dann sagte sie lächelnd: »Sie haben mich reingelegt, Dan … eben am Telefon. Woher wussten Sie, dass ich jetzt kommen werde?«

Baum erhob sich und ging ein paar Schritte auf sie zu. Er wollte sie umarmen, doch sie wich ihm aus. »Irgendwann mussten Sie kommen … Ich warte schon seit ein paar Stunden.«

Charlie bemühte sich, ihre Verwirrung zu verbergen.

»Und woher wussten Sie, dass ich hier wohne?«

»Ihr Kollege hat es mir verraten …«

»Welcher Kollege?«

»In Ihrem Büro, der Mann im Nebenzimmer, der immer auf den Lakritzstangen herumkaut.«

»Mike?«

»Kann sein, dass er Mike heißt … ja.«

Charlie erinnerte sich, dass sie den beiden Reportern in der Lietzenburger Straße, bevor sie zum Flughafen gefahren war, einen Zettel mit ihren Koordinaten in Paris unter der Tür durchgeschoben hatte. »Falls irgendwas ist …«, hatte sie geschrieben.

»Und er hat Ihnen einfach den Namen dieses Hotels gegeben?«

»Ja, hat er, obwohl der Teufel dort los war. Sie sollten sich ein anderes Büro suchen, Charlie.«

»Wieso? Ist was passiert?«

»Hat er Sie nicht angerufen?«

»Wer?«

»Mike.«

Charlie schüttelte den Kopf.

»Er wollte Sie anrufen. Ein Thai-Mädchen ist ermordet worden, brutal. Eine Masseuse auf Ihrem Stockwerk. Es war noch alles voller Blut. Ich konnte einen Blick in das Apartment werfen. Sie haben sie gerade abtransportiert, als ich kam. Die Polizei hat auch mich verhört. Ich musste denen meine Personalien geben.«

»Das ist ja alles schrecklich.«

»Sie sollten sich wirklich ein anderes Büro suchen.«

Charlie stieg der Geruch vom Gang in die Nase, diese üble Mischung aus totem Fisch, fernöstlichen Gewürzen und billigem Parfum.

»Das ist ja schrecklich«, wiederholte sie.

»Ja, das ist es. Die Polizei will sich auch noch mit Ihnen unterhalten.«

»Warum mit mir?«

»Reine Formsache. – Aber deshalb bin ich nicht hier.«

»Und warum sind Sie hier?«

»Ich wollte Sie zum Essen ausführen.«

Charlie schüttelte den Kopf.

»Ehrlich gesagt, ist mir danach jetzt noch weniger zumute als vor fünf Minuten. Entschuldigen Sie, Dan … Aber die Austern heute Mittag, die Lammkeule und der viele Wein … dann Ihr Freund Noske und jetzt auch noch die Nachricht von dem Mord, dem Blutbad … Das ist alles ein bisschen viel für mich. Ich würde mich gern ausruhen.«

»Seien Sie kein Spielverderber. Ich habe mich so sehr auf den Abend mit Ihnen gefreut.«

»Und wenn ich nicht gekommen wäre, wenn ich mir spontan

ein anderes Hotel gesucht hätte? Wenn ich schon verabredet gewesen wäre?«

»Manchmal muss man einfach was riskieren, Charlie.«

Sie stutzte. Sie hatte den Satz schon mal gehört, erst vor kurzem. Sie überlegte … Richtig, Noske hatte ihn von sich gegeben, als er bei Lipp eine Auster schlürfte.

Vielleicht war das ihr Problem. Vielleicht riskierte sie zu wenig, vielleicht hatte sie immer zu wenig riskiert. Vielleicht war sie doch so wie ihr Vater, der Studienrat für Französisch und Geschichte, der sein Leben lang Versicherungen abgeschlossen hatte, gegen alles … Wenn es möglich gewesen wäre, hätte er wahrscheinlich auch eine gegen Haarausfall unterschrieben.

»Okay, Dan, aber nur hier, irgendwo hier in der Gegend, auf ein Glas in einem Café, nichts Aufwendiges. Ich geh aber noch kurz aufs Zimmer und mach mich ein wenig frisch. Können Sie zehn Minuten warten?«

»Wenn es sein muss, auch zehn Jahre.«

Baum lächelte und sah Charlie hinterher, wie sie in den Fahrstuhl verschwand. Durch die schmale Scheibe der Tür trafen sich ihre Blicke noch einmal.

Im Zimmer warf sie sich zuerst aufs Bett und starrte an die Decke. Zehn Jahre würde er auf sie warten. *Dann bin ich fast fünfzig.* Sie musste lachen.

Beruhig dich, Charlie!

Ein paar Minuten lang versuchte sie an nichts zu denken und gleichmäßig zu atmen, so wie sie es im Yoga-Kurs gelernt hatte.

Es gelang ihr nicht.

Sie war aufgewühlt. Die Ereignisse purzelten durch ihren Kopf wie Bauklötze. Sie sah, wie Louise unter der Decke Jonas Hand suchte, sie sah Mike mit einer Lakritzstange im Mund, sie sah sich in der Galerie 59, sie sah den roten Citroën im strömenden Regen auf der Autobahn in Westdeutschland, sie sah die lachende

Frau des Schusters, sie sah Jonas' missmutiges Gesicht, sie sah ihn auf der Stange des Fahrrads, sie sah die Weinreben und die offene Motorhaube, sie sah Max Noske im Atelier Terpentin schnuppern, sie sah ihn bei Lipp Austern schlürfen, sie sah den Bräutigam im Renard Prêchant, sie sah, wie der Idiot seinen großen Schwanz mit Louises Strumpf liebkoste, sie sah Daniel Baum in der Hotellounge, sie sah die tote Hure, blutüberströmt, sie sah, wie Jonas das Hörnchen in den Milchkaffe tauchte, und sie sah, wie er weinte.

Wieso weinte er? Kein Mensch hatte ihr erzählt, dass Jonas Jabal jemals geweint hatte. Und jetzt weinte er vor ihren Augen, er weinte bitterlich und ungeniert. Dabei zitterte er und raufte sich die rotblonden Haare.

Charlie schüttelte ihren Kopf, um das letzte Bild aus ihren Gedanken zu vertreiben. Sie stand auf, zog ihren Mantel aus und warf ihn aufs Bett, bevor sie ins Bad ging. Dort raffte sie ihren Rock über die Schenkel nach oben und entledigte sich ihres Höschen, ohne dabei die lachsfarbenen Schuhe auszuziehen. Dann setzte sie sich auf die Toilette und pinkelte. Von der Toilette bewegte sie sich, bei gleichbleibender Körperhaltung, direkt aufs Bidet. Sie griff mit der rechten Hand hinter sich und regulierte blind die beiden Wasserhähne, solange, bis das Wasser eine angenehme Temperatur annahm. Dann wusch sie sich. Auf dem Rand der Badewanne ihr gegenüber saß Louise in dem blauweiß gestreiften Leibchen. Sie hatte ihre Beine schamlos weit geöffnet, ihre Lippen bluteten. Die beiden Frauen sahen sich in die Augen.

Warum hat er sich das Leben genommen, Louise? Du weißt es doch. Warum hat er den Wein mit dem Schlafmittel versetzt? Warum die Rasierklinge? Warum? Sag schon ... Und warum blutest du am Mund? Hat er dich wirklich geschlagen? Karin behauptet das. Man erzählt es sich in ihrer Kneipe, dem Knotenpunkt. Sag schon, Louise! Ich will es jetzt wissen.

Louise sah stoisch durch sie hindurch. Eine Antwort gab sie ihr nicht.

Charlie drehte die Wasserhähne zu, erhob sich und trocknete sich ab, bevor sie den Rock wieder über die Schenkel fallen ließ. Dann ging sie zum Spiegel. Sie nahm die Bürste und fuhr sich damit durch die Haare, den Kopf hielt sie dabei zum Boden gerichtet. Sie fühlte sich blutleer. Sie wollte, dass das Blut in ihr Gehirn zurückkehrte, damit sie wieder klar denken konnte. Sie bürstete kräftig und lange, die Borsten massierten die Haut unter den Haaren.

Erst als sie sich besser fühlte, hörte sie auf und band sich mit einem Gummi einen Pferdeschwanz. Anschließend zog sie sich die Lippen nach, presste ihren Mund auf ein Stück Klopapier und betrachtete zufrieden den fetten, roten Abdruck.

Zu ihrem Spiegelbild sagte sie: »Du siehst gut aus, Charlotte Pacou!« Sie warf sich einen Kuss zu, suchte danach in der Schminktasche nach einem schwarzen Kajalstift, mit dem sie sich langsam einen Schönheitsfleck auf die aufgeblähte, rechte Wange malte.

»Den trag ich nur in den Ferien, Dan.«

Bevor sie das Zimmer verließ, um in die Lounge zurückzukehren, nahm sie ihr Handy aus der Marc-Jacobs-Tasche und rief Mike im Büro in der Lietzenburger an. Er nahm nicht ab. Sie versuchte es auf seiner mobilen Nummer. Es klingelte einmal, zweimal, dreimal ...

Zwanzig

»Was ist das für eine Geschichte mit dem Mädchen, Mike? Dem ermordeten von nebenan? Und wieso meldest du dich nicht, wenn so etwas passiert?«

»Ein furchtbares Gemetzel. Ich wollte dir die Zeit in Paris nicht verderben.«

»Die Polizei will mit mir sprechen? Oder?«

»Jetzt wohl nicht mehr. Die Sache scheint sich erledigt zu haben.«

»Was heißt das?«

»Sie haben den Kerl. Er hat gestanden. Es war kein Freier, wie sie zuerst vermutet hatten, es war ihr Mann. Er hat nichts von Lins Nebentätigkeit gewusst. Und als er dahinter kam, hat er Nägel mit Köpfen gemacht.«

»Lin? Du sagst Lin? Kanntest du sie etwa besser?«

»Nur flüchtig. So wie dich, Charlie.«

»Sehr witzig.«

»Nein, wirklich. Sie hat mich zweimal massiert, du weißt doch, mein Rücken. Und sie war richtig gut.«

»Hör auf, Mike. Ich will das gar nicht wissen … Ist ihr Mann Thailänder?«

»Nein, Deutscher, aus Marzahn.«

»Deutscher? Das ist ja unglaublich!«

»Wieso unglaublich? Meinst du etwa, die können nicht zustechen oder was?«

»Mach nicht aus allem einen Witz, Mike. Du hast mich heute ohnehin schon genug geärgert. Ich hab noch was gut bei dir.«

»Wieso geärgert? Wieso hast du was gut?

»Du hast Daniel Baum verraten, in welchem Hotel ich wohne.«

»Wenn Daniel Baum der Typ ist, der neulich hier in der Nacht mit der Flasche und den beiden Gläsern aufgetaucht ist und gestern wieder, ja, dann hab ich's ihm verraten. Ich wusste nicht, dass das ein Geheimnis ist. Das musst du das nächste Mal dazusagen, Charlie.«

»Es ist kein Geheimnis. Ich hätte ihm das Hotel auch selber genannt.«

»Also, wo ist das Problem? Ich habe deinem Freund verraten, wo du wohnst. Er wollte dich nicht fragen, weil er wahrscheinlich vorhatte, dich zu überraschen. So einfach ist das. So macht man das, wenn man verknallt ist … Hat er dich etwa mit einem anderen überrascht?«

»Quatsch, Unsinn. Er hat mich mit niemandem überrascht, und er ist auch nicht mein Freund. Und verliebt ist er auch nicht.«

»Was dann? Was ist er dann?«

»Er ist mein Auftraggeber, mehr nicht.«

»Du schreibst für ihn die Biografie über diesen Dichter, den sie aus der Havel gefischt haben … wie hieß er noch?«

»Philipp Bach. Und die Biografie über den schreibe ich nicht für Daniel Baum. Baum ist mein Auftraggeber in einer anderen Sache.«

»Jetzt wird's mir ein wenig zu kompliziert, Charlie. Kannst du das ein bisschen einfacher erklären?«

»Vergiss es, Mike … Also tust du mir den Gefallen oder nicht?«

»Welchen Gefallen denn, um Himmels Willen?«

»Eben den, den du mir schuldig bist, wegen deiner Geschwätzigkeit.«

»Du machst mich fertig, Charlie. Schieß los. Um was geht es?«

»Du musst eine Frau für mich finden, die 1959 vierzehn Jahre alt war. Sie ist in Ostberlin aufgewachsen, in der Allensteiner, heute Liselotte-Herrmann-Straße. Sie heißt Theresa Jabal, jedenfalls hieß sie damals so. Heute heißt sie wahrscheinlich anders. Sie wird geheiratet haben, und ich nehme an, sie hat den Nachnamen von ihrem Mann angenommen. Theresa ist kurz vorm Mauerbau nach Paris abgehauen und von dort irgendwann in die Schweiz gezogen. Ihr Bruder, Jonas Jabal, war ein Maler, der sich im Sommer 1959 umgebracht hat. Den Grund dafür kenne ich noch nicht. Ich habe eine Vermutung, aber das ist eben nur eine Vermutung. Der Vater ist im Juni 1953 bei dem Aufstand in Ostberlin umgekommen. Die Mutter war Krankenschwester in der Charité. Sie hieß Lisa und ist 1990 gestorben. Meinst du, du schaffst das?«

»Schaffen, was schaffen?«

»Na, die Frau aufzutreiben, diese Theresa. Mir zu sagen, wie sie heute heißt, und wo sie wohnt, wovon sie lebt …«

»Du hast Nerven, Charlie. Weißt du, wie schwierig das ist?«

»Komm schon Mike, du und Frank, ihr habt doch nun wirklich schon ganz andere Dinge gestemmt. Ihr habt mit allen Wassern gewaschene DDR-Bonzen gefunden, ihr habt den größten Steuerbetrüger der Republik ans Messer geliefert. Da wird es ja wohl ein Leichtes für euch ausgebuffte Profis sein, diese Theresa aufzutreiben, die versteckt sich ja nicht einmal. Sie lebt in der Schweiz. Und weißt du wie groß die Schweiz ist? Ein Fliegenschiss … sie ist ein Fliegenschiss auf der Weltkarte.«

Mike musste lachen.

»Also, langsam. Gib mir bitte noch mal die Daten und Namen …«

»Danke, Mike.«

Charlie wiederholte langsam alles, was er wissen musste.

»Wenn ich sie auftreibe, habe ich aber etwas gut bei dir, Charlie.«

»Ja, ja. Klar, Mike. Und Ciao.«

»Ach, Charlie! Hallo … bist du noch dran?«

»Ja.«

»Wie hieß das Buch noch, an dem dieser Philipp Bach bis zu seinem Tod gearbeitet hat? Du hast davon erzählt …«

»*Was soll eigentlich aus Mitteleuropa werden, wenn ich eines Tages tot bin.*«

»Richtig. Ja. – Ein guter Titel, wirklich. Meinst du, der ist noch frei?«

»Was soll das denn jetzt, Mike? Keine Ahnung, wirklich nicht … Aber mir fällt gerade ein, der Nachname dieser Theresa könnte mit dem Buchstaben N beginnen. Ich sag das nur, vielleicht ist das ja eine Hilfe für dich.«

Charlie war plötzlich das T.N. durch den Kopf geschossen, das sie auf der Website *Das viel zu kurze Leben des begnadeten Malers Jonas Jabal* entdeckt hatte. T. N. hatte dort behauptet, Louise sei zur Zeit des Leichenschmauses sehr wohl im Atelier des Malers gewesen. Genauso hatte diese oder dieser T. N. auch behauptet, Louise habe sich während der Beerdigung auch auf dem Friedhof aufgehalten. Sie soll versteckt unter einer alten Eiche entdeckt worden sein, einen Pferdeschwanz getragen haben, ihre zitronengelben Caprihosen, das blauweiß gestreifte Leibchen und auf dem Kopf eine schwarze Bandana.

Nachdem Charlie den Eintrag im Blog der Site entdeckt hatte, hatte sie Theresa als Verfasserin ausgeschlossen. Jetzt sagte sie sich: Warum nicht? Warum soll es nicht sie gewesen sein, die Jahre nach dem Tod als einzige ein paar nette Worte über Louise verloren hat?

Einundzwanzig

Fünf Minuten nach dem Telefongespräch mit dem Reporter spazierten Daniel Baum und Charlotte Pacou auf dem schmalen Trottoir die Rue du Bac in Richtung Bon Marché hinunter. Er hatte seinen Arm um ihre Schulter gelegt. Als sie die Rue de Babylone erreichten, und Charlie auf der anderen Straßenseite den

Eingang des Kaufhauses sah, war sie kurz versucht, Baum zu erzählen, dass Zolas *Paradies der Damen* dort spielte, das sie in seinem Arbeitszimmer in der Bismarckallee im Bücherbord gesehen hatte. Sie ließ es bleiben. Stattdessen sagte sie: »Lassen Sie uns hier herunter gehen, Dan.« Sie zeigte nach rechts. »Dort hinten irgendwo muss das Kino sein, das Louise und Jonas während ihrer Paris-Reise besucht haben.«

»Die beiden waren zusammen in Paris?«

»Ja, Anfang Mai 1959, es soll Jonas' glücklichste Zeit im Leben gewesen sein. Louise und er haben sich sogar verlobt, nachdem sie ihn zum Mann gemacht hatte.«

»Hat Ihnen der Halsabschneider das erzählt?«

»Ja, Max Noske. Er ist nicht so schlimm, wie Sie behaupten, Dan. Ich glaube sogar, er ist ganz in Ordnung, er will mich ja noch einmal wiedersehen. Max bat mich, ihn morgen früh nach Deauville zu begleiten, er will dort sein Sommerhaus winterfest machen. Er hat es offensichtlich zu was gebracht, Dan. Aus dem ehemaligen Setzer aus dem Ostpreußenviertel ist eine große Nummer geworden.«

»Bei seinem Geschäftsgebaren würde mich das nicht wundern.«

»Meinen Sie, ich soll fahren?«

Baum zog Charlie ein wenig näher an sich heran, als müsse er sie festhalten, damit sie ihm nicht davonrannte. »Ich, an ihrer Stelle, würde das bleiben lassen, Detective.«

»Aber vielleicht würde uns die Fahrt nach Deauville *Louise im blauweiß gestreiften Leibchen* ein Stück näherbringen?«

»Vergessen Sie Louise für heute Abend, Charlie. Für einmal nur, vergessen Sie sie. Ich bitte Sie.« Baums Stimme klang flehend.

Es war wenig Betrieb auf der Straße, die Restaurants und Cafés schienen kaum besucht und auch hinter den Fenstern des

Internet-Shops B@by Connect herrschte Flaute. Nur zwei Rechner waren besetzt. Vor der Tür des Ladens hockte eine Zigeunerin auf dem Trottoir, in ihrem Schoß lag, verbogen wie ein Embryo, ein Kind, das an seinem Daumen lutschte. Die Frau hielt Baum einen Pappbecher von Starbucks entgegen. Baum ließ im Vorbeigehen einen Euro darin verschwinden.

Das Kino lag fast am Ende der Straße. Es befand sich in einer riesigen, japanischen Pagode, die der Besitzer des Bon Marché vor langer Zeit als Geschenk für seine Frau gebaut hatte. Nachdem die beiden sich haben scheiden lassen, wurde das Haus dann für Veranstaltungen genutzt, später zum Kino umgebaut. So stand es jedenfalls in dem Leuchtkasten geschrieben, in dem auch das Programm angekündigt war.

Den ganzen Monat November lief im zweiten Saal des Hauses eine Retrospektive von Chabrol-Filmen. Charlie fuhr mit dem Finger die Liste der Filme ab. »Das ist aber schade«, sagte sie, »vorgestern stand *Schrei, wenn du kannst* auf dem Spielplan, das ist eine Dreiecksgeschichte, Dan. Den hätte ich gern gesehen. Er hat 1959 in Berlin den Goldenen Bären bekommen. Jonas hat ihn sich am elften Juli angesehen, in der darauffolgenden Nacht hat er sich umgebracht.«

Baum gefiel nicht, was er hörte. Charlie schien nichts anderes mehr im Kopf zu haben, als das Schicksal des Malers aus dem Ostpreußenviertel. Was hatte er sich mit seinem Auftrag nur eingebrockt? Vor allem aber ihr? Andererseits, sagte er sich, ohne den Auftrag stünde er jetzt nicht neben ihr.

»Heute läuft *Docteur Popaul* mit Belmondo. Haben Sie Lust, ins Kino zu gehen?«

Baum war anzusehen, dass er keine Lust hatte. »Wissen Sie, wovon er handelt?«, fragte er.

»Nein, aber vielleicht entspannt er mich nach diesem verrückten Tag ein wenig. Es scheint eine Komödie zu sein. Lassen

Sie uns gehen, Dan. Bitte. Manchmal muss man einfach was riskieren.«

Charlie war zufrieden, den Satz loszuwerden.

»Okay, Sie müssen mir aber helfen.«

»Helfen?«

»Wenn ich mal etwas Entscheidendes nicht verstehe. Mein Französisch verlangt manchmal ein wenig Unterstützung, es ist sehr gebrechlich.«

»Kein Problem, Dan. Also gehen wir.«

Sie hatten noch eine Viertelstunde Zeit, bis der Film begann. Sie kauften die Tickets und zwei Tee in Pappbechern, dann gingen sie in den Garten, der zur Pagode gehörte, und setzten sich auf eine Holzbank. Es war kalt, aber sie spürten die Kälte nicht. Sie sprachen kaum ein Wort, schweigend, mit den dampfenden Bechern zwischen den Händen, ließen sie sich von der Stimmung gefangen nehmen. Überall wuchsen wild Pflanzen, einige hatten ihr Grün verloren, andere sahen aus, als herrsche ewiger Sommer. Die Fassade der Pagode war reich verziert, im Licht von Lampions wimmelte es von fernöstlichen Zitaten – Buddha-Köpfe ruhten auf Holzstelen; fette Fratzen mit großen Ohren, die in die Wände eingelassen waren, schrien aus aufgerissenen Mündern ihre Wut dem Bösen entgegen; bunte Fenster, auf denen für europäische Augen fremdartiges Getier herumspukte und fremdartige Blüten rankten, entführten sie in eine andere Welt. Auf einem der Fenster entdeckte Charlie einen Drachen, ähnlich dem, der auf dem Paravent zu sehen war, hinter dem Mutter Jabal die Nähmaschine im Atelier ihres Sohnes versteckt hatte. Nur spie der Drachen der Pariser Pagode kein Feuer. Er wirkte zahmer und weniger bedrohlich als jener, den Jonas Jabal auf dem Gemälde verewigt hatte, das Charlie seit Tagen nicht mehr aus dem Kopf ging.

So einträchtig wie in dem verwunschenen Garten saßen Charlie und Dan zwei Stunden später in einem Taxi nebeneinander und fuhren den Boulevard des Invalides in Richtung Seine hinunter. Dan hatte darauf bestanden, eine Bar seiner Wahl zu besuchen. Jetzt sei er dran, hatte er gesagt. Und Charlie hatte zugestimmt.

Während der Fahrt sprachen die beiden über den Film, der Charlie sehr amüsiert hatte, Dan hingegen weniger.

»Aber das ist doch eine lustige Idee, Dan. Ein paar Kerle, echte französische Mecs, sitzen in einer Kneipe zusammen und schließen aus einer Sauflaune heraus eine Wette ab: Wer die hässlichste Frau erobert, der hat gewonnen. Das ist doch hinreißend komisch. Das müssen Sie doch zugeben.«

»Ich weiß nicht, was daran komisch sein soll.«

»Na, umgekehrt wär's doch total langweilig. Außerdem stimmt die Grundidee: Ich bin auch fest davon überzeugt, dass eine hässliche Frau einem Mann mehr zu geben vermag als eine schöne. Selbst wenn der Film das später zu widerlegen versucht. Die Grundidee stimmt.«

Dan lachte. »Vielleicht haben Sie ja recht, Charlie. Vielleicht sollte ich das auch mal ausprobieren. In diesem Fall müsste ich Sie allerdings jetzt bitten, auszusteigen.«

Charlie stutzte kurz, beschloss dann aber sogleich die Antwort als Kompliment zu verstehen. »Das haben Sie jetzt aber sehr charmant gesagt, Dan.«

Das Taxi fuhr über die Place de la Concorde die Rue Royal hinauf. An der Ecke zur Rue Saint-Honoré versperrten drei Feuerwehrwagen die Kreuzung.

»Das letzte Stück gehen wir zu Fuß«, sagte Dan. »Es ist nicht mehr weit.«

Die beiden stiegen aus. Bevor Dan seine Begleitung wieder in den Arm nahm, zahlte er durchs Fenster den Fahrer, der ein mürrisches Gesicht machte, weil er von jetzt an nicht mehr vorankam und auch nicht mehr zurück. Hinter ihm reihte sich bereits ein Auto an das nächste.

Nach ein paar hundert Metern auf der Rue Saint-Honoré gingen sie nach links und sahen die Place Vendôme ausgebreitet im goldenen Schein der Straßenlaternen vor sich liegen. Obwohl Charlie sich am rechten Ufer der Seine viel weniger zuhause fühlte als am linken, wusste sie in dem Augenblick sofort, wo sie war.

»Sie wollen jetzt aber nicht mit mir ins Ritz, oder?«

»Doch, dort wohne ich.«

»Das können Sie vergessen, Dan … Ich werde Sie nicht begleiten. Vergessen Sie's. Und überhaupt: warum wohnen Sie in diesem Schuppen?«

»Einen Vorteil muss es doch haben …«

»Was?«

»Eine Bank zu besitzen.«

Charlie blieb stehen und sah auf die Uhr. Es war kurz nach elf. Wieso fühlte sie sich nicht mehr müde? Ein paar Stunden zuvor hatte sie von nichts anderem geträumt als von ihrem Bett.

»Kommen Sie, Charlie. Wir gehen auf einen Drink in die Bar, essen ein paar Tapas oder auch ein Clubsandwich, es ist das beste der Welt. Sie müssen doch inzwischen auch wieder Hunger haben. Danach bringe ich Sie zum Taxi.«

Charlie folgte Dan zögernd. Sie gingen über den hell erleuchteten Platz. An der angestrahlten Triumphsäule blickten beide zu Napoleon auf, der auf der Spitze thronte. Dan grüßte ihn, indem er sich mit zwei Fingern an die Stirn schnippte.

Dann sagte er: »Detective?«

Und Charlie antwortete: »Ja, Boss, was gibt's?«

Sie sahen sich in die Augen.

Dan versuchte sich ihrem Gesicht zu nähern und sie zu küssen, doch sie entzog sich ihm. Dabei lächelte sie ein wenig verschmitzt, vielleicht ein wenig zu verschmitzt. Wer so lächelte, dem war die Weigerung nicht total ernst. Das spürte Dan. Und so schien die kleine Niederlage ihm nicht wirklich etwas auszumachen. Er deutete mit dem Zeigefinger auf den Schönheitsfleck auf ihrer Wange und sagte: »Der ist mir noch gar nicht aufgefallen. Tragen Sie den immer?«

»Nein, Dan. Nur in den Ferien, den trage ich nur in den Ferien.« Sie kicherte.

Als sie kurz darauf das Hotel betraten, erinnerte sie sich, dass die Prinzessin von Wales von hier aus in den Tod gefahren war.

Über zehn Jahre waren seit dem Unfall vergangen.

Der Tag, Ende August 1997, war ihr noch gut im Gedächtnis. Ihre Familie hatte den fünfundsechzigsten Geburtstag ihrer Mutter auf Rügen gefeiert, als sie ausgerechnet während der Besichtigung des Kreidefelsens von der Nachricht überrascht wurden. Die Jubilarin fand während des ganzen Aufenthalts auf der Insel kein anderes Thema mehr. »Ausgerechnet an meinem Geburtstag«, hatte sie immer wieder ausgerufen. Sie war ehrlich erschüttert gewesen. Charlie selbst hatte der Tod eher kalt gelassen, die Prinzessin war für sie immer eine dumme Zicke gewesen. Bis heute verstand sie den Kult um diese Frau nicht.

Die Hemingway-Bar des Ritz, früher Petit Bar, war bis auf den letzten Platz gefüllt, nicht mal am Tresen fand sich auch nur ein noch freier Hocker. Doch die beiden hatten Glück. Als sie den Raum betraten, machten gerade zwei Männer, einer von ihnen trug breite Hosenträger in den Farben der amerikanischen Flagge, zwei tiefe Ledersessel vor einem kleinen, runden Tisch frei.

Um ein wenig mehr Ruhe zu haben, hätten Charlie und Dan auch die Ritz-Bar aufsuchen können, die auf der anderen Seite des Korridors keine fünf Meter entfernt lag und weniger besucht war. Aber Dan bestand auf Hemingway, unter anderem, weil dort keine Musik spielte. Charlie war's egal. Sie zog ihren Mantel aus, legte ihn über die Lehne eines Sessels und setzte sich, bevor sie die Beine übereinanderschlug und die Perlenkette zurechtrückte. Dan bestellte noch im Stehen eine Flasche stilles Mineralwasser, Tapas und ein Clubsandwich. Für die Drinks, sagte er der Bedienung, würden sie noch einen Blick auf die Karte werfen.

Schließlich setzte auch er sich in den tiefen Sessel, faltete seine langen Finger über den Knien und sah Charlie mit einem zufriedenen Lächeln an. Charlie hatte ihn die ganze Zeit genau beobachtet. Ihr gefiel, wie er sich bewegte, ihr gefiel, wie er sprach, die Art und Weise, wie er mit dem Kellner umging, wie er den Ort als etwas Besonderes zu schätzen wusste. Er war ganz anders als Seeberg, der überall mit einer Was-kostet-die-Welt-Allüre hereinplatzte und die Menschen spüren ließ, dass er eigentlich nichts von ihnen hielt.

Seeberg teilte alles und jeden in Klassen ein, Baum tat das nicht. Das hatte Charlie schon im Knotenpunkt bei Karin beobachtet. Baum machte keine Unterschiede, darin ähnelte er Louise. Ein wenig irritiert war sie einzig und allein immer noch von seinem ersten Auftritt in ihrem Büro. Oder hatte sie sich bei jener Begegnung einfach nur in ihm getäuscht, wie sie sich so oft täuschte?

»Waren Sie schon einmal hier, Detective?«

Charlie schüttelte den Kopf, dabei bewegte sich ihr Pferdeschwanz von links nach rechts und zurück.

»An dem Tresen dort wurde die Bloody Mary erfunden. Gönnen wir uns zwei?«

»Ganz wie Sie wollen, Dan. Ich habe den Film ausgesucht, Sie bestimmen die Getränke.«

Während der folgenden Stunden tranken sie jeder drei Bloody Mary, aßen Tapas und ein Clubsandwich. Dabei redeten sie, sie redeten ununterbrochen – über Jabal und Hemingway, über

Paris und Berlin, über ihre Mütter und über das Scheitern von Beziehungen. Über Louise redeten sie natürlich auch, als eine der letzten Unabhängigen unter unserer Sonne. Und selbst den Tod ließen sie nicht aus, schließlich hatte der sie zusammengeführt. Ohne die Verzweiflungstat Jabals hätten sich ihre Wege kaum gekreuzt.

»Aber warum hat er sich umgebracht?«, wollte Dan wissen.

Und Charlie antwortete: »Er hat sich geschämt, Dan. Da bin ich mir inzwischen ziemlich sicher. Ich werde auch noch genau herausfinden, warum. Aber er hat sich geschämt, im wahrsten Sinne des Wortes zu Tode geschämt. Und den hat er bis ins kleinste Detail vorbereitet – mit dem billigen Wein, dem Schlafpulver Dormolux und einer Rasierklinge der Marke Tutilo. Er hat sich ganz bewusst und geplant aus dem Leben verabschiedet. Er konnte sich nicht mehr im Spiegel ansehen, so hat er sich geschämt. Er musste kotzen, wenn er sich sah.«

Dan nickte. Bei Hemingway, meinte er, sei es wahrscheinlich eher ein Kurzschluss gewesen. Der habe einfach genug gehabt – der Alkohol, die Krankheiten, die Schaffenskrise, das alles sei zuviel für ihn gewesen, und so habe er kurzen Prozess gemacht: »Knarre in den Mund und weg!« Charlie lachte. Nur Hemingway, fügte Dan hinzu, habe schon auf dem Olymp gesessen, als er sich erschoss, Jonas Jabal aber sei noch nicht einmal über die Baumgrenze hinausgekommen. Wirklich ein Jammer.

Baum kannte das Leben Hemingways auswendig. Fast jedes Objekt, das in der Bar an den Dichter erinnerte, konnte er zuordnen. Er wusste, welches Foto an den Wänden in Chicago aufgenommen worden war und welches in Key West, welches auf Kuba und welches in Madrid oder in Paris. Er wusste sogar, welcher Roman auf welcher der beiden Schreibmaschinen, die die Bar schmückten, geschrieben worden war, und in welchen Gewässern und welchen Wüsten er welches Tier erbeutet hatte. Alle

Skelette, die hier zur Schau gestellt waren, konnte Baum wie ein Biologe genau bestimmen.

»Woher kommt Ihre Liebe für Hemingway?«, fragte Charlie. »Ich habe sein ganzes Werk in Ihrer Bibliothek gesehen. Aus einigen Seiten sahen grüne Stickies heraus.«

»Die hat mir meine Mutter mitgegeben«, antwortete Dan. »Sie hat ihn verehrt. Sie hat ihn sogar einmal kennengelernt, während eines Essens in New York. Sie war schwanger mit mir, und er hat trotzdem, obwohl ihn zu jener Zeit schon schwere Depressionen geplagt haben mussten, mit ihr geflirtet …«

»Und Ihr Vater?«

»Was meinen Sie: mein Vater?«

»War er nicht eifersüchtig?«

»Mein Vater war nie eifersüchtig. Er war glücklich, wenn meine Mutter glücklich war. Und er war ihr ewig dankbar, weil sie ihm beigebracht hatte, dass das Geld, das er mit seiner Bank verdiente, nur Mittel zum Zweck war und für sich allein keinen Wert darstellte. Sie hat ihn sogar überredet, einen Literatur- und Kunstpreis zu stiften, der bis zu seinem Tod alle zwei Jahre verliehen wurde. Meine Mutter hat alle Menschen verehrt, die mit einem Bleistift oder Pinsel etwas geschaffen haben, was Bestand hatte. ›Denk dran, Daniel‹, hat sie immer gesagt, ›Hemingway hatte nur sechsundzwanzig Buchstaben – aber was hat er alles damit angestellt!‹«

Wie ein Film, der vor ihren Augen ablief, sah Charlie plötzlich Baums Mutter vor sich. Sie sah, wie sie in ihrem verunreinigten Nachthemd in die Geburtstagsgesellschaft in der Bismarckallee platzte und für Aufruhr und Gelächter sorgte. Charlie spürte sogar die warme Hand der Frau auf ihrer Schulter, nachdem sie sich der Umklammerung der Schwiegertochter entzogen hatte.

»Wie geht es Ihrer Mutter, Dan? Hat Sie sich wieder ein wenig beruhigt?«

»Beruhigt? Das ist eine kleine Untertreibung. Es geht ihr erstaunlich gut. Wenn ich an Wunder glauben würde, würde ich sagen, es geht ihr wunderbar. In meinen kühnsten Träumen hätte ich nicht erwartet, dass ...«

Baum stockte und nippte an seiner dritten Bloody Mary. Dann schüttelte er kaum merkbar den Kopf.

Charlie legte eine Hand auf sein Knie. »Erzählen Sie schon, Dan ... Ich glaube, die Geschichte gefällt mir.«

Und so erzählte Baum, wie seine Mutter sich verändert hatte, seitdem Alexandra und der Junge in das Apartment am Potsdamer Platz gezogen waren. Schon am Morgen nach dem Auszug war Anna Baum nicht mehr wiederzuerkennen. Sie hatte sich selber angezogen und war in die Küche gekommen, wo Dan gerade sein Frühstück zu sich nahm und Zeitung las. Sie hatte ihn auf die Wange geküsst und gefragt, was es Neues gäbe in unserer schrecklich schönen Welt, und ob er mit ihr nicht mal wieder ins Kino oder ins Theater gehen könnte. Sie habe lange nichts vom Leben gehabt, das müsse jetzt aufhören.

Baum war sprachlos gewesen.

Und als seine Mutter ihm dann auch noch am Abend desselben Tages mitteilte, dass sie nicht mehr auf die Hilfe von Fremden angewiesen war, die ja doch nur in ihren Sachen herumstöberten, hatte er sich gefragt, ob er vielleicht wirklich die ganze Zeit einer Finte aufgesessen und von ihr hereingelegt worden war, nur weil sie sich in den Kopf gesetzt hatte, dass Alexandra aus der Villa verschwinden musste. Wortwörtlich sagte er: »Die Waffen der Alten sind ihre Krankheiten, egal, ob sie die simulieren oder nicht.«

Charlie schmunzelte. »Das gefällt mir«, antwortete sie, »Demenz als Kriegsführung. Ich glaube, Ihre Mutter ist eine großartige Frau, Dan. Was sagen denn die Ärzte?«

»Was weiß ich, vielleicht stecken die ja mit ihr unter einer Decke. Ich traue ihr inzwischen alles zu.«

Baum lachte.

»Ist sie jetzt allein zu Hause?«

»Nein, natürlich nicht. Irma ist da und wahrscheinlich auch noch ein Pfleger. Vielleicht sind sie aber auch alle drei ins Kino gegangen oder in Clärchens Ballhaus. Inzwischen würde mich gar nichts mehr wundern.«

Vor Charlies Augen erschien Anna Baum noch einmal. Mit ausgebreiteten Armen drehte sie sich drei Mal um sich selbst und lachte.

Es war kurz vor ein Uhr. Charlie hielt sich die Hand vor den Mund und gähnte.

»Wie lange bleiben Sie noch in der Stadt, Charlie? Vielleicht können wir uns noch einmal sehen.«

»Ich werde Montagabend zurückfliegen. Ich will Ihren Freund noch einmal sehen, er soll mir von der Paris-Reise von Jonas und Louise erzählen, obwohl ich nicht glaube, dass ich wirklich Erhellendes erfahren werde.«

»Sie haben mir nichts berichtet, die Verlobung würde mich schon interessieren, Detective.«

»Ich schreibe Ihnen einen Bericht, Boss. Jetzt bin ich aber zu müde.«

Die beiden standen auf, Dan ging zum Tresen der Bar, um die Rechnung zu begleichen, Charlie zog sich den lachsfarbenen Mantel an.

An der Tür wartete sie auf ihn. Sie warf einen Blick in die Ritz-Bar auf der anderen Seite des Korridors. Ein paar Musiker spielten ein Jazz-Stück aus den dreißiger Jahren. Als das Stück ausklang, legte Dan seinen Arm um Charlies Schulter.

»Einen Moment«, sagte sie, »ich bin gleich zurück.« Sie befreite sich von dem Arm und ging zur Band. Dan beobachtete, wie sie mit dem Trompeter sprach, wie sie ihre Hände wie eine Bittstellerin flach gegeneinander presste und dabei lächelte.

Schließlich nickte sie. Und der Trompeter nickte auch, bevor er seinen Kollegen ein Zeichen gab. Dann stellte er die Trompete ab und nahm eine Klarinette aus einem Ständer neben dem Flügel. Gleichzeitig erhob sich der Pianist von seinem Hocker und griff hinter einem Vorhang nach einer Gitarre. Der Schlagzeuger tauschte die Schlagstöcke gegen zwei Jazz-Besen ein. Und dann ertönte das Lied.

Ihr Lied!

Louises Lied. Und Charlies Lied.

Sie schloss die Augen und bewegte ihren Kopf zur Musik. Sie sah Jonas und Louise vor sich, engumschlungen und nackt, die beiden tanzten in dem *pied à terre* in der Rue de Varenne. Auf dem Teller des Grammophons drehte sich eine Schallplatte, durch das Fenster des Apartments fielen Sonnenstrahlen, die den braunen Dielen des Bodens einen goldenen Glanz verliehen. Sogar der Staub im Zimmer tanzte im Takt der Musik.

Schließlich öffnete sie die Augen wieder und sah das kantige Gesicht Dans vor sich, der sie wie ein Primaner anhimmelte. Sie griff nach seiner Hand und führte ihn in die Mitte des Raumes. Dort legte sie die Arme um seinen Hals und begann zu tanzen. Dans Körper passte sich ihren Bewegungen an. Irgendwann, kurz bevor das Lied endete, sah sie zu ihm auf und flüsterte: »Ich glaube, ich habe mich ein bisschen verliebt.«

Dan lächelte, und Charlie fügte hinzu: »Nicht, dass Sie mich falsch verstehen, Dan. Ich mag Männer. Wirklich. Sehr sogar. Frauen haben mich nie interessiert, jedenfalls nicht, was die Liebe angeht – aber bei Louise ... bei ihr wäre ich wahrscheinlich auch schwach geworden.«

Zweiundzwanzig

»So, geschafft!«, sagte Louise.

Sie hatte Glück, direkt vor dem Haus in der Rue de Varenne, in dem im fünften Stock das *pied à terre* lag, fand sich ein freier Platz für den Citroën. Mit schlafwandlerischer Sicherheit eroberte sie die Lücke zwischen einem weißen Lieferwagen, auf den drei lachende, rosa Schweine gemalt waren, und einem Renault R4, dem ein Rad fehlte. Die Uhr am Armaturenbrett zeigte halb vier an, als Louise den Zündschlüssel aus dem Schloss zog. Ohne eine weitere Rast und ohne ein Anzeichen von Ermüdung war sie von der Garage hinter Pont-à-Mousson, wo der Nylonstrumpf gegen einen neuen Keilriemen eingetauscht worden war, bis nach Paris durchgefahren. Jetzt gähnte sie wie ein Löwenbaby, bevor sie sich zu ihrem Beifahrer beugte und mit den gespreizten Fingern durch seine rotblonden Haare fuhr. »Wir sind da, Jonas. Wir haben's geschafft.« Sie küsste ihn. »Von nun an bist du mein Gefangener. Von nun an bist du ganz in meiner Hand.«

Die beiden stiegen aus. Louise ging zum Kofferraum, Jonas streckte sich. Sein kariertes Hemd war am Rücken und unter den Armen vom Schweiß durchnässt. Seine Anzughose erweckte den Anschein, als sei sie nicht mehr zu retten. Seine Haare standen zu Berge. Aber sein Aussehen interessierte ihn in diesem Augenblick gar nicht. Seine Augen tasteten die neue, ihm vollkommen fremde Umgebung ab. Es war warm, die Sonne schien, auf den Terrassen der Cafés herrschte Hochbetrieb. Polizisten patrouillierten an allen Ecken und Enden. Ein schmächtiger Junge, keine vierzehn Jahre alt, überquerte die Straße, er schulterte einen gewaltigen Schweinebauch. Der Schlachter, der ihn von der anderen Straßenseite mit einem Zigarillo zwischen den Zähnen beobachtete, rief ihm zu: »Lass ihn nicht wieder fallen, du Hänfling!« Jonas glaubte, den Mann zu verstehen. Er warf einen Blick in das Geschäft. In seinem Leben hatte er noch nie soviel verschiedenes Fleisch auf einmal gesehen. *Und wie liebevoll es ausgestellt ist!*, dachte er. Er hatte große Lust, es zu malen, gleichzeitig kam ihm aber Schlachter Mayer in der Hufelandstraße in den Sinn, der immer darunter litt, dass man ihm keine Ware lieferte und er seine Kunden nicht bedienen konnte.

Auch beim Obst- und Gemüsehändler nebenan gingen Jonas die Augen über. In den Auslagen entdeckte er Dutzende Früchte in allen Farben des Regenbogens, von denen er nicht einmal die Hälfte benennen konnte.

Louise stellte ihren Koffer auf dem Trottoir neben Jonas ab und fragte: »Kannst du mir helfen?«

Jonas antwortete nicht. Er blickte verträumt auf die Auslagen und konnte sich nicht satt sehen.

»Hey! Du! Ich hab dich was gefragt?«

»Was ist das?« Jonas zeigte auf einen Korb mit grünen, eiergroßen Früchten.

»Das sind Kiwis, mon peintre. Ganz süße Kiwis. Ich werde uns später ein paar davon kaufen, wenn du dich jetzt entschließt, mir zu helfen …«

»Und das Riesenteil dort, die rote Frucht in der grünen Schale?«

»Das ist eine halbe Wassermelone.« Louise sah ihn an, als käme er von einem anderen Stern.

»Und das?« Er zeigte auf ein Gewächs hinter dem Korb mit den Kiwis.

»Willst du mich auf den Arm nehmen? Das ist eine Ananas.«

Jonas wurde rot, er genierte sich ein wenig – aber er hatte in seinem Leben noch keine ganze Ananas gesehen. Die einzige Ananas, die er kannte, lag auf dem Toast Hawaii in Hennings Bierstube. Ihn erstaunte, wie riesig die Frucht war.

Er nahm Louises Koffer in die Hand und sah sie an. Ein Polizist patrouillierte gelangweilt an ihnen vorbei.

»Was machen soviel von denen hier?«

»Du stellst Fragen wie ein Dreijähriger, Jonas. Die habe ich zu deinem Schutz bestellt. Falls man auf die Idee kommt, dich zu kidnappen …«

Jonas lachte. »Wer sollte mich schon kidnappen?«

»Na, die Bande, die dich regiert, Ulbricht, Pieck und Konsorten. Die wären doch doof, wenn sie dich einfach gehen ließen – eine zukünftige Stütze der Gesellschaft lässt man nicht so einfach ziehen. Du gehörst zu den jungen Hoffnungsträgern im Arbeiter- und Bauernstaat.«

»Nein, ernsthaft, was machen die hier?«

Louise zeigte die Straße hinunter. »Dort hinten sind lauter Ministerien, das Fischereiministerium, das Wohnungsministerium zum Beispiel, und ich glaube, der Premierminister wohnt sogar neuerdings auch dort. Wahrscheinlich sind die Polizisten zu seinem Schutz abgestellt.«

»Vornehm geht die Welt zugrunde«, sagte Jonas. Louise fragte nicht, was er damit meinte. Sie schüttelte lächelnd den Kopf und ging zum Wagen zurück, sie nahm den Rucksack und die Anzugjacke heraus, bevor sie die Tür abschloss. Anschließend deutete sie Jonas den Weg durch eine Toreinfahrt, an deren Ende sich ein in die Wand des Hinterhauses eingelassener, von Efeu umwachsener kleiner Brunnen befand, der aus einem Löwenrachen Wasser spuckte. Nach fünf Metern blieb sie an einem kleinen Fenster stehen, neben dem eine Glocke angebracht war. Louise läutete. Eine alte Frau mit einem Hauch von Schnurrbart auf der Oberlippe und einer Katze im Arm öffnete das Fenster.

»Ah, Mademoiselle Fifette. Da sind Sie ja endlich. Ich habe Sie schon erwartet. Ihr Vater hat Sie avisiert. Er macht sich Sorgen, Sie möchten ihn, sobald Sie angekommen sind, zurückrufen.«

Die Frau reichte Louise einen Schlüssel. »Schön, dass Sie wieder da sind, Mademoiselle Fifette.«

Louise sprach die Alte mit Madame an, Madame Matonnière, und bedankte sich ausgesprochen höflich bei ihr, bevor sie sich zu Jonas umdrehte, der schwitzend auf ihrem Koffer saß. »Jetzt kommt die letzte Strapaze der Reise, mon peintre – dann haben wir Ferien.«

Jonas ging zum Brunnen und hielt seinen Mund unter den Wasserstrahl, dann formte er die Hände zum Gefäß, ließ Wasser hineinlaufen und kühlte das Gesicht.

Was Louise mit Strapaze gemeint hatte, begriff er erst ein paar Minuten später, als er den Koffer im fünften Stock des Hauses auf den Boden stellte. Während sie sich am Schloss der Tür zum *pied à terre* versuchte, schnaufte und japste er wie nach einem Zehntausendmeter-Lauf. Er war vollkommen aus der Puste und hielt sich bei gebeugtem Rücken mit den Händen die Knie, damit sie nicht mehr zitterten. Sein Hemd war inzwischen klitschnass, es klebte an seinem Körper, und er fragte sich, warum der liebe Gott ihm nicht die gleiche Konstitution mitgegeben hatte wie seinem Freund Noske. Mindestens hundert Stufen hatte er mit dem Koffer in der Hand zurückgelegt und sich immer wieder gefragt, was Louise darin herumschleppte. So schwer wie zehn Wackersteine war ihm das Gepäckstück in seiner Hand vorgekommen.

Louise hatte immer noch Schwierigkeiten, die Tür zu öffnen. Irgendetwas klemmte. Als es ihr schließlich gelang, waren sie von den Sonnenstrahlen geblendet, die durch die Fenster des Apartments ins dunkle Treppenhaus drangen. Jonas überschritt als erster die Schwelle und schaute sich um.

So also sah ein *pied à terre* aus, *Absteige* hatte Louise gesagt …

Links vom Flur gingen drei Zimmer ab. Die Tür zum ersten

war geschlossen, das mittlere schien der Salon zu sein und das letzte das Schlafzimmer. An den Wänden zwischen den Zimmertüren hingen Zeichnungen in schlichten, hellen Holzrahmen. Jonas Blick fiel auf ein Mädchen, das breitbeinig über einer Schüssel hockte und sich wusch. Es hatte seine Tage. Blut lief am Oberschenkel herunter. Die Zeichnung war eine Bleistift-Skizze, nur das Blut war in roter Tusche aufgetragen. Das Papier war kein Druck, es war ein Original. Das sah Jonas auf den ersten Blick.

»Von wem stammt die Zeichnung?«, fragte er.

»Picasso«, antwortete Louise.

»Echt?«

»Klar, echt! Ich kann mich nicht erinnern, dass mein Vater jemals eine Fälschung erworben hat.«

Es gefiel ihr, wie Jonas gierig die neue Umgebung mit seinen Sinnen abtastete, wie er vor der Zeichnung stand und kaum vernehmbar das Wort *unglaublich* hauchte. Gleichwohl unterbrach sie im selben Augenblick seine Träumerei und ermahnte ihn, sein Hemd auszuziehen. »Bevor du dir eine Lungenentzündung holst …«

Jonas zog das Hemd aus der Hose und knöpfte es auf.

Die Wohnung hatte hohe Wände, die Decken waren mit Stuck verziert, der an wenigen Stellen Risse aufwies. Von den drei Türen auf der rechten Seite führte eine auf die Dachterrasse, die zweite ins Bad, die dritte in die Küche. Am Ende des Flurs thronte auf einer Gipssäule eine Skulptur aus Marmor, die ein Liebespaar darstellte. Jonas fragte nicht, wer der Künstler war. Er fürchtete, Rodin. Und für diese Antwort fühlte er sich zu schwach. *Ein echter Rodin!* Das Liebespaar war nackt und küsste sich leidenschaftlich. Am Fuß der Säule tanzten ein paar Staubbälle, als freuten sie sich über das Liebesspiel der Marmorfiguren.

»Gefällt's dir?«, fragte Louise. »Nicht die beiden, das Apartment, mein ich.«

»Das *pied à terre*«, sagte Jonas leise, dabei lächelte er. Louise ging auf ihn zu. Mit beiden Händen griff sie nach dem Hemd und zog es über seine Schultern und Arme. Wie ein nasser Sack klatschte es auf den Holzboden.

»Ich gehe jetzt duschen … Und du …? Du machst unterdessen, was du willst.«

Louise verschwand ins Bad. Hinter der Milchglasscheibe der Tür sah Jonas die Silhouette ihres Körpers, er sah, wie sie ihren Pullover über den Kopf zog und dann mit beiden Händen hinter sich griff, um den Verschluss des geblümten Rocks zu öffnen. Als er sich von dem Bild abwandte, fiel sein Blick auf die noch offene Wohnungstür und den Koffer, der davor stand. Er holte ihn herein und trug ihn ins Schlafzimmer. Dort sah er auf ein großes Bett in einem Messingrahmen, er hatte noch nie ein so großes Bett gesehen. Mit der flachen Hand drückte er dreimal auf die Matratze, sie war weich. Auf einem kleinen Tisch neben dem Bett lag eine Illustrierte vom siebzehnten Januar des Jahres. Wahrscheinlich war das Apartment seit diesem Datum unbewohnt. Jonas nahm das Heft in beide Hände und ließ sich, ohne die Schuhe auszuziehen, auf die Matratze fallen. Er betrachtete das Titelbild der Zeitschrift. Zwei alte Männer standen aufrecht in einer offenen Limousine, einer von ihnen trug eine Uniform, der andere einen dunklen Anzug und eine gelbe Krawatte. Eskortiert wurden sie von berittenen Polizisten oder Militärs. Im Hintergrund der Fotografie jubelte das Volk. Jonas las laut die Zeile, die das Bild erklärte: *Sur les Champs-Elysées la France dit: »Merci, Monsieur Coty« et crie: »Vive de Gaulle!«* Er lachte über seine Aussprache. Er ließ das Heft auf seine Brust sinken und streckte die Arme nach oben. Mit den Händen hielt er sich an zwei Messingstäben des Kopfteils fest. Dann schloss er die Augen. Aus dem Badezimmer hörte er das Wasser der Dusche. Und Louise hörte er auch. Sie pfiff die Melodie von *Petite Fleur*, die er zum ersten

Mal zwei Monate zuvor auf Blahniks Jolle auf dem Müggelsee gehört hatte.

Was hatte sie nur mit ihm angestellt? Nichts in seinem Leben war mehr wie früher. Fifette, dachte er. Wieso hatte die Alte sie Fifette genannt?

Du kennst nicht einmal ihren richtigen Namen, Jonas Jabal!

Louise? So hatte er sie genannt. Aber wie nannten ihre Eltern sie? Wie hieß sie wirklich? Fifette, das war doch auch eine Erfindung.

Über diese Gedanken schlief Jonas ein.

Und als Louise ein paar Minuten später, nur mit einem weißen Handtuch bekleidet, das sie auf ihrem Kopf zu einem Turban gebunden hatte, in der Tür zum Schlafzimmer erschien, schlief er so fest wie ein Stein. Sie rief zweimal seinen Namen, Jonas! Jonas! Er rührte sich nicht. Sie lächelte und ging ins Zimmer nebenan. Von dort aus telefonierte sie mit ihren Vater. Sie sei gut angekommen, sagte sie. Und sie sei glücklich, überglücklich, weil er mitgekommen war.

»Wer?«, wollte ihr Vater wissen.

»Na, wer wohl, Paps … Jonas, natürlich, mein Maler.«

»Und wann stellst du uns ihn vor, diesen Jonas?«

»Ganz bald. Ganz sicher, Paps, ganz bald.«

Das Gespräch dauerte keine Minute. Louise kehrte darauf sofort ins Schlafzimmer zurück, setzte sich aufs Bett und sah Jonas lange an, bevor sie ihn berührte.

Wie ruhig er atmete! Wie zufrieden er im Schlaf wirkte! Er sah aus wie ein Kind. Sie nahm die Illustrierte und legte sie auf den Tisch. Die Haut seines Oberkörpers war so weiß, als habe sich noch nie ein Sonnenstrahl dorthin verirrt, kein Haar machte sich auf seiner blanken Brust breit. Louise fuhr ihm mit dem Zeigefinger über die Stirn, sie war feucht. Auch der Narbe unter dem rechten Auge verlieh der Schweiß einen feuchten Glanz.

Louise berührte sie, fuhr von dort über den Rücken der Nase, über das Kinn, den Hals, den pochenden Adamsapfel. Auf der rachitischen Brust ließ sie ihre flache Hand liegen. Sie spürte seinen Herzschlag, dem die Anstrengung der hundert Stufen immer noch ein wenig anzumerken war. Das Herz schlug zwar gleichmäßig, für ihr Gefühl aber immer noch zu schnell.

»Jonas!«, flüsterte sie. »Jonas!«

Er schlug die Augen auf. Sein Blick verriet, dass er nicht wusste, wo er war. Seine Hände lösten sich von den Messingstangen des Kopfteils. Er wollte ihr Gesicht berühren, ihre Lippen, alles …

»Nein, nicht, Jonas! Nicht bewegen! Leg die Hände zurück!«

Jonas tat, was Louise verlangte. Die Hand, die auf der Brust lag, wanderte zu seiner Hose. Louise öffnete den Verschluss, dann stand sie auf. Sie zog ihm die Schuhe aus und beugte sich über ihn, griff gleichzeitig unter den Bund der Anzughose und den der gerippten, weißen Unterhose.

»Nicht, nein«, rief Jonas. »Mach es nicht.«

»Doch«, antwortete Louise. »Doch, das muss sein, Jonas. Wenn man sich lieben will, muss das sein. Das musst du noch lernen.«

Sie zog einmal kräftig und hatte beide Hosen in der Hand. Sie warf sie auf den Boden neben die Schuhe und setzte sich wieder zu seiner Linken auf die Kante des Bettes. Seinen nackten Körper beachtete sie nicht, sie sah ihm in Augen, die linke Hand legte sie ihm wieder auf die Brust, die rechte suchte und fand hinter ihrem Rücken blind seinen Schwanz. Sie streichelte ihn, dabei spürte sie, wie er schnell in ihrer Hand wuchs. Jonas' Lippen zitterten, er atmete schwer. Louise genoss seine Unsicherheit, sie lächelte.

»Ist es wirklich das erste Mal?«, fragte sie. »Sag mir die Wahrheit.«

Jonas antwortete nicht, er löste seine Hände abrupt von den

Messingstangen. Wieder wollte er Louise berühren, doch sie fuhr ihn scharf an: »Leg sie zurück, Jonas, du bist noch nicht dran. Ich sag es dir, wenn es soweit ist.«

Dann wandte sie sich zu seinem Schwanz zu, sie sah ihn für einen Moment stolz an und sagte voller Bewunderung: »Oh, das ist ja unglaublich, das hätte Herr Eiffel auch nicht besser hinbekommen.« Sie lachte ein wenig dreckig und nahm ihr Werk in den Mund. Jonas griff zum Kissen, das neben ihm lag, und presste es sich vor Aufregung und Scham fest aufs Gesicht. Darunter schnaufte er vernehmbar. Nach einer knappen Minute erhob sich Louise und stieg aufs Bett. Sie hockte sich über ihn und ließ den Schwanz langsam in sich verschwinden.

Jonas schrie auf, er schleuderte das Kissen durch den Raum, dabei bäumte er sich auf, als sei er von einem Blitzschlag getroffen. Er keuchte, sein Kopf glühte. Und als er sich schließlich zurückfallen ließ, flüsterte Louise: »Jetzt, Jonas. Jetzt darfst du mich berühren.«

Während sie ihr Becken gleichmäßig auf und ab bewegte, beugte sie sich über ihn, nahm seine rechte Hand und legte sie sich zuerst auf den einen, dann auf den anderen Busen. Die Hand war feucht und zitterte.

»Greif zu, Jonas! Greif fest zu! Die beiden mögen das. Sie sind nicht zimperlich.«

Dreiundzwanzig

Es war Sonntagmorgen, der letzte im November. Es regnete. Sie stand am Fenster. Der Platz lag wie ausgestorben vor ihren Augen. Nur ein paar Taxis fuhren gelegentlich in die eine oder andere Richtung. Unverwüstlich, wie ein Wachmann, thronte Napoleon über allem. Charlie versuchte, den Punkt am Fuß der

Säule zu bestimmen, an dem Dan den Anlauf unternommen hatte, sie zu küssen. Sie hatte ihm den Kuss verweigert, ihn danach aber in die kleine Bar begleitet. Sie hatten sich stundenlang angeregt unterhalten, nähergekommen waren sie sich nicht. Am Ende des Abends, nachdem sie ihm während des Tanzes das Geständnis gemacht hatte, waren sie, vorbei an einem guten Dutzend Glitzerboutiquen, Arm in Arm den langen Korridor Richtung Ausgang hinuntergegangen. Am Empfang hatte Dan sich angeboten, sie mit dem Taxi in ihr Hotel zu begleiten. Sie hatte das abgelehnt. Nicht nötig, hatte sie gesagt, sie übernachte ohnehin nicht in der Rue du Bac.

»Wo dann?«, hatte er verdutzt gefragt.

»Ich bleibe bei Ihnen, Dan.«

An das Gesicht, das er auf diese Antwort gemacht hatte, würde sie sich noch lange erinnern. Zweifel, Schüchternheit, Freude, Angst, Begehren, Fassungslosigkeit – sie glaubte alles auf einmal in dem Blick erkannt haben.

Jetzt stand sie in einem weichen Bademantel mit dem goldenen Wappen des Ritz am Fenster, blickte vom zweiten Stock aus lächelnd auf einen der schönsten Plätze der Stadt und war zufrieden.

Obwohl sie in der Nacht zuvor ganz spontan, ohne groß nachzudenken, gehandelt hatte, glaubte sie, für sich alles richtig gemacht zu haben. Sie war ganz einfach ihrer Lust gefolgt. Sie hatte sich nicht gefragt, was er wollte, sie hatte getan, was sie wollte. Sie hatte ihn gezwungen, ihr Spiel zu spielen, schon auf dem Hotelflur, auf den Weg ins Zimmer. Als er versucht hatte, sie zu küssen, war sie ihm wie unter Napoleon ausgewichen.

»Nein, Dan«, hatte sie gesagt, einfach nur Nein, dabei war sie im selben Augenblick aber nicht davor zurückgeschreckt, ihm die Hand in den Schritt zu legen und einmal kräftig zuzudrücken. Sie wusste, dass das auch hätte schiefgehen können. Bei Nick See-

berg wäre es garantiert schiefgegangen. Seeberg war ein Schwäch-
ling, ein Schlappschwanz. Der hätte mit der Situation nicht umgehen können. Er hatte sechs Jahre lang nur das getan, was er
wollte. Und sie war so dumm gewesen, sein Spiel mitzuspielen.

Seeberg, der Idiot!

Louise hätte einen wie Seeberg nur ausgelacht.

Schäm dich, Charlie! Wieso hast du dir das so lange angetan?

Sie schüttelte sich, wandte sich vom Fenster ab und sah zum
Bett. In einem Berg von Kissen begraben lag Dans Kopf. Nur die
rotbraunen Haare sahen heraus. Sie musste lächeln. Dan hatte sie
in der Nacht zweimal geliebt, und das hatte er gut gemacht. Sie
ging zum Telefon und bestellte beim Roomservice zwei Milchkaffee, zwei Orangensaft, frisch gepresst, und zwei Hörnchen.
Dann griff sie in ihre Tasche und zog das blaue Notizbuch heraus, in dem die Visitenkarte von Max Noske zwischen den ersten
Einträgen lag. Ihr Blick fiel auf die Zeile: *Theresa!!! Sie muss noch
leben!*

Die Uhr auf dem Telefon zeigte zehn vor neun. Charlie wählte
Noskes Nummer, der nahm sofort ab. Sie entschuldigte sich, dass
sie ihn nicht nach Deauville begleiten konnte, sie fragte, ob er am
Montag noch einmal Zeit für sie habe. Nur zum Frühstück, antwortete er. Mittags müsse er zum Flughafen, er reise überraschend
nach New York. Man habe ihm einen Picasso angeboten, den er
schon lange für einen Sammler aus Südfrankreich suche. Sie verabredeten sich am Montag für neun Uhr in Noskes Wohnung am
Boulevard Saint-Germain.

Bevor sie auflegten, erzählte Noske noch, dass er das Schulheft
mit den Notizen gesucht und gefunden habe. Es lag tatsächlich,
wie vermutet, zusammen mit der Blutperle des Glasbläsers aus
Köpenick in einem verstaubten Schuhkarton im Keller. Er habe
darin geblättert, und noch einmal sei alles in ihm hochgekom-
men. Jonas' Tod, meinte er, sei ein Schulbeispiel für die Absur-

dität des Lebens. Den Begriff nannte er auf Englisch. Er sagte, *absurdity of life*. Charlie verstand nicht, warum. Überhaupt verstand sie den ganzen Satz nicht.

Nach dem Gespräch begann sie, ihre Kleidung zusammenzusuchen, das schwarze Twinset, den Rock in der gleichen Farbe, die hautfarbenen Strümpfe, den Büstenhalter, Seebergs Perlenkette. Sie legte die Sachen über den Arm und verschwand ins Bad. Unter der Dusche versuchte sie zaghaft, die Melodie von *Petite Fleur* zu pfeifen, es klang dilettantisch in ihren Ohren, aber sie war trotzdem stolz auf sich, dass die Töne ihr in Fleisch und Blut übergegangen waren. Bevor sie sich anzog, rieb sie ihren Körper mit Rosenwasser ein, das sie in einem Fläschchen mit dem Aufdruck *La rose du midi* zwischen den beiden Waschbecken entdeckt hatte.

Als sie angekleidet und geschminkt – sie hatte auch den Schönheitsfleck nicht vergessen – ins Zimmer zurückkehrte, saß Dan aufrecht in dem hohen Bett. Er hielt eine Schale Milchkaffee in einer Hand, mit der anderen schob er sich das letzte Stück vom Hörnchen in den Mund.

»Guten Morgen, Detective«, sagte er schmatzend.

»Guten Morgen, Dan.«

Charlie ging zum Bett, beugte sich über ihn und gab ihm einen flüchtigen Kuss auf die Wange. Die Stoppeln auf seinem unrasierten Gesicht kratzten, seine Haare standen zu Berge. Dan hielt Charlie an der Perlenkette fest und fragte, ob sie ihn etwa schon wieder verlassen wolle, jetzt, wo gerade alles so liebevoll begonnen hatte.

Sie nickte.

»Deauville?«

Sie schüttelte den Kopf.

Sie habe sich mit einer Freundin verabredet, antwortete sie, was nicht der Wahrheit entsprach, es war glatt gelogen. Sie wollte einfach nur mit Dan nicht übertreiben. Sie wollte die Kontrolle behalten, sie wollte bestimmen, wann was und ob überhaupt etwas passierte.

Auf einem runden Tisch stand ihr Frühstück. Sie tauchte das Hörnchen in den Milchkaffee und nahm einen Bissen. Während sie kaute, blickte sie sich suchend im Zimmer um, sie hob das Kissen von einem Sessel hoch, kickte mit dem Fuß den lachsfarbenen Mantel zur Seite, der neben der Eingangstür auf dem Boden lag, hockte sich auf die Knie und legte ihren Kopf auf den Boden, um unters Bett zu sehen.

Dan beobachtete sie. Ihm gefiel, wie sie gekleidet war, wie sie sich bewegte. In Gedanken verglich er sie mit Alexandra. Und er stellte sich die gleiche Frage, die Charlie sich in Bezug auf Seeberg gestellt hatte. Warum hatte er sich Alexandra nur angetan? Was war damals in ihn gefahren? Warum hatte er nicht auf seine Mutter gehört? Wie ein nasses Handtuch hatte Anna Baum ihrem Sohn die Wut auf diese Frau, dieses »oberflächliche, unsäglich dumme, impertinente Geschöpf« ins Gesicht geschleudert. Sie hatte kein Blatt vor den Mund genommen. Aber da war es schon zu spät gewesen, Alexandra trug bereits Ben unter ihrem Herzen, als Dan sie seiner Mutter vorgestellt hatte.

»Was suchen Sie, Detective?«

Am Fußende des Bettes schlug Charlie das Duvet zurück und ließ es wieder fallen.

»Was suchst du?«, wiederholte er. Er musste lachen, weil sie immer hektischer wirkte.

»Mein Höschen, Herrgott noch mal! Ich finde es nicht …«

Dan beobachtete sie noch eine Weile, bevor er ganz ernst, ohne einen Hauch von Ironie in der Stimme sagte: »Ich will mich nicht einmischen, ich mag mich ja auch täuschen, aber trotz der vielen Bloody Marys glaube ich mich ganz schwach zu erinnern, dass du keines getragen hast.«

Vierundzwanzig

Die Woche, Anfang Mai 1959, die Jonas zusammen mit Louise in Paris verbracht hatte, war die schnellste seines Lebens. Sie ging wie im Flug an ihm vorbei. Beide, sowohl Jonas als auch Louise, schienen sich zum Ziel gesetzt zu haben, alles aufzuholen, was der Maler in den Jahren der selbst auferlegten sexuellen Askese – vor allem dank Connie, der Frau des Schusters aus der Braunsberger Straße – verpasst hatte. Sie liebten sich fast ununterbrochen und überall, nicht nur in dem Apartment in der Rue de Varenne – auf dem Messingbett oder den goldschimmernden Dielen des Bodens, in der Küche, im Bad oder auf der Terrasse. Sie liebten sich auch in der Öffentlichkeit unter freiem Himmel, nachts im Stehen, neben dem Brunnen im Hof, sie liebten sich in den Tuilerien auf einer Parkbank vor einem kleinen See, und in der Mittagssonne liebten sie sich im Garten des Rodin-Museums, den Jonas für sich als einen der schönsten Orte der Welt entdeckt hatte.

Auch im Kino haben sie es getan, in der Nachmittagsvorstellung, sie saßen in der letzten Reihe des Odéon am Boulevard Saint-Germain und lenkten sich mit dem Liebesspiel von einem schlechten Film ab.

Louise wollte Jonas sogar einmal überreden, es auf der voll besetzten Terrasse des Cafés George V. auf den Champs-Elysées zu tun. Sie hatte sich auf seinen Schoß gesetzt und ihren Rock dabei weit über seine Hose fallen lassen. Sie hatte ihre Arme um seinen Hals gelegt und ihm ins Ohr geflüstert: »Sei kein Frosch, Jonas. Komm, lass es uns tun.«

Das war ihm dann aber doch zu viel gewesen, er hatte sich geweigert – aus Scham, nicht weil es ihm an der Lust mangelte. Seine Lust schien ihm in diesen Tagen schier unerschöpflich. Er verstand das selbst nicht und fragte sich, wo sie sich in den vielen Jahren der Enthaltsamkeit herumgetrieben hatte, er fragte sich das wie ein Kind, das sich danach erkundigte, was der Wind trieb, wenn er nicht wehte.

Jetzt übermannte sie ihn bei jeder Gelegenheit. Sogar, wenn er allein durch die Stadt lief, hatte er nichts anderes im Kopf als die körperliche Liebe. Überall wurde er an Louise erinnert. Wenn er auf einem Plakat in der Metro die Reklame für einen Hüftgürtel oder einen Büstenhalter sah genauso, wie beim Anblick der Beine von Odile, der Frau des berüchtigten Playboys Rubirosa, die er in der Illustrierten *Paris Match* entdeckt hatte.

Ein ganz besonderer Hort der Lust aber war für ihn das Rodin-Museum am Ende der Rue de Varenne. Am zweiten Tag des Aufenthalts in Paris stieß er zufällig auf diesen Ort, nachdem er in einer Sparkasse mit dem Emblem eines fleißigen Eichhörnchens über der Tür die vierzig Mark gewechselt hatte, die ihm von Max Noske heimlich zugesteckt worden waren.

Louise hatte zu dieser Zeit ihre Verabredung in dem Verlag, in dem sie im Sommer ein Volontariat absolvieren sollte. Für ein paar Stunden musste Jonas sich die Zeit also allein vertreiben.

Er schlenderte die Rue de Varenne in westlicher Richtung hinauf. Das Wetter war so schön wie am Vortag, und es sollte sich während des gesamten Aufenthalts auch nicht mehr ändern. Es war ungewöhnlich warm für die Jahreszeit, schon nach ein paar hundert Metern klebte die Kleidung wieder an seinem Körper – der weinrote Nikki-Pullover und im Schritt auch die Nietenhose. Doch die Hitze störte ihn nicht, er war zu sehr abgelenkt von der ihm immer noch neuen Umgebung, von der Gelassenheit der Menschen in den Cafés, von dem Reichtum der Auslagen in den Geschäften. Mangel herrschte hier nicht, an allen Ecken und Enden sah er nur Überfluss. Selbst die Papeterie neben dem Museum, in der er sich ein unliniertes Schulheft und fünf Bleistifte in verschiedenen Härten gekauft hatte, war ihm wie ein kleiner Palast vorgekommen. Allein für die verschiedenen Stapel von handgeschöpftem Papier hätte er ein Verbrechen begehen können.

Wie oft hatte er sich über das Material geärgert, mit dem er arbeiten musste!

Regelrecht erschlagen von Schönheit und Pracht war er dann aber kurz darauf, als er durch das Portal zur hochherrschaftlichen Villa ging, in der Auguste Rodin gelebt und gearbeitet hatte. Inzwischen war das Gebäude am Ende der Rue de Varenne das Museum des Künstlers geworden, den Jonas wie kaum einen anderen verehrte, seit die Sasse-Brüder ihn fast blind geprügelt hatten.

Zusammen mit dem Eintrittsticket erwarb der Maler aus Ostberlin am Eingang des Museums sieben hektographierte Seiten, die mit der Zeile *Le testament d'Auguste Rodin* übertitelt waren.

Jonas verdankte sein Wissen über und seine Liebe zu Rodin der Schlägerei mit den Sasse-Brüdern. Als Entschuldigung für die Tat seiner Söhne hatte Vater Sasse dem damals fünfzehnjährigen Jonas Jabal einen sowjetischen Bildband mit dem Werk Rodins zukommen lassen. Lisa Jabal wollte das Geschenk zuerst gar nicht annehmen, doch Jonas hatte darauf bestanden, es zu behalten. Für Rodins Skulpturen war er gern bereit gewesen, seinen Stolz zu opfern. Mindestens tausend Mal hatte er seitdem in dem Buch geblättert, und jedes Mal war er erneut ergriffen von der Schönheit des Werks.

Diese Ergriffenheit war aber nichts im Vergleich zu dem Gefühl, das ihm jetzt entgegenschlug, als er die Originale der Skulpturen in der Villa betrachtete. Noch nie in seinem Leben hatte er vergleichbar Erhabenes gesehen wie hier. Dabei waren es gar nicht so sehr die Abbilder von Menschen wie Papst Benedikt XV., Balzac oder Rodins *Denker*, die ihn den Bann zogen, es waren vor allem die Frauenfiguren und Liebespaare, die sein Herz schneller schlagen ließen, die kleine Marmorfee im Wasser zum Beispiel, die ihren Hintern so provozierend in die Höhe reckte, als wollte sie sich bespringen lassen, oder auch die *Heulende*, die so herzzerreißend weinte, dass Jonas sie am liebsten in den Arm genommen und getröstet hätte. Die Perfektion und Anmut der Werke raubten ihm schier den Atem.

Ganz besonders angetan war er aber von einer Skulptur, die zwei junge Menschen darstellte, ein Liebespaar. Das Mädchen saß breitbeinig mit angewinkelten Knien auf der Spitze eines Felsens, der Junge hockte anbetungsvoll vor ihr. Beide waren splitternackt. Wie gefesselt lagen seine Hände auf dem Rücken, sein Gesicht hatte er zwischen den Brüsten der Geliebten vergraben.

Der Blick des Mädchens erinnerte Jonas an Louise. Genauso wie sie schien das Mädchen aus schneeweißem Marmor das Heft in der Hand zu halten. Man sah der Skulptur an, wer der Stärkere von beiden war. Allein die Nonchalance, mit der sich das Mädchen während des Liebesspiel am Fuß kratzte, verriet schon alles.

Jonas war hingerissen von dem Werk, und während er es vor Erregung gezwungenermaßen leicht gebückt betrachtete, damit nicht jeder andere Museumsbesucher seines erhitzten Zustands sofort gewahr wurde, fragte er sich, ob Louise in diesem Augenblick dem Lektor in dem Verlag vielleicht schöne Augen machte. Spätestens seit sie den Bauernburschen hinter Pont-à-Mousson begegnet waren, ertrug er den Gedanken nicht mehr, dass sie von anderen Männern begehrt wurde. Und er bildete sich inzwischen ein, dass alle sie begehrten, und sie sich sogar in dem Gefühl zu sonnen schien.

Louise ist eine große Verführerin, eine Sirene, dachte er, nachdem er die Villa verlassen und sich in den Park des Museums zurückgezogen hatte. Für einen Moment nur versuchte er sie aus seinen Gedanken zu vertreiben.

Der Park war groß und schön, ein wenig englisch, überall blühten bunte Blumen, die sauber beschnittenen Hecken schienen in den Himmel zu wachsen. Er blickte nach oben. Um sich vor der Sonne zu schützen, legte er sich die flache Hand wie einen Schirm auf die Brauen. Über den Baumwipfeln entdeckte er die goldene Spitze des nahe gelegenen Invalidendoms, die ihn blendete. Aufgewühlt von der Schönheit des Ortes nahm er schließlich auf einer Holzbank vor Rodins *Höllentor* Platz. Er schlug das Schulheft auf, das er sich in der Papeterie gekauft hatte, und begann auf der ersten Seite mit dem weichsten der fünf Bleistifte das Tor zu skizzieren. Anstelle des *Denkers*, den Rodin in den Bronzeguss des Portals mit eingearbeitet hatte, zeichnete er Louise genauso, wie er es schon einmal in seinem Atelier getan hatte.

Die Skizze aus dem Atelier, die Max Noske entdeckt hatte, als er Jonas' Rucksack packte, und Louise im *Höllentor* sollten ein paar Wochen später als Vorlage dienen für das Gemälde *Louise im blauweiß gestreiften Leibchen*.

Nachdem er die Zeichnung beendet hatte, blätterte er die Seite um und schrieb auf die nächste die Worte: *Louise – ich fühle, sie ist mein Verhängnis. Sie ist eine große Verführerin, eine Sirene. Ich liebe sie, bedingungslos. Keine Sekunde kommen meine Gedanken mehr ohne sie aus ... Aber warum hat sie mich gewählt? Warum quält mich die Frage, dass sie mich verlassen könnte? Warum fühle ich mich in ihrer Gegenwart so stark und schwach zugleich? Manchmal glaube ich, sie lacht mich aus. Sie behandelt mich wie ein Spielzeug. Warum kann ich nicht ...*

Knapp zwei Seiten füllte er mit seinen Zweifeln, dann notierte er das Datum, schlug das Heft zu und machte sich auf den Weg nach Hause.

Ein paar Stunden später lagen sie nackt im Messingbett nebeneinander. Sie hatten sich geliebt. Louise war aufgekratzt, sie erzählte Jonas, wie gut es in dem Verlag für sie gelaufen war. Sie hatte die Zusage für das Volontariat bekommen. Vom fünfzehnten Juli bis fünfzehnten September konnte sie dort arbeiten, vielleicht sogar länger. Sie hatte scheinbar Eindruck auf den Lektor gemacht, nicht nur weil ihr Französisch perfekt war, sondern auch, weil ihr zwei deutsche Bücher eingefallen waren, die erst im Herbst erscheinen sollten, von denen sie aber durch einen Freund ihres Vaters, eines Münchner Professors für Literatur, gehört hatte – von der *Blechtrommel* eines gewissen Günter Grass und von den *Mutmaßungen über Jakob* eines gewissen Uwe Johnson, der gerade Ostberlin den Rücken gekehrt und sich im Westen der Stadt niedergelassen hatte.

»Du solltest auch von dort verschwinden, Jonas. Ich glaube, die Zeit drängt. Theresa und deine Mutter nimmst du am besten gleich mit. Deine Mutter bekommt im Westen sofort eine Arbeit, Krankenschwestern werden überall gebraucht.«

Jonas wirkte nicht sehr glücklich, als er die Worte hörte. Louise klang wie Max Noske. Sie spürte, dass sie einen Fehler gemacht hatte und lenkte schnell ab. »Und du«, fragte sie, »was hast du gemacht?«

Er erzählte ihr von seinem Spaziergang, von Rodin und dem Park, in dem er sich gesonnt hatte. Von dem Liebespaar und dem *Höllentor* erzählte er ihr natürlich auch, wobei er verschwieg, dass er sie anstelle des *Denkers* im Tor skizziert hatte.

Er hatte das Schulheft sofort, nachdem er nach Hause gekommen war, in seinem Rucksack versteckt. Auf keinen Fall wollte er, dass Louise die Skizze sah und erst recht nicht die naiven Zeilen las, die er voller dummer Selbstzweifel niedergeschrieben hatte.

Gezeigt hatte er ihr hingegen die sieben hektographierten Seiten, die er an der Kasse des Museums erstanden hatte. Der Text war auf Französisch verfasst. Jetzt fragte er sie, ob sie ihm erklären könne, was es mit dem *Testament* auf sich habe.

Louise nahm die Blätter und las, mindestens fünf Minuten lang folgte sie konzentriert den Gedanken Rodins. Jonas stützte seinen Kopf mit der rechten Hand ab und beobachtete sie dabei.

Er musste lächeln, weil sie wie ein Schulkind mit dem Zeigefinger unter den Zeilen entlangfuhr und gelegentlich sogar ihre Lippen dabei bewegte.

»Das ist gut«, sagte sie, nachdem sie mit der Lektüre fertig war, »das ist richtig gut.«

»Was ist gut?«

»Dieses Vermächtnis ... Er hat es für dich geschrieben, Jonas. Rodin hat es für dich geschrieben. Er war einundsiebzig Jahre alt. Das ist eine Gebrauchsanweisung für deine Arbeit.«

»Erzähl, was schreibt er?«

»Hier zum Beispiel«, Louise zeigte auf einen Satz. »Hier schreibt er: *Schlechte Künstler blicken immer durch die Brillen anderer.* Das tust du zum Glück ja nicht. Oder hier: *Keine Verstellungen, keine Verzerrungen, um das Publikum anzulocken! Einfachheit! Naivität!*«

Jonas lachte. »Das schreibt er?«

»Ja«, Louise freute sich, dass Jonas sich freute. »Und hier, hier sagt er sogar: *Le vrai art se moque de l'art. Die wahre Kunst pfeift auf die Kunst.*«

»Und was noch? Lies weiter!«

»Ich kann dir doch jetzt nicht alle Seiten übersetzen. Wenn du willst mach ich es – aber nicht jetzt. Morgen vielleicht oder übermorgen. Jetzt machen wir uns stadtfein und gehen feiern?«

»Feiern? Was denn feiern?«

»Na, uns natürlich, Jonas. Was sollten wir wohl sonst feiern? Wir feiern die Romanze des Jahrhunderts, die Wiedervereinigung von Ost und West. Wir sind die Avantgarde. Unsere Liebe wird die politischen Systeme zum Einsturz bringen.«

Louise sprang aus dem Bett, küsste ihn und lief ins Bad. Diesmal schloss sie die Tür nicht. Jonas hörte, wie sie pinkelte und gleich danach die Dusche aufdrehte. Und während sie wieder ihr Lied pfiff, nahm er noch einmal die hektographierten Seiten in die Hand und suchte den letzten Satz, den sie ihm übersetzt hatte. Er wiederholte ihn dreimal laut, wie ein Schauspieler, der eine Rolle übte.

»Le vrai art se moque de l'art.«

»Le vrai art se moque de l'art.«

»Le vrai art se moque de l'art.«

Dann stand auch er auf und zog sich an. »Einfachheit! Naivität!«, murmelte er und nickte.

Als Louise wenig später in ein weißes Handtuch gehüllt ins Schlafzimmer zurückkehrte, und er vor dem Spiegel versuchte, den widerspenstigen, rotblonden Schopf zu zähmen, sah sie ihn fassungslos an.

»Ich habe doch gesagt, wir machen uns stadtfein, Jonas!« Die Enttäuschung stand ihr ins Gesicht geschrieben. »Wir gehen gut essen und dann vielleicht auch noch in einen Jazzclub …«

»Ja, und?«

»Du musst dir etwas anderes anziehen. Diese Nietenhose, dieser weinrote Kinderpullover, das ist doch furchtbar, das passt einfach nicht. Wir sind in Paris und nicht im Wedding.«

»Ich habe nichts anderes. Die Anzughose ist vollkommen verdreckt, sie ist hinüber.«

»Die ist nicht hinüber. Wir bringen sie in eine chemische Reinigung, du wirst staunen, sie wird aussehen wie neu. Und jetzt komm mit …« Louise nahm ihn an die Hand und führte ihn in das erste Zimmer auf der linken Seite des Flurs. Ihre Füße hinterließen feuchte Spuren auf den Dielen. Sie öffnete die Tür. Der Raum lag im Dunkeln, ein dicker Samtvorhang verdeckte das Fenster, davor stand ein Schreibtisch. An der Wand auf der linken Seite nahmen zwei wuchtige Schränke fast ein Drittel des Raumes ein, in die Tür des ersten war ein Spiegel eingearbeitet. Louise zog den Vorhang zurück und machte das Fenster auf, Staub tanzte durch die Luft. Sie öffnete die rechte Schranktür.

Jonas betrachtete eine Fotografie, die in einem Perlmuttrahmen auf dem Schreibtisch stand. Darauf war ein junges Paar unter einem Baldachin zu sehen. Die Frau trug ein spitzenbesetztes Hochzeitskleid und einen Schleier, unter dem man ein glückstrahlendes Lächeln vermuten durfte, der Mann eine bunte Kippa und einen dunklen Anzug.

»Das sind meine Eltern«, sagte Louise, »sind sie nicht wunderschön? Und so verliebt sind sie! Findest du nicht auch?«

Jonas nickte.

»Mein Vater hat noch einen Vorteil, er liebt nicht nur meine Mutter, er ist auch dünn und ein Lulatsch, fast so lang wie du. Und es würde mich stark wundern, wenn du nicht in einen seiner Anzüge passt.«

Jonas warf einen Blick in den Schrank, er war baff erstaunt. Sieben Anzüge hingen dort nebeneinander, alle in schwarz oder dunkelgrau. Sie sahen aus wie neu. In dem Bord über der Kleiderstange lag ein gutes Dutzend weiße Hemden, und an einer Halterung, die in der Tür befestigt war, baumelte mindestens die gleiche Anzahl Krawatten, alle im selben Ton, alle in weinrot. Es roch nach Mottenkugeln.

»Wenn man das sieht«, sagte er, »mag man kaum glauben, dass dein Vater dieses Auto fährt.«

»Wie meinst du das?«, fragte Louise.

»Ein Mann, der sich so anzieht, fährt doch nicht in so einer knallroten Kutsche durch die Gegend.«

»Der Citroën ist mein Auto, Jonas. Er war der erste der Serie, Baujahr '55. Bis vor kurzem hat er meinem Vater gehört. Er hat sich einen neuen gekauft und mir den alten geschenkt. Ich habe ihn so rot lackieren lassen. Das passt doch viel besser zu uns. Findest du nicht auch? Früher war er pechschwarz.«

»Verstehe …«

»Trotzdem: mein Vater ist ein moderner Mensch, ob du's

glaubst oder nicht, und ich möchte, dass du jetzt einen der Anzüge probierst. Sie sind alle gut geschnitten, sieh mal, das schmale Revers. Vielleicht fehlen den Hosen zwei, drei Zentimeter. Aber das macht nichts, das ist modern. Die Amerikaner tragen nur solche Hosen. Auf die Krawatte kannst du ja verzichten. Die Farbe passt nicht zu dir. Da hast du Recht. Der Nikki ist wirklich furchtbar.«

Von diesem Moment an trug Jonas die ganze Woche hindurch nur noch die Anzüge, Hemden und Schuhe von Louises Vater. Der Schlaks sah gut darin aus, er wirkte mondän, wie ein Mann, der in die Metropole passte, der etwas zu sagen hatte. Besonders die lässige Art, wie er sich in der Kleidung bewegte, gefiel Louise. *Ganz anders als sonst,* dachte sie.

Zweifellos, er machte was her. Das teure Tuch, die handgenähten Budapester, sein nicht zu zähmendes, in der Sonne wie Feuer loderndes Kopfhaar erweckten die Neugier der Menschen. Jonas nahm es nicht wahr, aber überall, wo Louise und er auftauchten, zog er die Blicke auf sich. Egal, ob sie eine Kunstgalerie besuchten, in einem Café einen frisch gepressten Orangensaft tranken, oder er ihr in einem Bekleidungsgeschäft von seinem letzten Geld das blauweiß gestreifte Leibchen kaufte, das sie im Schaufenster an einer Puppe gesehen hatten, die Louise glich. Überall stand er im Mittelpunkt.

Auch in der Brasserie La Coupole, in der sie am Boulevard Montparnasse einkehrten, wurden sie bevorzugt behandelt, sie bekamen sofort einen Tisch, obwohl an der Bar noch ein Haufen Gäste darauf wartete, platziert zu werden. Jonas war fest davon überzeugt, dass sie das Louises Charme zu verdanken hatten, aber es war sein Verdienst.

Die Art und Weise wie er ungezwungen, seine linke Hand in der Hosentasche hielt und sich scheinbar gelangweilt in dem Raum umsah, so, als habe er es gar nicht nötig hier zu speisen, während Louise gleichzeitig um einen guten Tisch bat, nötigte dem Oberkellner des Restaurants Respekt ab. Jonas wirkte anders, als er sich fühlte, seine Unsicherheit kaschierte er, bewusst oder auch unbewusst, hinter weltmännischer Gleichgültigkeit, auf die Louise ihn erst aufmerksam machte, als sie bereits Platz genommen hatten. Er wirkte wie ein eleganter Bohemien mit einem dicken Portemonnaie in der Tasche.

So oder so ähnlich hatte Louise sich ausgedrückt.

Und an dieser Bemerkung entzündete sich dann auch die erste, kleine Streiterei zwischen den beiden in Paris.

Während der Reise haben sie sich zweimal gestritten.

In der Brasserie ging es dabei um das dicke Portemonnaie, das Jonas nicht besaß. Er sagte, es sei ihm unangenehm, dass sie so teure Orte aufsuchten, wo sie doch genau wusste, dass er kein Geld in der Tasche hatte.

»Geld! Was ist schon Geld?« Louise lachte. »Mein Vater sagt immer, Geld ist nichts anderes als bedrucktes Papier.«

Sie hob ihr Weinglas und wollte mit Jonas anstoßen. Doch der weigerte sich. Er war wütend und antwortete: »So können nur Leute reden, die genug davon haben. Das ist zynisch.«

»Sei nicht albern, Jonas. Was soll denn daran zynisch sein? Das ist großzügig. Geld ist immer nur das, was man damit macht. Und glaub mir, mein Vater ist das Gegenteil von einem Zyniker, er ist überglücklich, wenn er uns glücklich macht. Er will dich übrigens endlich kennenlernen, das hat er mir am Telefon gesagt.«

Jonas schwieg und las in der Karte, die er nicht verstand.

»Außerdem, du hast vielleicht kein Geld, aber du hast Kapital.«

»Wieso das denn?« Jonas sah auf.

»Du arbeitest hart. Eines Tages werden deine Bilder dich reich machen. Und wenn du sofort Geld haben willst, hier …« Louise griff in ihre Tasche, zog ein Bündel Scheine heraus und warf sie auf die weiße Tischdecke.

»Nimm sie, das sind über fünfzigtausend Franc, fast fünfhundert Mark, ich kauf dir damit das Selbstporträt ab. Du machst mich glücklich, wenn du es mir verkaufst ... Verkaufst du's mir?«

Jonas zeigte ihr einen Vogel, dabei lächelte er.

»Ich schenke es dir.«

»Siehst du, und weil ich nicht malen kann, schenke ich dir Paris. Das ist doch nur fair, das ist doch nur ein ganz normales Tauschgeschäft, und wenn man sich liebt, eine Selbstverständlichkeit.«

Fünfundzwanzig

Charlie saß im Taxi vom Flughafen nach Hause. Es war Montagabend, es nieselte, der Asphalt glänzte, im Auto roch es nach Knoblauch und Zwiebeln. Der Fahrer sprach kein Wort deutsch. Charlie musste dreimal Mommsenstraße sagen, bevor er verstand, wohin sie wollte.

Auch wenn sie nur ein paar Tage die Stadt verlassen hatte, bei der Rückkehr wurde ihr immer schwermütig ums Herz. Das Gefühl kannte sie schon, aber dieses Mal litt sie besonders. Sie fragte sich, was die Besucher wohl dachten, die zum ersten Mal die Strecke fuhren, vorbei an den Fritten- und Dönerbuden, an den Pornoläden und versifften Striptease-Clubs, vorbei an Lidl und Schlecker.

Sie fragte sich, warum sie selbst nicht in einer Stadt am Meer lebte, warum sie ausgerechnet hier hängengeblieben war. Seeberg allein konnte sie dafür nicht die Schuld geben.

Erst als der Fahrer links in den Kurfürstendamm einbog, fühlte sie sich ein wenig heimischer. In den Platanen leuchteten tausende von kleinen Glühbirnen. In nicht einmal vier Wochen war Weihnachten.

Wenn der Fahrer nach rechts abgebogen wäre, hätten sie nach fünf Minuten die Bismarckallee erreicht. Dan hätte sich sicher gefreut. Sie sah ihn vor sich – mit seiner Mutter allein in dem großen Haus. Er hatte drei Mal versucht, Charlie zu erreichen, nachdem sie am Sonntag das Ritz verlassen hatte. Sie hatte die Anrufe nicht angenommen. Sie wusste nicht einmal, warum. Sie hätte sogar gern mit ihm geredet, aber irgend etwas hatte sie davon abgehalten. Vielleicht war es sogar Alexandra gewesen.

Wieso hatte er sich mit dieser Frau eingelassen? Konnte man sich zuerst mit Alexandra einlassen und danach mit ihr?

Das passte doch einfach nicht.

Sie hatte den Sonntag allein verbracht, war ins Museum und ins Kino gegangen, und am Abend hatte sie in La petite Chaise in der Rue de Grenelle gegessen, dem angeblich ältesten Restaurant der Stadt. Danach hatte sie sich sofort auf den Weg ins Hotel gemacht und sich schlafen gelegt.

Am nächsten Morgen war sie dann zu Max Noske aufgebrochen, der sie mit offenen Armen wie eine alte Freundin empfing. Er trug einen grauen Morgenmantel mit seinen Initialen in geschwungener, lateinischer Schrift auf der Brust. Sein Apartment am Boulevard Saint-Germain war eine Zimmerflucht, die Wände waren mit Kunst gepflastert. Charlie kannte viele Bilder oder konnte sie zumindest den Künstlern zuordnen, die sie gemalt hatten. Noske hatte sich ein kleines Museum aufgebaut. In dem Salon, in dem sie frühstückten, hing neben einem Gemälde aus Immendorfs Café-Deutschland-Serie ein Porträt des Galeristen.

»Das ist doch auch von Jabal«, sagte Charlie und zeigte auf das Gemälde an der Wand.

»Ja, ein ganz früher Jabal.« Noske lächelte. »Jonas hat es gemalt, als er sechzehn war. Er hat es mir zum siebzehnten Geburtstag geschenkt. Ich war damals sehr stolz.«

»Und Sie haben es nicht verkauft?«

»Die Vorstellung, ich hänge bei irgendeinem Idioten an der Wand, lässt mich schaudern. Daniel Baum hat mir viel Geld dafür geboten. Aber das Gemälde ist unverkäuflich.«

Der junge Noske trug Boxhandschuhe. Sein linker Arm verdeckte einen Teil seines Gesichts. Schweißperlen liefen über seine Stirn. Der Oberköper glänzte. An der Wange war eine kleine Platzwunde zu erkennen. Noske war muskulös. Unter der enggeschnittenen Turnhose zeichnete sich der Umriss seines Geschlechts ab. *Er sieht sehr sexy aus*, dachte Charlie. Das war ihr schon aufgefallen, als sie ihn neben Jonas auf der Schwarzweißfotografie der Mommsen gesehen hatte. Und er schien ein gutes Körpergefühl zu haben, so wie er sich auf dem Gemälde bewegte.

Hatten Louise und Noske vielleicht was miteinander gehabt?

»Schade, dass sie mich gestern nicht begleiten konnten, Charlie. Es war ein schöner Tag am Meer. Die Sonne ist sogar rausgekommen.«

»Ja, ich hab es später auch bereut.«

Der Tisch war reich gedeckt. Eine Frau mit weißer Schürze brachte Kaffee in den Salon, Spiegeleier mit Speck und einen Brotkorb, in dem sogar deutsches Schwarzbrot lag.

»An das französische Frühstück habe ich mich nach fast fünfzig Jahren noch immer nicht gewöhnt. Wollen Sie auch Eier?«

»Nein, danke.« Charlie schüttelte den Kopf. Sie sah sich in dem Raum um und hoffte, irgendwo das Schulheft zu sehen.

»Greifen Sie zu, Charlie …«

Sie rührte mit dem Löffel ihren Kaffee um. »Was ich vorgestern vergessen habe, Sie zu fragen: Die Wunde am Mund, was hat es mit der auf sich?«

»Die Wunde? Sie meinen die auf dem Porträt von *Louise*?«

Charlie nickte.

»Darüber möchte ich nicht reden. Ich sage Ihnen nur soviel: Es war alles ein großes Missverständnis. Louise hatte es faustdick hinter den Ohren. Als Frau war sie überhaupt nicht mein Fall, jedenfalls nicht von ihrer Art her. Sie war ein ganz verwöhntes Geschöpf. Sie fuhr mit einer Luxuskarosse durch die Gegend, und wir wussten oft nicht, ob die Kartoffeln über den Winter reichten. Trotzdem: wir, also Louise und ich, hatten ein gemeinsames Interesse. Wir wollten, dass Jonas das Land verließ. Da waren wir uns einig. Jeder von uns hatte seine Gründe dafür. Das haben wir sehr schnell herausgefunden. Und so haben wir einen Pakt geschlossen, wir waren sozusagen eine kleine Zweckgemeinschaft.« Noske machte eine kurze Pause, bevor er fortfuhr. »Aber als Frau war sie für mich Luft. Die Amerikaner haben für Mädchen wie sie ein passendes Wort: Cockteaser.«

»Cockteaser?«

»Ja, sie war ein Cockteaser, eine kleine Scharfmacherin, wenn Sie verstehen, was ich meine.«

Und dann erzählte Noske von dem zweiten Streit zwischen Louise und Jonas während des Paris-Aufenthalts, von dem Abend, als sie Boris Vian getroffen hatten und in einen Jazzclub gegangen waren. Louise war in dieser Nacht außer Rand und Band gewesen. Noske sagte, er habe das gerade noch einmal in dem Schulheft nachgelesen.

»Haben Sie das Heft hier?«

»Ja, es liegt nebenan.«

»Darf ich es sehen?«

»Aber nur sehen, nicht lesen.« Noske stand auf und holte das Heft aus dem Nebenzimmer.

Während Charlie es in der Hand hielt, blieb er an ihrer Seite stehen. Es war ein dunkelgraues Din-A5-Heft, auf dem weißen Etikett stand: *Für Mutter.* Wahrscheinlich waren das die letzten

Worte, die Jonas geschrieben hatte. *Für Mutter*. Charlie schlug die erste Seite auf.

»Nicht lesen!«, sagte Noske.

»Ich sehe mir nur die Zeichnung an. Sie haben mir doch schon davon erzählt.«

Charlie betrachtete das *Höllentor*, sie musste schmunzeln, als sie auf dem vergilbten, etwas brüchigen Papier anstelle des *Denkers* Louise entdeckte, breitbeinig und wild. Rodin hätte die Fälschung sicher gefallen. Dann blätterte sie noch mal um und las die ersten Zeilen, die Jonas in einer kindlichen Schrift zu Papier gebracht hatte: *Louise – ich fühle, sie ist mein Verhängnis. Sie ist eine große Verführerin, eine Sirene. Ich liebe sie, bedingungslos. Keine Sekunde kommen meine Gedanken mehr ohne sie aus …*

Noske nahm ihr das Heft aus der Hand. »Ich will nicht, dass Sie das lesen, Charlie. Wirklich nicht.« Er klang bestimmt. »Sie werden es doch nur falsch verstehen. Alle hätten es falsch verstanden. Deshalb habe ich das Heft damals eingesteckt, nachdem ich Jonas in seinem Blut auf der Chaiselongue gefunden habe. Ich musste mich vor seinen Einbildungen schützen.«

»Er hatte eine ganz kindliche Schrift«, sagte Charlie.

»Er war ein Kind. Alle Maler sind Kinder. Matisse hat noch mit achtzig Jahren seine Freunde aufgefordert, mit ihm Verstecken zu spielen und *Reise nach Jerusalem*.«

Als sie sich eine halbe Stunde später verabschiedeten, sagte Noske, dass er zum ersten Mal Heimweh nach Berlin habe, und dass das Charlies Schuld sei. Er sei oft in Deutschland gewesen, in Köln, Hamburg, Düsseldorf und München – Berlin habe er aber immer gemieden. Er werde aber bald kommen und sich bei ihr melden, damit sie ihm das Ostpreußenviertel von heute zeigte, die Liselotte-Herrmann-Straße, die Gedenktafel und den Knotenpunkt.

»Sie zeigen mir doch das neue Berlin?«

Charlie nickte. »Gern, Max. Sehr gern …«

Und dann zog er aus der Tasche seines Morgenmantels die Glasperle mit der Blutmischung und reichte sie ihr. Charlie war verwirrt. Was sollte das? Plötzlich hielt sie den Blutcocktail von Jabal und Noske in der Hand, die kleine Kugel an der Nadel, die sich beide vor über einem halben Jahrhundert in Köpenick von einem Glasbläser hatten anfertigen lassen.

»Sagen Sie jetzt nichts, Charlie. Nehmen Sie die Perle, aber sagen Sie nichts. Vielleicht bringt Sie Ihnen ja Glück. Vielleicht hilft Sie Ihnen, *Louise* zu finden.«

Schweigend steckte sich Charlie die Nadel ans Revers des lachsfarbenen Mantels.

Als sie im Taxi in Tegel saß, rauschte das Frühstück noch einmal im Zeitraffer vor ihren Augen vorbei. *Für Mutter,* dachte sie. *Für Mutter* stand auf dem Etikett des Schulhefts. Noske hatte damals also wirklich die Chuzpe besessen, Lisa Jabal die letzten Worte ihres Sohnes zu rauben. Wahrscheinlich hatte Jonas in dem Heft sogar einen richtigen Abschiedsbrief an seine Mutter geschrieben.

Charlie war übel. Sie ertrug den Geruch im Wagen nicht mehr. Am Adenauerplatz entschloss sie sich, nicht sofort nach Hause zu fahren, sondern zuerst in der Lietzenburger vorbeizuschauen. Vielleicht waren die Reporter noch da. Außerdem lag ihr Laptop im Büro, sie wollte Lenôtre googeln.

»Ich habe mich anders entschieden«, sagte sie zum Fahrer. »Setzen Sie mich in der Lietzenburger Straße ab.«

Der Fahrer schien nicht zuzuhören. Als sie merkte, dass er am Olivaer Platz geradeaus fahren wollte, schrie sie: »Jetzt rechts!«

Der Fahrer riss das Steuer herum. Fast hätte er einen Bus gestreift.

Charlie wusste nicht, warum sie so geladen war. Eigentlich hatte sie in den drei Tagen viel erreicht. Sie hatte sich nach dem

Frühstück sogar noch die D'Artagnan-Stiefel aus ganz weichem Leder in dem Geschäft mit dem Eisbären gekauft. Fast neunhundert Euro hatte sie dafür hingeblättert. Dabei war sie sich sehr verwegen vorgekommen. Es war die erste größere Anschaffung, die sie von ihrem eigenen Geld getätigt hatte, seitdem sie von Nick Seeberg getrennt lebte.

Als sie jetzt über den Flur zu ihrem Büro ging, war ihre Laune auf dem Nullpunkt. Und als sich vor dem Massagesalon der Geruch der Zwiebeln und des Knoblauchs, den sie immer noch in der Nase trug, mit dem der toten Spermen, des billigen Parfums und der fernöstlichen Gewürze mischte, musste sie fast kotzen. Sie sah auf die Tür des Salons. Das gelbe Polizeisiegel über dem Schloss war eingerissen. Charlie hatte überhaupt nicht mehr an die tote Hure gedacht.

Sie ärgerte sich, dass sie den Umweg über das Büro gemacht hatte. Erst als sie Licht bei den beiden Reportern sah, beruhigte sie sich.

Ohne anzuklopfen öffnete sie mit Schwung die Tür. Mike fiel vor Schreck die Lakritzstange aus dem Mund. Frank bekam nichts mit. Er saß mit dem Rücken zu Charlie und trug Kopfhörer in den Ohren.

»Ah, Charlie – endlich. Es war einsam ohne dich hier.«

»Keine Witze, Mike! Bitte, keine Witze jetzt!«

»Hast du uns denn etwas Schönes mitgebracht aus der Stadt der Liebe?«

»Kommt drauf an …«

»Ah, verstehe …« Mike lachte, er ließ seine Füße vom Tisch fallen und stand auf. Aus dem Drucker zog er einen Stapel Papier. Er suchte eine Seite heraus und reichte sie Charlie.

»Gerade eingetroffen. Frisch aus der Presse.«

Charlie warf einen Blick auf das Blatt und lächelte. Sie las die ersten Zeilen:

Theresa Neidhardt, geboren 1945 in Berlin/Ost unter Jabal.
Adresse: Froschaugasse 28, 8001 Zürich. Mail: tneidhardt@swisson-
line.ch, Telefon …

Es folgte fast eine ganze, engbeschriebene Seite. Charlie war vollkommen überrascht.

»Chapeau, damit habe ich jetzt nicht gerechnet.«

»Und?«, fragte Mike fordernd. »Das Mitbringsel?«

Charlie bückte sich und zog aus der Tüte, in der ihre Stiefel verstaut waren, eine Flasche Cognac heraus.

Sechsundzwanzig

Ernsthafter als die Kabbelei ums Geld in der Brasserie Coupole war der Streit, den Jonas und Louise zwei Tage später austrugen.

In der Nacht von Freitag auf Sonnabend – sie kamen erst gegen drei Uhr nach Hause – begann Jonas, während sie sich die Treppen zum *pied à terre* hinaufquälten, Louise plötzlich eine Szene zu machen. Er warf ihr vor, dass sie zu wild getanzt habe. Von allen Seiten sei sie angestarrt worden, und geflirtet habe sie auch. Mit jedem.

»Sei nicht albern, Jonas. Du hast dich genauso gut amüsiert wie ich, auch wenn du nicht getanzt hast. Der kleinen Marianne hast du jedenfalls schöne Augen gemacht. Ich hab's genau gesehen. Und sie dir auch.«

»So ein Quatsch! Ich habe mich mit ihr unterhalten, weil sie die Einzige war, die deutsch sprach. Aber du, du hast getanzt … man konnte alles sehen.«

Louise lachte. Sie war ein wenig beschwipst. »Was konnte man sehen?«

»Na, alles eben. Deine Beine, deine Strümpfe … Sogar deinen runden Hintern. Eben alles! Das war schlimmer als ein Striptease.

Du hast dich wie ein leichtes Mädchen benommen, wie eine richtige Bordsteinschwalbe. Und Boris hast du sogar geküsst … lange, auf den Mund.«

»Bordsteinschwalbe!« Louise lachte laut auf. »So ein Unsinn. Ich habe ihm beim Abschied einen Kuss auf den Mund gegeben, ja. Das war's aber auch. Weißt du, wie alt er ist? Herr Gott noch mal, Jonas! Als ich zwei Jahre war, hat er mich gefüttert. Er war fast zwanzig. Es gibt eine Fotografie davon. Ich werde sie dir zeigen, wenn wir wieder in Berlin sind. Er ist ein Freund der Familie. Seine Eltern haben meinen Eltern und mir wahrscheinlich das Leben gerettet. Und nun verdirb uns nicht den schönen Tag, ich glaube nämlich, es war ein ganz besonderer Tag für uns. Ich glaube, du hast mir heute ein Baby geschenkt.«

Jonas blieb zwischen dem vierten und fünften Stock stehen. Louise ging voraus. Er hörte sie kichern.

»Wie bitte?«, schrie er.

»Ja. Ich glaube es. Eine Frau fühlt so was. Heute war der Tag der Tage. Mach ihn jetzt nicht kaputt.«

Jonas glaubte ihr kein Wort.

Der Tag aber war tatsächlich schön gewesen. Louise war schon ganz früh aufgewacht, hatte sich aus dem Bett gestohlen, Hörnchen und eine Illustrierte gekauft. Danach hatte sie sich wieder an Jonas' Seite gelegt. Sie hatten zusammen gefrühstückt und in der Zeitschrift geblättert, auf der Romy Schneider und Alain Delon abgebildet gewesen waren. Die fette Zeile zur Fotografie lautete: *Ja, es ist Liebe!*

»Das ist wie bei uns«, hatte Louise gesagt. »Die beiden sind ein so schönes Paar – fast so schön wie wir.«

Am Nachmittag waren sie dann in Rodins Park gegangen. Jonas hatte darauf bestanden. Er wollte, dass Louise, die das Museum zu seiner Verwunderung nicht kannte, begriff, was Perfektion war, wahre Schönheit. Nicht Illustrierten-Schönheit. Mindestens zwei Stunden hatten sie sich dort aufgehalten. Jede Skulptur hatten sie besprochen, jede in Stein gehauene Zärtlichkeit. Und irgendwann, in einem Labyrinth aus beschnittenen Hecken, hatte sie ihn gepackt und gezwungen, sie zu lieben.

Sie genierte sich nicht, vor nichts.

»Hast du keine Angst, dass wir irgendwann einmal erwischt werden?«, hatte er sie später gefragt.

»Erwischt? Bei was? Erwischt werden kann man, wenn man etwas klaut oder einen Mord begeht. Aber nicht, wenn man sich liebt, Jonas.«

Am Abend überraschte sie ihn dann mit der Mitteilung, dass sie verabredet waren.

»Wieso hast du mir nichts davon gesagt?«

Jonas hasste derartige Überraschungen. Am liebsten war er mit ihr allein. Das musste sie doch wissen. Nachdem sie mit den Blahniks im Kino gewesen waren, hatte er ihr das doch schon zu verstehen gegeben. Und auch nach dem gemeinsamem Treffen mit Max Noske in Hennings Bierstube.

»Ich hab's vergessen.«

»Wie kann man so etwas vergessen?«

Während ihres Besuchs in dem Verlag, hatte Louise Boris Vian getroffen. Sie hatten sich stürmisch umarmt und für Freitagabend in der Pagode verabredet, einem kleinem Kino im siebten Arrondissement, wo auf einer Privatveranstaltung der Film eines jungen Franzosen vorgeführt werden sollte, der gerade in Cannes bei den Festspielen großen Applaus geerntet hatte.

Die Vians und Louises Familie kannten sich aus Kriegszeiten. Sie hatten sich 1938 in Paris kennengelernt und waren 1940, während des Überfalls der Deutschen auf die Stadt, zusammen nach Angoulême, in die Nähe der Atlantikküste geflohen. Damals hatten sich viele wohlhabende Pariser in diese Gegend abgesetzt.

Bis Louises Vater ein eigenes Haus mieten konnte, wohnten die beiden Familien sogar zusammen in der Villa der Vians.

1942 setzten sich Louises Eltern dann nach Amerika ab, wo sie bis zum Ende des Jahrzehnts blieben.

Louise sah Boris erst Anfang der fünfziger Jahre wieder, als sie und ihr Vater zum ersten Mal nach dem Krieg Paris besuchten. Er war bereits verheiratet mit einer koketten Französin aus der Charentes. Louise war damals gerade vierzehn Jahre alt und hatte sich während des Aufenthalts bis über beide Ohren in den Dichter verliebt. Jetzt, als sie Jonas davon erzählte, tat sie diese Verliebtheit als alberne Schwärmerei eines Teenagers ab. Er müsse sie sich, sagte sie zu Jonas, genauso vorstellen wie die kleine Mo Mommsen. So wie die in ihn sei sie in Boris verliebt gewesen, mit Haut und Haaren.

Doch Jonas traute Louise nicht. Er war eifersüchtig. Sie vergötterte Vian. Das hörte er aus jedem ihrer Sätze heraus. Sie beschrieb ihn als Tausendsassa, als Genie. Sie schwärmte von der Originalität seiner Romane, von denen sie fast alle gelesen hatte, von seinen Theaterstücken, den Gedichten und Liedern. Besonders *Le Déserteur* hob sie hervor, »die Hymne der Pazifisten«. Und bevor sie schließlich noch seinen messerscharfen Verstand lobte – »er ist eigentlich Ingenieur, Jonas« – erzählte sie, wie wundervoll er Trompete blies. *Trompinette*, sagte sie. »Er war einer der aufregendsten Jazzmusiker unserer Zeit. Leider darf er nicht mehr spielen. Die Ärzte haben es ihm verboten. Er hat ein schweres Herzleiden.«

Jonas bemühte sich, seine niedrigen Gefühle zu unterdrücken. Ihm schoss plötzlich durch den Kopf, wie er Louise Ende Februar in Hennings Bierstube gefolgt war, wie er sie mit dem Buch in der Hand am Tisch entdeckt hatte.

Ich wusste, du würdest kommen, Karotte.

»Damals bei Henning, als wir uns zum ersten Mal gesehen

haben ... der Roman, den du gelesen hast, war der nicht auch von ihm?«

»Richtig, ja, das war der *Herzausreißer*. Du musst die Bücher lesen, Jonas ... *Schaum der Tage, Ich werde auf eure Gräber spucken*. Das heißt ... ich weiß gar nicht, ob es die überhaupt auf deutsch gibt. Zur Not muss ich sie dir eben auch übersetzen – wie das *Testament*.«

Jonas stellte sich vor, wie sie das auf dem Messingbett tat und ihm dabei das Herz bei vollem Bewusstsein herausriss. Manchmal kam es ihm so vor, als legte sie es darauf an, als wollte sie ihn mit Lust quälen.

»Also, gehen wir in die Pagode heute Abend oder nicht? Sehen wir uns den Film an? Ja oder nein?«, fragte sie.

»Worum geht's denn da?«

»Um einen Jungen in einem Heim. Mehr weiß ich auch nicht. Der Film soll aber sehr gut sein, so ein Erziehungsdrama. Der Junge muss mitreißend spielen.«

»Von mir aus ... Okay, gehen wir da hin.«

Richtig glücklich schien Jonas nicht mit dem Vorschlag zu sein. Louise hörte Widerwillen in seiner Stimme.

Um halb neun betraten sie den Garten des Kinos in der Rue de Babylone. Gut dreißig Menschen standen dort schon herum. Es wurde Wein getrunken und viel gelacht. Alle ähnelten vom Aussehen und der Kleidung her Jonas und Louise, obwohl Louise ein wenig bunter angezogen war als die meisten anderen Frauen.

Sie trug einen weiten, weißen Rock mit roten Punkten, hohe Schuhe und unter einer dünnen Wolljacke das blauweiß gestreifte Leibchen, das Jonas ihr von seinem letzten Geld geschenkt hatte. In der Hand hielt sie eine Tasche, einen kleinen dunkelblauen Samtsack. Ihre Haare waren zum Pferdeschwanz gebunden, die Lippen knallrot angemalt. Auf der linken Wange darüber prangte der schwarze Schönheitsfleck. Ihre großen, grünen Augen strahlten wie die einer Katze im Zwielicht der Umgebung.

Lampions beleuchteten den Garten.

Jonas hatte eine Hand auf Louises Schulter gelegt, die andere steckte lässig in der Hosentasche des schwarzen Anzugs, den er sich von Louises Vater ausgeliehen hatte. Das weiße Hemd mit den aufgestickten Initialen RK war mit einer schmalen, schwarzen Krawatte gebunden, die Louise noch in einer Schublade gefunden hatte. Wahrscheinlich trug ihr Vater sie nur zu besonderen Anlässen, zu Beerdigungen oder Hochzeiten. Sie jedenfalls hatte ihn noch nie mit einer schwarzen Krawatte gesehen.

Jonas sah sich in dem verwilderten Garten um. Auf den Holzstelen entdeckte er Buddha-Köpfe, an der Wand der Pagode schreiende Fratzen, in den Fenstern einen bunten Drachen, der ihn an den chinesischen Paravent vor der Nähmaschine seiner Mutter im Atelier erinnerte.

Ein großer, hagerer Mann kam auf Louise zu, er nahm sie zärtlich in den Arm.

»Schön, dass du gekommen bist, Fifette.«

»Das ist Jonas, Boris. Mein Verlobter.« Sie strahlte.

Boris drückte Jonas die Hand und sagte ein paar Worte in fließendem Englisch. Jonas versuchte zu antworten, er stotterte. Mehr als ein gequältes *Hello* brachte er verständlich nicht über die Lippen. Er kam sich lächerlich vor. Er sprach keine fremden Sprachen, er hatte nur Russisch in der Schule gelernt.

Gelernt?

Er hatte am Unterricht teilgenommen. Das war es aber auch schon. Gelernt hatte er keinen geraden Satz auf Russisch, er hatte sich immer der Sprache verweigert.

Er dachte daran, wie er als Dreizehnjähriger seine Mutter belauscht hatte. Lisa Jabal hatte in der Küche gesessen und der dicken Hermine Evers, die immer auf »Adenauer und sein Pack« schimpfte, an den Kopf geworfen, dass die Russen die Schuldigen waren, nicht Adenauer, nicht die Amis, Stalin hätte ihren Mann ermordet und Jonas und Theresa den Vater geraubt.

Von diesem Tag an wollte Jonas nichts mehr mit ihnen zu tun habe. Die Russen waren für ihn seitdem im wahrsten Sinne des Wortes ein rotes Tuch.

Vian riss ihn aus seinen Gedanken. Der Schriftsteller legte seine Hand auf Jonas' Schulter und sagte: »Kommt, ich stelle euch den Freunden vor.«

Louise und Jonas schüttelten ein paar Dutzend Hände. Louise übersetzte für Jonas, wer die Menschen waren.

»Das ist Marlène«, sagte sie zum Beispiel, »sie arbeitet mit Boris bei Philips. Er ist dort für Jazz zuständig.«

Oder: »Das ist George, George hat vor kurzem einen kleinen Verlag gegründet, selber hat er aber auch schon einen Roman geschrieben.«

Oder: »Marianne hat gerade ihr Abitur gemacht. Sie will Geschichte und Germanistik in Berlin studieren. Wir müssen uns um sie kümmern.«

Oder: »Das ist Christian, ihm gehört zusammen mit Manou, die dort hinten neben dem Fenster mit dem Drachen steht, der Club L'enfer in der Rue Suger. Wir gehen nach dem Kino dorthin, das heißt, selbstverständlich nur wenn du Lust hast, Jonas.«

Jonas selbst stellte sie immer so vor: »Das ist Jonas, mein Verlobter. Jonas ist Maler, einer der besten Maler Deutschlands. Die Juli-Ausgabe der Berliner Kulturzeitschrift *Das Magazin* bringt einen großen Bericht über ihn.«

Ein Mädchen reichte Jonas und Louise Gläser mit Rotwein. Die beiden stießen an.

»Schade, dass Ursula nicht da ist«, sagte Louise, »Boris' zweite Frau. Ich habe sie vor ein paar Jahren zusammen mit meinem

Vater kennengelernt. Sie spricht deutsch, sie ist Schweizerin. Du hättest dich gut mit ihr unterhalten. Sie versteht viel von Malerei.«

»Er ist zum zweiten Mal verheiratet?«

»Ja, seine erste Frau hatte ein Techtelmechtel mit Sartre, das hat Boris gar nicht gefallen. Als er es herausbekam, hat er mit beiden gebrochen. Ich fand das ein wenig übertrieben. Aber er ist doch so treu, Jonas – ein bisschen so wie du. Und ein Gerechtigkeitsfanatiker ist er auch. Sartre und er waren zuvor richtig gute Freunde.«

Irgendjemand rief, dass die Vorstellung jetzt beginne.

Die Gäste drängten aus dem Garten ins Kino. Louise und Jonas nahmen in der Mitte des Saals auf den roten Sesseln Platz.

»Wieso hast du eben allen erzählt, dass wir verlobt sind«, fragte er.

»Na, weil es doch stimmt …«

»Das ist mir aber ganz neu.«

»Entschuldigung, ich hab's vergessen, dir zu sagen. Verflucht, ich bin so vergesslich! Aber heute Nachmittag zwischen den Hecken im Irrgarten des Museums habe ich mich mit dir verlobt. Und zwar gleich, nachdem wir … na, du weißt schon …«

Jonas verdrehte die Augen.

»Du musst jetzt gar nicht so tun. Es war eine sehr schöne Verlobung. Und ich bin eine sehr stolze Braut. Ich habe den besten Mann der Welt erwischt.«

»Der Bräutigam weiß ja nicht einmal wie du heißt – Louise, Fifette …«

»Wie bitte? Du hast dir doch Louise ausgesucht. Mir hat der Name gefallen, ja. Ich fand ihn schöner als meinen eigenen. Aber ausgesucht hast du ihn. Und hier in Frankreich nennt mich jeder Fifette, seit ich denken kann, ich weiß nicht einmal, warum.«

Jonas schwieg.

»Wenn du wissen willst, wie ich richtig heiße, hier …« Louise zog eine kleine Schachtel aus dem Samtbeutel, in der zwei Ringe lagen, die in ein weiches Samtpolster gesteckt waren. Sie nahm den größeren der Ringe zwischen Daumen und Zeigfinger, bat um Jonas' rechte Hand und steckte ihn ihm auf den Ringfinger. Dann verlangte sie, dass er das gleiche bei ihr tat. Er tat es mit zitternder Hand.

»Mein Name steht in deinem Ring. Für den Fall, dass du ihn wirklich wissen willst. Das Datum des Hochzeitstags hab ich noch nicht eingravieren lassen. Ich wollte den Termin nicht ohne dich bestimmen.«

Jonas betrachtete seine Hand. Es wurde dunkel, der Film begann.

Drei Stunden später saß er in dem Club L'enfer, einem verrauchten Kellergewölbe in der Rue Suger, auf einer Steinbank und spielte mit dem Ring, der etwas zu locker auf seinem knochigen Finger saß. Keiner der Gäste beachtete ihn. Der Rauch biss in seinen Augen. Eine Combo spielte Jazz. Louise wartete an der Bar auf die Getränke, die sie für Jonas und sich holen wollte. Um sie herum standen drei Männer und redeten auf sie ein, einer hatte seinen Arm um sie gelegt, ein anderer berührte einmal kurz ihre Nasenspitze. Aus der Entfernung wirkte es so, als machten alle drei ihr den Hof. Und Jonas bildete sich ein, dass sie die Aufmerksamkeit genoss. Sie lachte und wirkte ein wenig kokett.

Als sie merkte, dass er sie beobachtete, winkte sie ihm kurz zu, so als wollte sie sagen: *Hab noch einen Augenblick Geduld, Jonas. Ich bin gleich bei dir.* Er wandte sich um und versuchte sich noch einmal mit der Geschichte des Films abzulenken, die ihn wie alle anderen im Kino zutiefst berührt hatte. Während des Abspanns hatte noch lange Totenstille im Saal geherrscht, bevor tosender Applaus losbrandete und Bravorufe ertönten.

Vor seinen Augen spulte sich die letzte Szene ab. Die Jugendlichen aus dem Erziehungsheim bolzten auf einem trostlosen, hoch eingezäunten Fußballplatz herum. Irgendwann lief der Hauptdarsteller des Films, der junge Antoine, zum Zaun und kroch blitzschnell unter ihm hindurch. Dann rannte er los, er rannte, so schnell er konnte, er rannte und rannte, minutenlang, bis er schließlich vollkommen aus der Puste das Meer erreichte, das ihn stoppte.

Er war verloren.

Im Jazz-Club auf der Steinbank fühlte Jonas sich dem Jungen verwandt. Auch er hielt sich an einem Ort auf, wo er nicht hingehörte, auch er hatte große Lust wegzulaufen, auch er war verloren.

Er verstand Louise nicht, er begriff nicht, warum sie ihre Zuneigung so großzügig streute. Ja, er traute ihr plötzlich sogar nicht mehr, er bildete sich ein, dass sie einfach das liebte, was sie sich zurechtformte. So wie er seine Bilder malte, modellierte sie sich die Männer nach ihrem Geschmack. Wenn es an dem verregneten Februartag im Ostpreußenviertel nicht zufällig ihn getroffen hätte, dann wäre es eben in irgendeinem anderen Viertel irgendein anderer gewesen.

Jonas glaubte nicht mehr an das Besondere ihrer Liebe. Und das tat ihm weh.

Und als Louise sich dann auch noch von dem Verehrer, der ihre Nasenspitze berührt hatte, zu einem wilden Tanz verführen ließ, war er wirklich kurz versucht, sich wie Antoine im Film davonzumachen. Die beiden tanzten wild und ausgelassen, ein paar Mal warf der Verehrer sie dabei so über seine Schulter, dass ihr der weite, weiße Rock mit den roten Punkten fast über den Kopf fiel und sie zum Amüsement der Anwesenden halb nackt zu sehen war. Der Tanz wurde immer wieder von Applaus und anerkennenden Pfiffen begleitet, die in wahres Jubelgeschrei ausarteten, als die Musiker das Stück beendeten.

Hätte sich nicht die kleine Marianne neben Jonas gesetzt, er wäre wahrscheinlich wirklich auf und davon. Er hatte den Ring von seinem Finger abgenommen und spielte mit ihm in der Hand, als sie neben ihm auf der Steinbank Platz nahm.

»Habt ihr euch verlobt?«, fragte sie.

Jonas nickte.

»Glückwunsch! Fifette ist eine aufregende Frau, sie verdreht allen den Kopf …« Marianne zeigte auf den Ring. »Darf ich den mal sehen?«

Jonas reichte ihn ihr.

»Er ist ganz schlicht«, sagte sie. Sie drehte ihn zwischen den Fingern und kniff die Augen zusammen, um die Inschrift besser entziffern zu können.

»Annabelle. Fifette heißt in Wirklichkeit Annabelle?«

Annabelle, dachte Jonas. Seine Verlobte hieß also Annabelle. Marianne teilte ihm mit, wie Louise wirklich hieß.

»Warum nennt sie jeder Fifette?«, fragte sie.

»Ich weiß es nicht. Sie weiß es, glaube ich, selbst nicht. So-lange sie sich erinnern kann, nennt sie hier in Frankreich jeder Fifette.«

»Kennt ihr euch schon lange?«

»Seit Februar …«

»Ah, Februar – das ist nicht sehr lange. Ich glaube, deine Annabelle ist ein bisschen verrückt, Jonas. Das meine ich im gu-ten Sinn, versteh mich nicht falsch, natürlich nur im guten Sinn.«

Jonas ging nicht auf die Bemerkung ein. Die Musiker spielten inzwischen ein langsames Lied. Louise machte keine Anstalten, die Tanzfläche zu verlassen. Sie hatte ihre Hände auf die Schul-tern des Partners gelegt und ließ sich von ihm führen. Die beiden unterhielten sich, dabei lächelte sie fast ununterbrochen, auch dann noch, als der Tänzer ein zweites Mal mit dem Zeigefinger ihre Nasenspitze berührte.

Jonas' Blick schweifte immer wieder auf das Paar, während Marianne ihn ausfragte, was sie in Berlin erwarte, wenn sie im Herbst dort ihr Studium begann. Jonas antwortete fahrig und zusammenhanglos. Er hatte nur Louise im Kopf, er konnte nicht begreifen, warum sie sich so benahm. Ihm war übel vor Entsetzen, er fühlte sich verraten und verkauft. Hundeelend fühlte er sich. Marianne entging das nicht, sie hatte Mitleid mit ihm. Und obwohl es nicht ihre Sache war, fühlte sie sich sogar kurz versucht, dem jungen Mann, der ihr wie aus einer anderen Welt erschien, Trost zu spenden.

Erst als Boris Vian als letzter der Kinobesucher im Club auftauchte, entspannte sich Jonas' Gesicht merkbar. Die Gäste applaudierten, während der Dichter das Kellergewölbe durchschritt. Die Musik verstummte, Louise löste ihre Hände von den Schultern des Tänzers und begab sich zu Jonas. Sie umarmte ihn, küsste seine Wange und Stirn.

Irgendjemand rief: »Ein Lied, Boris! Nur ein einziges!«

Vian lächelte und schüttelte den Kopf.

»Nur ein einziges«, rief ein anderer, woraufhin ein rhythmisches Klatschen einsetzte, das Manou, die Besitzerin des Clubs, ebenfalls animierte, den Künstler aufzufordern, zu singen.

»Nur ein einziges, Boris! Bitte!«

Vian stieg auf die kleine Empore zu den Musikern. Seine Bewegungen wirkten ein wenig linkisch, fast schüchtern, was Jonas erstaunte. Vian stellte einen Barhocker in die Mitte der Bühne, und bevor er sich setzte, flüsterte er dem Pianisten etwas ins Ohr. Der Pianist begann ein paar Takte zu spielen, die anderen Musiker stimmten mit ein. Vian schlug die Beine übereinander und faltete die Hände auf den Knien. Wie Jonas trug auch er keine Socken. Seine Füße steckten nackt in teuren, handgenähten Schuhen.

»Er wird *Je bois* singen«, sagte Louise.

Vian klopfte mit der Spitze des Zeigefingers auf das Mikrofon. »Nur ein einziges, also«, sagte er. »*Je bois …*«

Dann machte er eine kurze Pause, bevor er zu singen begann.

Je bois
Systématiquement
Pour oublier les amis de ma femme

Und während er die ersten Zeilen sang beugte sich Louise zu Jonas herunter und flüsterte ihm ins Ohr, worum es in dem Chanson ging. »Es erzählt von einem Mann, der trinkt,« sagte sie, »um die Liebhaber seiner Frau zu vergessen, um überhaupt alles zu vergessen, die ganze Scheiße um ihn herum.«

Je bois
Systématiquement
Pour oublier tous mes emmerdements

Jonas drehte den Ring an seinem Finger und studierte das traurige Gesicht des Sängers auf der Bühne.

Später, im *pied à terre* in der Rue de Varenne, sah er dieses Gesicht Vians wieder vor sich. Der ganze Abend spielte sich noch einmal Revue vor seinen Augen ab, er sah Louises Tänzer, der zweimal ihre Nasenspitze berührte, er sah die Männer um sie herum, die ihr den Hof machten. Er hörte die kleine Marianne sagen, dass Louise ein bisschen verrückt war, im guten Sinn. Und er hörte Louise schließlich selbst vom Tag der Tage sprechen.

Im Flur des Apartments, vor der Skulptur der Liebenden, stellte er sie dann zur Rede.

»Sag, dass es nicht wahr ist! Sag, dass du nicht schwanger bist.«

Er war aufgeregt und sprach laut, seine Stimme überschlug sich.

Louise lachte.

»Warum hat der Mann zweimal deine Nasenspitze berührt? Sag schon. Warum hast du dir das gefallen lassen? Warum hat dir das gefallen?«

Louise lachte.

Jonas griff nach ihren Handgelenken und umklammerte sie so fest er konnte.

»Warum hast du mich solange allein gelassen?«, schrie er. »Sag schon!«

»Du tust mir weh, Jonas.« Louise stand mit weit aufgerissenen Augen vor ihm.

Sie lachte nicht mehr.

Teil Drei

Siebenundzwanzig

Am Morgen nach ihrer Rückkehr aus Frankreich, es war der letzte Dienstag im November, erwachte sie von einem Alptraum gepeinigt um kurz nach zehn. Sie hatte tief geschlafen und wusste im ersten Moment nicht, ob sie noch in Paris war oder schon in Berlin. Im Traum war ihr Louise erschienen, die ihr die teuren, hochhackigen D'Artagnan-Stiefel geklaut hatte und damit den Boulevard Saint-Germain vorbei am Café Deux Magots und Café Flore Richtung Nationalversammlung heraufgerannt war.

Charlie war außer sich vor Wut gewesen. Sie hatte Louise in den Converse mit den Totenköpfen verfolgt, und als sie das Mädchen trotz des geeigneteren Schuhwerks nicht einholen konnte, hatte sie geschrien: »Du ruinierst mir die Absätze, du Schlampe!«

Louise war daraufhin kurz stehen geblieben, hatte sich umgedreht und gelacht, sie hatte sich sogar gekrümmt vor Lachen, danach war sie weitergerannt. Und Charlie war nichts anderes übrig geblieben, als zu schreien: »Du glaubst wohl, du kannst dir alles erlauben, du Flittchen! Aber warte nur ab, ich krieg dich schon.«

Jetzt, als sie sich den Traum in Erinnerung rief, musste sie selbst lachen. Sie stand auf und öffnete das Fenster zur Mommsenstraße. Es schien nicht wirklich kalt zu sein. Der Türke gegenüber hatte sein Obst und Gemüse auf der Straße ausgestellt und die Menschen liefen leicht angezogen herum, der Himmel zeigte stellenweise sogar sein Blau.

Charlie machte sich einen Milchkaffee und vertrödelte den Rest des Vormittags, begleitet von *Petite Fleur* in der Endlosschleife, in ihrem kleinem Apartment. Sie sah sich noch einmal die Fotos aus der Liselotte-Herrmann-Straße an – die Fassade der Nummer 10, die Gedenktafel, Jonas' Zeichnung von Mo Mommsen mit den Sommersprossen und Zöpfen und natürlich auch Karin mit ihrer wasserstoffblond gefärbten Dauerwelle hinter dem Tresen des Knotenpunkts. Bei ihrem nächsten Treffen, das nahm sie sich fest vor, wollte sie der Wirtin, sobald die beiden einmal unter sich waren, die Wahrheit über die unmögliche Frisur sagen. *Manchmal muss man die Menschen einfach zu ihrem Glück zwingen,* dachte sie.

Nachdem sie das Fotoalbum in ihrem Rechner geschlossen hatte, googelte sie Max Lenôtre. Außer, dass der Mann ein bedeutender Kunsthändler war und einmal eine Anklage wegen Unterstützung einer Fälscherbande am Hals hatte, bei deren Verhandlung er freigesprochen worden war, erfuhr sie kaum etwas Neues, jedenfalls nichts, was ihre Suche nach *Louise im blauweiß gestreiften Leibchen* erhellte.

Auch was Theresa Neidhardt, geborene Jabal, betraf, war Charlie an diesem Morgen wenig erfolgreich. Sie hatte die von Mike herausgefundene Nummer in Zürich gewählt, und war am Anrufbeantworter gescheitert. Daraufhin hatte sie ihr ein Mail geschickt, sich als Kunsthistorikerin ausgegeben und geschrieben, sie sitze für einen betuchten Sammler, der ein Buch über die deutsche Nachkriegskunst bis 1960 herausgeben wollte, an einem längeren Aufsatz über ihren Bruder. Da es für sie in dessen Biografie noch einige Ungereimtheiten zu klären gab, bat sie in dem Mail um ein Treffen in Zürich.

Charlie wusste nicht warum, aber sie war sich sicher, dass Theresa ihr schnell antworten würde.

Am frühen Nachmittag verließ sie das Haus. Sie trug eine schwarze Lederjacke, einen dünnen, hellgrauen Rollkragenpullover und einen kurzen, schwarzen Rock, und da es nicht nach

Regen aussah, hatte sie sich auch getraut, die neuen Stiefel anzuziehen. Ihren Kopf hatte sie à la Louise hergerichtet, Pferdeschwanz und Schönheitsfleck auf der Wange.

Bevor sie den Autobus in den Osten bestieg, machte sie noch bei Butlers am Kurfürstendamm Halt, um einen Bilderrahmen für das Jugendfoto von Jonas Jabal und Max Noske mit den Sonnenbrillen zu kaufen, das Mo Mommsen ihr ausgeliehen hatte. Sie glaubte, sie würde der Alten damit eine Freude machen. Außerdem hatte sie ein schlechtes Gewissen, weil sie ihr die Fotografie später als verabredet zurückgab.

Um kurz nach eins klingelte sie bei der Frau in der Liselotte-Hermann-Straße 32. Der Enkel ihrer Schwester öffnete die Tür und sah durch Charlie hindurch.

»Frau Mommsen? Ist sie nicht da?«

Der Junge verdrehte seine Augen, als wollte er sagen: *Die schon wieder!* Wie bei ihrem ersten Treffen hatte er einen Kopfhörer im Ohr, der zweite baumelte auf der Brust des Böhsen-Onkelz-T-Shirt. Statt des Basecaps der New York Yankees trug er diesmal aber eines des Fußballclubs Union Berlin mit der Aufschrift *Eisern Union.* Charlie kannte den Club und erinnerte sich, dass Nina Hagen die Hymne sang.

»Ist sie auf dem Friedhof?«

Der Junge nickte. Charlie reichte ihm den Rahmen, den sie bei Butlers in grünem Geschenkpapier mit aufgedruckten goldenen und roten Sternen hatte verpacken lassen, und machte sich auf den Weg zum Friedhof der St.-Nikolai-Gemeinde. Sie hatte schon ein paar Mal daran gedacht, Jonas Grab zu besuchen. Sie hatte sogar schon auf dem Plan nachgesehen, wo der Friedhof lag, und aus dem Netz erfahren, dass auch Horst Wessel dort ruhte, dessen Vater einst Pfarrer der Gemeinde gewesen war. Sie hatte den Gedanken grausam gefunden, dass der Maler aus dem Ostpreußenviertel am selben Ort bestattet lag, wie der Mann, der dieses furchtbare Lied geschrieben hatte – *die Fahne hoch! Die Reihen fest geschlossen ...* Das hatte Jonas nicht verdient. Und Louise erst recht nicht.

Getröstet worden war sie später, als sie las, dass im Jahr 2000 eine Gruppe, die sich *Antifaschistisches Totengräberkomitee* nannte, alle Knochen der Familie Wessels geklaut und in der Spree versenkt hatte.

Der Friedhof sah romantisch aus, ein wenig heruntergekommen und verwildert, aber romantisch. Als Charlie bei der Verwaltung auf geschlossene Türen stieß, machte sie sich auf, das Grab des Malers allein zu finden. Sie lief länger als eine Viertelstunde die schmalen, mit feuchtem Laub gepflasterten Wege ab, sie lief an gewaltigen, eisernen Grab- und schlichten Holzkreuzen vorbei, an mit Efeu überwachsenen Mausoleen und Moos bedeckten stolzen Büsten und Skulpturen. Und wenn sie nicht irgendwann den silbern glänzenden Schopf von Mo Mommsen erspäht hätte, die mutterseelenallein mit hängenden Schultern auf einem Campingstuhl vor einem einfachen Holzkreuz saß, hätte sie wahrscheinlich noch Stunden damit zubringen müssen, das Grab des Malers zu finden.

Mo Mommsen hockte leicht vorgebeugt auf dem Klappstuhl, ihre von der Erde schmutzigen Hände hatte sie im Schoß gefaltet. Sie nahm Charlie, die inzwischen genau neben ihr stand, nicht wahr. Sie starrte auf die frisch gepflanzten, weißen Stiefmütterchen und träumte in einer anderen Welt.

Charlie betrachtete das Kreuz, auf dem, wie ein Brandmal, nichts anderes als der Name des Malers und die Jahreszahlen 1938 bis 1959 zu lesen waren. Bei dem Anblick kam ihr die Szene in den Sinn, wie Theresa Jabal während der Beerdigung die Pinsel ihres Bruders, die wie ein Blumenstrauß aus dem Jutebeutel herauswuchsen, ins offene Grab warf, und wie Lisa Jabal, von einem Nervenzusammenbruch geschüttelt, ihrem Sohn gleichzeitig die

Fragen auf der selbstgewählten Reise hinterher rief: *Warum hast du das gemacht, Jonas Jabal? Warum hast du uns das angetan? Warum?*

»Hallo, Frau Mommsen.«

»Guten Tag, Charlie.« Mo Mommsen antwortete, ohne sich umzudrehen.

»Hier verbringen Sie also Ihre Zeit. Ich war schon bei Ihnen zu Hause. Ich habe dem Enkel Ihrer Schwester die Fotografie von Jonas und Max zurückgegeben. Ich habe Max in Paris getroffen. Er lässt Sie herzlich grüßen und hat versprochen in den nächsten Wochen Berlin zu besuchen. Er hat Sehnsucht nach Berlin, er will wissen, was aus dem Ostpreußenviertel von damals heute geworden ist, aus den Menschen, aus Ihnen …«

Mo Mommsen antwortete nicht.

»Sind Sie oft hier, Frau Mommsen?«

»Jeden Tag, den Gott werden lässt.«

»Jeden Tag?«

»Jeden Tag, mein Kind. – Das heißt, vor sieben Jahren war ich einmal für eine Woche mit Bine und Felix, ihrem Mann, in der Sommerfrische auf Usedom. Man hatte bei Bine diese Krankheit entdeckt und ihr geraten, sich am Meer auszuspannen. In dieser Zeit habe ich Jonas allein gelassen. Und als ich noch gearbeitet habe, konnte es auch vorkommen, dass ich den einen oder anderen Tag mal nicht hier war. Ich hatte aber immer ein schlechtes Gewissen.«

»Sonst jeden Tag?«

»Jeden.«

»Was haben sie gearbeitet?«

»Ich war Sekretärin am Camille-Claudel-Gymnasium, früher Polytechnische Oberschule Werner Kube. Jonas hat dort sein Abitur gemacht. Ich glaube, ich habe nur wegen ihm die Stelle dort angenommen. Zu seiner Zeit hieß die Schule aber noch einmal anders, und im nächsten Jahr soll sie schon wieder anders heißen. Sie soll in Felix-Mendelsohn-Bartholdy-Schule umbenannt werden, habe ich gehört. Man lässt diese Stadt nicht zur Ruhe kommen. Das ist ihr Problem.«

»Machen Sie sich das Leben nicht unnötig schwer, wenn Sie nur Jonas im Kopf haben und immer hier sitzen? Sie müssen doch mal auf andere Gedanken kommen, Frau Mommsen. Es geht mich zwar nichts an, aber ich glaube, Sie müssen sich vom Leid befreien. Irgendwann, egal, wie alt man ist, muss man auch anfangen zu leben – ins Kino gehen, ins Theater. Oder vielleicht sogar zum Tanzen. Und was spricht dagegen, dass Sie sich noch einmal richtig verlieben? Ich meine, so richtig, dass sie die Schmetterlinge im Bauch spüren und die Erde bebt …«

Mo Mommsen schüttelte energisch den Kopf und lachte dabei. »Sie täuschen sich, Charlie. Ich leide nicht. Mache ich auf Sie den Eindruck, dass ich leide? Ich kann mir nichts Schöneres vorstellen als hier zu sitzen. Glauben Sie mir, Sie täuschen sich. Das Leben hat mir diesen Platz zugeteilt, und ich bin mit ihm sehr zufrieden. Es ist ein Logenplatz.«

Erst jetzt entdeckte Charlie auf dem Boden neben dem Campingstuhl einen Plastikbecher und eine Thermoskanne, aus dem die Etiketten von drei Teebeuteln heraushingen. Sie fragte: »Erinnern Sie sich noch, wann Sie Jonas das letzte Mal gesehen haben?«

»Ich habe Ihnen doch gesagt, ich sehe ihn jeden Tag. Wenn Sie allerdings meinen, wann ich ihn in Fleisch und Blut das letzte Mal …«

Mo Mommsen drehte sich zu Charlie um und sah sie an. Charlie nickte.

»… das war am späten Vormittag des zehnten Juli.«

»1959?«

»Wann sonst? Natürlich 1959, genau zwei Tage bevor Max ihn in seinem Blut gefunden hat.«

Achtundzwanzig

Der zehnte Juli 1959 war der Tag, an dem die sechzehnjährige Mo Mommsen wieder Hoffnung schöpfte, den Maler aus der Allensteiner Straße zurückzugewinnen. An diesem zehnten Juli triumphierte sie über das reiche Mädchen aus dem Westen, dem Jonas Jabal den Namen Louise gegeben hatte. Auch wenn der Anlass ein trauriger war, so fühlte sich Mo wie eine überglückliche Siegerin. Sie war an diesem Tag felsenfest davon überzeugt gewesen, dass die Nebenbuhlerin, die zu Jonas passte wie Feuer zu Wasser, für immer und ewig aus ihrem und natürlich auch seinem Leben verschwunden war.

An diesem zehnten Juli war es so brütend heiß gewesen, dass Mo und ihre Zwillingsschwester Bine schon um elf Uhr hitzefrei bekommen hatten. Um halb zwölf hielten sie sich in ihrer Küche im fünften Stock der Allensteiner Straße Nummer 32 auf und wärmten das Mittagessen, das ihre Mutter vorgekocht hatte. Während Bine am Herd die Kohlsuppe umrührte und abschmeckte, saß Mo mit angewinkelten Beinen, um die sie ihre Arme geschlungen hatte, auf der Fensterbank und beobachtete bei geöffneten Fenster das Atelier des Malers auf der anderen Straßenseite.

Sie sah Jonas, wie er nervös auf und ab lief, wie er ein paar Mal mit der flachen Hand gegen seinen Kopf schlug, wie er sich wie vor Schmerz krümmte und seine rotblonden Haare raufte.

»Komm mal her, Bine. Jonas ... Ich glaub, irgendetwas stimmt da nicht.«

»Lass Jonas endlich in Ruhe ...«, antwortete Bine. »Hast du immer noch nicht begriffen: Er ist nicht für dich bestimmt. Du bist nicht Peggy Sue, Mo. Begreif das endlich!«

»Nein, ich glaube, es ist ernst. Komm mal her. Ich glaube, er weint. Er wirkt total verzweifelt.«

Bine kam zu Mo ans Fenster und beobachtete das Schauspiel, sie sah, wie Jonas sich die Haare raufte und seinen Kopf mit Wucht gegen die Wand schlug.

»Du hast recht«, sagte sie, »irgendetwas scheint da nicht zu stimmen.«

Und als Jonas schließlich mit einem Pinsel ein rotes Kreuz auf die Scheibe malte, hüpfte Mo wie von der Tarantel gestochen von der Fensterbank. »Ich geh da jetzt rüber«, sagte sie. »Ich will wissen, was los ist. Er ist doch vollkommen verrückt geworden! Vollkommen verrückt!«

Keine drei Minuten später erlebte Bine vom Küchenfenster aus, wie Mo in das Atelier des Malers stürmte. Sie sah, wie Jonas ihrer Schwester erbost mit dem Finger die Tür wies. Sie glaubte, ihn sogar schreien zu hören. Doch Mo dachte nicht daran, zu verschwinden, wie festgenagelt stand sie breitbeinig in der Mitte des Raums auf den Holzdielen, hielt sich an den eigenen Zöpfen fest und sagte ruhig: »Ich bleibe hier, Jonas, bis du mir sagst, was los ist!«

Jonas antwortete ihr nicht. Mit zerzausten Haaren und dem Pinsel in der Hand lief er, wie ein hungriges Raubtier im Käfig, auf und ab. Seine Schritte wurden immer schneller, die Augen waren geschwollen, er atmete schwer. Die junge Mo bekam es mit der Angst zu tun.

»Was ist los, Jonas?« Ihr Blick schweifte vom feuerspeienden Drachen des Paravents auf ein Gemälde, das auf einer Staffelei neben der Chaiselongue ruhte. Mo erkannte sofort das Abbild Louises auf der Leinwand. Die Gleichgültigkeit ihres Gesichtsausdrucks erschreckte sie, das ganze Bild ekelte sie an, die schamlose Haltung der Beine, das blauweiß gestreifte Leibchen eines Rostocker Matrosenliebchens, alles … – sie war angewidert von der Frivolität, von der Mischung aus Ernsthaftigkeit und plumper Provokation. Damals konnte Mo Mommsen ihre Gedanken noch nicht in Worte fassen, heute, auf dem Friedhof, fast fünfzig Jahre später, war sie Charlie gegenüber dazu in der Lage. Sie fand das Gemälde einfach nur abstoßend. Damals fragte sie: »Ist sie der Grund, Jonas? Bist du wegen ihr so verzweifelt?« Dabei zeigte sie auf die Leinwand.

»Verschwinde!«, antwortete Jonas. »Hau ab, Mo!« Wie trunken hob er den Pinsel und malte Louise die Wunde um den Mund herum. Es dauerte nur ein paar Sekunden, und man konnte glauben, dass das Mädchen, das aus dem Westen kam und Mäntel aus Paris trug, Blut spuckte. Jonas warf noch einen kurzen Blick auf sein Werk, dann ließ er den Pinsel auf die Dielen fallen und legte sich auf die Chaiselongue. Mo betrachtete ihn noch eine Weile, sie verfolgte, wie seine Augen zufielen, wie sein Atem ruhiger wurde. Sie begleitete ihn in den Schlaf.

Bevor sie das Atelier verließ, gab sie ihm einen Kuss auf den Mund. Sie traute sich sogar, mit der Spitze ihrer Zunge ganz leicht über seine trockenen Lippen zu fahren. Danach öffnete sie die Knöpfe des karierten, kanadischen Holzfällerhemds, das vom Schweiß durchnässt war, und legte ihm noch für ein paar Sekunden die flache Hand auf die feuchte Brust. Als sie ging, musste sie lächeln. Und als sie wieder bei ihrer Schwester Bine in der Küche stand, und die sie fragte, was los war, antwortete sie: »Jonas hat Lippen so zart wie Pfirsichhaut. Louise ist Vergangenheit.«

Mo glaubte ganz fest daran: Sie hatte gesiegt. Louise war geschlagen.

Peggy Sue triumphierte.

Neunundzwanzig

Mit jedem Meter, den Charlie sich vom Friedhof entfernte, ging es ihr besser. Sie atmete tief durch und versuchte, Mo Mommsen aus ihren Gedanken zu vertreiben. Es gelang ihr nur schwer.

Schon nach dem ersten Besuch bei der Frau hatte sie sich unwohl gefühlt. Jetzt, nachdem sie sie vor dem Grab des Malers mit der Thermoskanne zu ihren Füßen erlebt hatte, war ihr fast übel vor Entsetzen. Sie konnte nicht einmal genau erklären, warum. Die Mommsen war nicht unglücklich, sie jammerte nicht, und das Schicksal, dass das Leben ihr zugedacht hatte, schien sie sogar dankbar und gottgegeben angenommen zu haben. Trotzdem, Charlie verstand nicht, wie es möglich war, Jahrzehnte an einen Toten zu verschenken.

Sie verstand den Schmerz der Trennung, weiß Gott, aber irgendwann musste auch mal Schluss sein. Am liebsten hätte sie die alte Mommsen geschüttelt, auch für ihre ungehörigen Äußerungen Louise gegenüber.

Erst, als sie in der U-Bahn am Rosa-Luxemburg-Platz saß, verschwamm das Bild der Frau vorm Grab des Malers langsam vor ihren Augen. Schon Louise zuliebe wollte Charlie mit der Mommsen ab jetzt nichts mehr zu tun haben. Sie hob ihren linken Fuß, um ein paar Blätter zu entfernen, die sie mit den spitzen Absätzen ihrer Stiefel aufgespießt hatte und ließ sie auf den Boden der Bahn fallen, dann zog sie ihr Handy aus der Tasche und drückte Daniel Baums Nummer. Fünfmal hatte er versucht, sie zu erreichen, seit sie aus Paris zurückgekommen war.

»Endlich«, sagte er, als er sie am Apparat hörte. »Ich hatte schon Angst, Sie …« Er zögerte kurz. »Du hast mich verlassen, Charlie. Wo bist du?«

»Ich sitze in der U-Bahn nach Hause. Ich war am Grab Jabals, zusammen mit der Mommsen. Sie hat mir verraten, wie es zu der

Wunde an *Louises* Mund gekommen ist. Jonas hat sie erst später hinzugefügt. Das Gemälde war bereits fertig, erst später hat er sie blutig …«

»Charlie!«, Baum schrie ins Telefon.

»Ja, Dan?«

»Vergiss den Maler, vergiss *Louise*. Ich will sie nicht mehr. Ich glaube, sie bringt kein Glück. Sie ist wie die Göttin, nach der Noske seinen Hund benannt hat … Die Göttin der Zerstörung, von der du erzählt hast … Wie hieß sie noch?«

»Kali.«

»Ja, Kali. *Louise* ist wie Kali. Sie hinterlässt verbrannte Erde. Sie bringt Unheil, kein Glück. Und ich will Glück, Charlie – verstehst du? Glück!«

Charlie lachte. »Wenn du Lust hast, komme ich auf einen Kaffee zu dir und bring eine Tüte voll davon vorbei. Bist du im Büro?«

»Nein, ich habe Ben von seiner Mutter abgeholt. Der Junge und ich sind in der Karl-May-Ausstellung an den Linden. Komm doch auch her. Ben ist begeistert. Ich habe ihm den Starschnitt von Winnetou gezeigt, den ich vor über vierzig Jahren an meiner Wand kleben hatte. Er wünscht ihn sich jetzt auch. Dieser Karl May war verrückt. Ich stehe hier gerade vor lauter Fotoalben. Er hat seine Leser aufgefordert, ihm Fotos zu schicken, er wollte wissen, wie die Leute aussehen, die seine Bücher lesen. Das ist doch vollkommen verrückt. Ich sehe hier hunderte von Fotos, alles Karl-May-Fans.«

»Das ist ja wie Facebook.«

»Ja, genau. Oder wie auf dem virtuellen Friedhof, auf dem auch Jonas Jabal begraben liegt. Komm her, Charlie. Sieh dir das an.«

»Nein, ich habe Karl May nie gemocht.«

Wieso kannte Dan den Friedhof im Netz? Hatte sie ihm davon erzählt? Charlie konnte sich nicht erinnern.

Die beiden verabredeten sich zum Nachtessen in der Bismarckallee. Noch in der U-Bahn beschloss sie, Dan seine Frau Alexandra zu verzeihen. Wahrscheinlich hätte er sich von ihr auch ein ganz anderes Bild gemacht, wenn er einen Abend lang mit Nick Seefeld zusammen gewesen wäre. *Du musst aufhören, mit zweierlei Maß zu messen, Charlie!,* sagte sie sich. Den Satz hatte sie früher oft von ihrem Vater zu hören bekommen.

Sie dachte daran, wie Dan in dem Hotel in der Rue du Bac auf sie gewartet hatte – stundenlang, wie er versucht hatte, sie unter Napoleon auf der Place Vendôme zu küssen, und wie sie seinem Verlangen ausgewichen war, sie dachte daran, wie liebevoll er seine Mutter in der Hemingway-Bar beschrieben hatte, und an sein verwirrtes Gesicht, als sie mit ihm aufs Zimmer ging, dachte sie natürlich auch.

Sie hatte ihn in der Nacht überrumpelt, so wie Louise oft Jonas überrumpelt hatte.

Jetzt saß sie in der U-Bahn in Berlin und vermisste Paris. Sie blickte in trostlose, graue Gesichter. Ein Mann in Anzug und Krawatte starrte auf ihre Beine, ein anderer schlief. Das Mädchen ihr gegenüber hatte seine Augen geschlossen und summte zur Musik eines mp3-Players. Die Fensterscheibe, an dem der Kopf des Mädchens ruhte, war mit dem Spruch *Mein Lippenstift ist wichtiger als Deutschland* zerkratzt.

Um kurz nach fünf verließ sie die U-Bahn am Zoo. Sie hatte noch bis sieben Uhr Zeit und überlegte, ob sie Nele, ihre beste Freundin, anrufen und auf eine Latte bei Caras einladen sollte. Sie hatte plötzlich Lust, sich jemandem anzuvertrauen. Sie wollte die Geschichte loswerden, dass der Zufall ihr einen Streich gespielt hatte, und sie dafür dankbar war. Sie wollte jemanden von Louise erzählen, von deren betörendem Charme und unglaublicher Chuzpe, und natürlich wollte sie auch ihr Abenteuer mit Daniel Baum in Paris nicht verschweigen, dem die Bank in der

Fasanenstraße gehörte – Baum & Baum, gleich neben dem jüdischen Gemeindehaus.

Doch diesen Gedanken verwarf Charlie schnell wieder. Nele hätte sie sicher heruntergezogen, irgendetwas wäre ihr eingefallen, um die Geschichte schlecht zu reden, um Charlie misstrauisch zu machen. Nele war gut in der Not, als Kümmerin und Trostspenderin – mit den Glücksgefühlen ihrer Freundinnen aber hatte sie noch nie umgehen können. Sie war gut in Zeiten der Krise, der Katastrophe. Wenn man bei einer Freundin einen Knoten in der Brust entdeckt hatte zum Beispiel, oder wenn eine andere von ihrem Mann verlassen worden war, dann lief sie zur Hochform auf, aber Stiefel für neunhundert Euro oder eine frische Liebe, damit wurde sie schlecht fertig – jedenfalls dann, wenn sie nichts damit zu tun hatte, wenn sie nicht die Strippen zog.

Charlie rief Nele nicht an. Sie beschloss, sich die Zeit, bis sie in der Bismarckallee erwartet wurde, allein zu vertreiben. Auf der Joachimstaler Straße bog sie am Kranzlereck rechts in den Kudamm ein. Bei Caras kaufte sie sich eine Latte to go. In dem Coffee Shop roch es nach Zimt. Mit dem Pappbecher in der Hand schlenderte sie über den Boulevard, in dessen Platanen tausende Lichter wie Glühwürmchen flimmerten, und betrachtete die Auslagen in den Geschäften. Immer wieder drehten sich Männer nach ihr um. Sie fragte sich, ob das an den neuen Stiefeln lag oder an ihrem Gang oder an beidem. Vielleicht lag es aber auch an Louise, dass sie plötzlich darauf achtete, wie sie auf Männer wirkte.

Vorm Hotel Californ'a entdeckte sie Yvonne, die sich in einem Lounge-Chair, eingehüllt in eine Pferdedecke unter einem Wärmepilz lümmelte und mit zwei Freundinnen Glühwein trank. Die Frauen kicherten. Charlie drehte ihren Kopf zur anderen Straßenseite, damit die Kosmetikerin, die ihr empfohlen hatte, sich die Falten wegspritzen zu lassen, sie nicht bemerkte.

Vor Fogal saß ein Zigeuner und spielte Geige. Bevor sie den Strumpfladen betrat, warf sie einen Euro in seinen Hut. Das hatte sie noch nie getan. In dem Laden kam eine kleine Verkäuferin mit geradem, blonden Pony auf sie zu und fragte, ob sie ihr helfen könne. Charlie erkundigte sich nach fleischfarbenen, halterlosen Strümpfen. »Large«, sagte sie. »Und so zart wie Pfirsichhaut.«

Die Verkäuferin hob ihren Rock bis zum Strumpfband und fragte lächelnd: »In dieser Art?«

Charlie berührte das hauchzarte Material am Bein der Frau und antwortete: »Ja, genauso.«

Nachdem sie gezahlt hatte, verabschiedete die Verkäuferin sie mit den Worten: »Viel Spaß damit.«

Nach dem Shopping ging sie kurz in die Mommsenstraße. Sie zog sich die neuen Strümpfe an, machte sich frisch – malte Lippen und Schönheitsfleck nach, besprühte Busen und Handgelenke mit Rosenwasser. Am Revers der dunklen Lederjacke befestigte sie die Blutnadel von Max Noske, die Glück bringen sollte. Sie fragte sich nicht, warum sie das tat, sie tat es einfach, so wie man sich ein Taschentuch einsteckte oder den Hausschlüssel. Danach rief sie sich ein Taxi, das sie zur Bismarckallee bringen sollte.

Um kurz nach sieben stand sie vor dem schmiedeeisernen Tor. Anders als bei ihrem ersten Besuch war es geschlossen. Das Haus lag im Dunkeln, nicht ein Auto war in der Einfahrt zu sehen, und der Brunnen spuckte auch kein Wasser. Das Anwesen wirkte wie ausgestorben. Nur durchs Küchenfenster, rechts neben dem Eingang, glaubte Charlie, im Zwielicht für ein paar Sekunden den Schatten von Anna Baum huschen zu sehen.

Sie öffnete das Tor und stakste vorsichtig auf Zehenspitzen über den groben Kies zum Eingang. Sie wollte sich nicht die Absätze ihrer Stiefel ruinieren.

An der Tür klingelte sie und wartete. Es kam ihr wie eine Ewigkeit vor, bis geöffnet wurde.

Anna Baum stand in einem schwarzen Hosenanzug vor ihr. Um ihren Hals hatte sie ein erdbeerrotes Seidentuch verknotet, ihre Lippen waren in der gleichen Farbe bemalt.

»Ja, bitte?«, sagte sie.

»Charlotte Pacou, ich bin mit Ihrem Sohn verabredet ...«

»Pacou? Pacou? Verwandt mit unserem ehemaligen Botschafter? – René Pacou?«

»Nein, das hat Daniel mich auch schon gefragt.« Charlie lachte.

»Mein Sohn ist nicht da. Ich glaube, er ist gar nicht in der Stadt. Er ist geschäftlich unterwegs, in Paris oder sonstwo auf der Welt.«

»Das kann ich mir nicht vorstellen. Wir haben vorhin telefoniert, Frau Baum. Er war mit Ihrem Enkel in einer Ausstellung Unter den Linden, wir haben uns hier zum Essen verabredet.«

Anna Baum machte Licht in der Eingangshalle, musterte Charlie mit leicht zusammengekniffenen Augen von oben bis unten und bat sie schließlich herein. »Kommen Sie, wir werden ihn anrufen.«

»Sind Sie allein zuhause?«, fragte Charlie, während sie der Frau durch die Eingangshalle in den Salon folgte.

»Ja, unsere Irma hat ihren freien Abend. Sie geht einmal in der Woche mit ihren Freundinnen zum Kegeln. Alles Südtirolerinnen. Wussten Sie, dass Südtirolerinnen so gern kegeln?«

Charlie warf in der Halle einen Blick auf Jonas Jabals Selbstporträt, auf das Holzfällerhemd und die Narbe unter dem rechten Auge, die er den Sasse-Brüdern zu verdanken hatte.

Der Salon kam ihr noch riesiger vor, als bei ihrem ersten Besuch. Die lange Tafel fehlte, an der die Geburtstagsgesellschaft gesessen hatte. Stattdessen standen dort ein paar graue Sitzmöbel aus Leder herum, zwei Sofas und drei Sessel. Im Kamin loderte Feuer.

Bevor Charlie in ihre Stille eingebrochen war, hatte Anna Baum es sich scheinbar auf dem Eames-Chair gemütlich gemacht. Auf einem runden Glastisch neben dem Stuhl stand ein gut gefülltes Glas mit Whisky auf Eis, daneben lag eine Lesebrille und aufgeschlagen, mit dem Rücken nach oben, ein dicker Band mit Kurzgeschichten von Leo Tolstoi, auch *Der Tod des Iwan Iljitsch* war darunter. Im Aschenbecher glimmte eine filterlose Zigarette.

Auf dem Plattenteller des Schneewittchensargs drehte eine LP ihre Kreise. Am leisen Pianospiel glaubte Charlie, Count Basie zu erkennen. Ganz sicher war sie sich aber nicht.

Anna Baum griff nach dem Telefon, das neben dem Spieler lag, und drückte eine Nummer. »Ich hole Ihnen auch ein Glas«, sagte sie, während sie mit dem Apparat am Ohr in die Küche verschwand.

Charlie konnte es nicht fassen. Wie war es möglich, dass eine Frau sich innerhalb von ein paar Tagen so veränderte?

Sie sah Dans Mutter noch vor sich, wie sie getrieben von Ben, dem Enkel, und Winston, der Dogge, in dem champagnerfarbenen, bekleckerten Nachthemd die Geburtstagsgesellschaft überraschte, sie hatte noch das höhnische Lachen und den Applaus der Gäste im Ohr, sie sah in Gedanken, wie die Frau sich mit ausgebreiteten Armen um sich selbst drehte und dafür Spott erntete, sie fühlte die warme Hand Anna Baums auf ihrer Schulter und hörte, wie sie ihren Sohn anfuhr, nachdem der ihr gesagt hatte, dass sie Ruhe brauchte.

Ich brauche deinen Vater, hatte sie ihm an den Kopf geschleudert. *Und sonst nichts!*

Charlie blickte ins offene Feuer des Kamins und war ratlos. Hatte sie sich so getäuscht? War es wirklich möglich, dass Anna

Baum den Auftritt beim Geburtstag ihrer Schwiegertochter nur gespielt hatte? War alles eine große Inszenierung gewesen? Ein Bluff? Demenz als Kriegsführung, wie sie im Spaß in der Hemingway-Bar gesagt hatte?

Als die Frau mit dem Whisky auf Eis in der Hand aus der Küche zurückkam und Charlie das Glas reichte, sah es fast so aus.

Anna Baum lächelte. »Ich hoffe, Sie mögen Scotch, dieser hier stammt aus den Highlands, es ist der beste der Welt«, sagte sie. »Meinem Sohn ist er zu stark. Aber er verträgt auch nichts. Er hat noch nie etwas vertragen, er ist wie sein Vater. Ich habe Daniel übrigens erreicht. Er war sehr erfreut, dass Sie bereits hier sind und entschuldigt sich für die Verspätung, das hat er Ihnen aber bereits auf dem Automaten gesagt. Sie waren nicht erreichbar. Ich soll dafür sorgen, dass Sie das Haus nicht verlassen und Sie notfalls in Ketten legen.« Anna Baum lachte. »In Ketten soll ich Sie legen.« Sie machte eine kurze Pause. »In Ketten ... Die Worte passen gar nicht zu ihm.«

Charlie warf einen Blick in ihre Tasche. Das Handy war verschwunden. Sie fragte sich, wo sie es zuletzt benutzt hatte. In der U-Bahn? Ja, in der U-Bahn. Hatte sie es dort verloren, nachdem sie mit Dan telefoniert hatte? Hoffentlich nicht, hoffentlich hatte sie es zuhause liegen lassen.

Anna Baum streckte sich auf der Eames-Liege aus, bevor sie mit der Hand auf einen der grauen Ledersessel deutete. »Ziehen Sie das Möbel ein bisschen näher zu mir heran, damit ich Sie besser sehen kann. Und nehmen Sie Platz, Frau ... Frau ...«

»Charlie, einfach nur Charlie, Frau Baum«, antwortete Charlie und zog dabei den Sessel so nah an die Liege, dass die Gesichter der Frauen nicht einmal mehr ein Meter trennte.

Für ein paar Augenblicke musterten die beiden sich. Charlie wunderte sich über die glatte Haut Anna Baums, kaum eine Falte hatte sich auf ihrem Gesicht verloren, und ihre großen, grünen

Augen strahlten über dem erdbeerroten Mund so fröhlich wie die eines Kindes.

Aber auch Charlie schien Anna Baum einige Rätsel aufzugeben. Der Blick der alten Frau wanderte nervös zwischen dem Revers der Lederjacke, an dem die Blutperle steckte, und Charlies Gesicht hin und her.

»Sie sehen nicht wie ein Mädchen von heute aus, Charlie«, sagte sie ernst.

»Ich verstehe nicht.« Charlie lachte. »Wie meinen Sie das?«

»Der Schönheitsfleck auf Ihrer Wange, der Pferdeschwanz, das sieht man heute kaum noch … Ich glaube, Sie sind ein Mädchen von gestern, Charlie.«

»Sie meinen, ich bin anders als Ihre Schwiegertochter …«

»Genau. Das meine ich. Ja, ich glaube, das meine ich. Lassen Sie uns darauf anstoßen.«

Die Musik hörte auf zu spielen, der Plattenteller auf dem Schneewittchensarg kam zum Stehen. Ein paar Töne des Pianos hallten nach. Anna Baum beugte sich vor und hielt Charlie ihr Glas entgegen. Die beiden stießen an. Der Whisky schnürte Charlie die Kehle zu, sie war bemüht, es sich nicht anmerken zu lassen.

»Und nun erzählen Sie …«, sagte Anna Baum, während sie ihr Glas neben Tolstoi abstellte.

Charlie sah die Frau fragend an. »Erzählen?«

»Woher kennen Daniel und Sie sich? Sie kennen sich doch schon länger … Oder täusche ich mich?«

»Wir …« Charlie zögerte, sie wusste nicht, was sie darauf antworten sollte.

»Sind Sie Lovers, mein Sohn und Sie?« Das Wort Lover sprach Anna Baum Luver aus, wie jemand, der aus Liverpool stammte. »Heute sagt man doch Luver, oder?«

Charlie lächelte. »Nein, Daniel ist nicht mein Lover, wir haben geschäftlich miteinander zu tun, Frau Baum.«

»Wie langweilig … Sie machen also auch Geld?«

»Nein, es ist ein anderes Geschäft.«

»Erzählen Sie schon, Charlie … Sie machen mich neugierig.«

»Daniel soll es Ihnen sagen. Ich weiß nicht, ob es ihm recht ist, wenn ich darüber rede.«

»Das heißt, Sie meinen … Sie sind zur Verschwiegenheit verpflichtet.«

Charlie nickte. »Ja, das ist wohl so.«

»Sind Sie Ärztin oder Rechtsanwältin?«

»Nein, ich bin Privatdetektivin.« Charlie freute sich, dass ihr das Wort so selbstverständlich über die Lippen kam.

Anna Baum stützte sich mit dem Ellenbogen auf der Liege ab und fuhr abrupt hoch. »Jetzt wird es aber wirklich spannend, mein Kind.« Sie griff nach ihrem Glas und leerte es in einem Zug. »Haben Sie ihm Alex ans Messer geliefert? Haben Sie meinem Sohn die Luvers seiner Frau präsentiert? Sagen Sie schon! Habe ich es vielleicht Ihnen zu verdanken, dass dieses impertinente Geschöpf so überstürzt mein Haus verlassen musste?«

»Nein, damit habe ich nichts zu tun.« Charlie lachte. »Ich glaube, das dürfte eher Ihr Verdienst sein.«

»Mein Verdienst?« Anna Baum legte ihre glatte Stirn in Falten. »Das müssen Sie mir erklären.«

»Ich bin wirklich überrascht, Sie heute hier in dieser Verfassung zu erleben. Ehrlich gesagt, verstehe ich nicht, was passiert ist. Sie sind ein anderer Mensch. Auf dem Geburtstagsfest Ihrer Schwiegertochter … da haben Sie mir einen riesigen Schreck eingejagt. Entschuldigen Sie, aber Sie haben bei allen Anwesenden den Eindruck erweckt, als seien Sie nicht ganz bei Sinnen. Ihr Sohn hat sich große Sorgen gemacht, Ihre Enkelin, Christina, hatte Tränen in den Augen. Und jetzt …« Charlie machte eine kurze Pause und nahm einen Schluck aus dem Glas. »Jetzt sehen Sie aus wie das blühende Leben.«

»Wissen Sie, wenn man Jahre lang in seinem eigenen Haus bevormundet wird, wenn man klein gemacht wird, weil der Kopf manchmal nicht mehr mitspielt, wenn man ausgesperrt wird und spürt, dass man entmündigt werden soll, weil man stört wie eine Schmeißfliege, dann lässt man sich eben irgendwann irgendetwas einfallen … Das ist doch ganz natürlich.«

»Wollen Sie mir erzählen, es war alles nur vorgetäuscht? Alles nur ein großer Bluff? Ihr Tanz? Das verunreinigte Nachthemd?«

Anna Baum hob ihre Brauen und lächelte ein wenig verschlagen. »Erzählen Sie's nicht meinem Sohn.«

»Das hätte auch schiefgehen können, Frau Baum. Man hätte Sie auch wegbringen können.«

»In die Klapsmühle, meinen Sie?«

Charlie hob die Schultern und ließ sie wieder fallen.

»Manchmal muss man einfach was riskieren, Charlie. Merken Sie sich das.«

Da war er wieder, der Satz.

Charlie stutzte, ihr kam sofort Max Noske in Paris in den Sinn, nachdem er dieselben Worte wie sein Lebensmotto von sich gegeben hatte. Wie im Film sah sie den Galeristen in der Brasserie Lipp vor sich, sie sah wie er genussvoll die Auster schlürfte.

Manchmal muss man einfach was riskieren, Charlie.

Sie hörte den Satz in ihren Gedanken aber auch Daniel Baum sagen, nachdem sie ihn gefragt hatte, was er gemacht hätte, wenn sie nicht in ihrem Hotel in der Rue du Bac abgestiegen wäre. Und dann hatte sie den Satz natürlich auch noch von Louise im Ohr, ganz deutlich, obwohl sie ihn von ihr nur vom Hörensagen kannte.

Manchmal muss man einfach was riskieren, Jonas.

Charlie lächelte. »Soll ich Ihnen noch einen Whisky holen, Frau Baum?«

»Ja, das wäre nett. Die Flasche steht in der Küche, auf dem

Tisch neben dem Eisschrank. Und neue Musik brauchen wir auch, legen Sie doch noch eine Platte auf.«

In der Küche fragte Charlie sich immer noch, ob es ein Zufall sein konnte, dass dieser Satz ihr in so kurzer Zeit so oft begegnete. Sie füllte das leere Glas am Eisspender des Kühlschranks mit Eiswürfeln auf und goss dann den Whisky darüber, die Würfel knackten.

Die Küche sah aus wie neu. Über dem Gesindetisch, der links vom Kühlschrank stand, hing ein Ölgemälde, ein Courbet, glaubte Charlie. Es stellte ein Rindvieh auf einer Wiese dar. *Ein Courbet in der Küche. Man gönnt sich ja sonst nichts.*

Als Charlie in den Salon zurückkehrte, hatte Anna Baum ihre Augen geschlossen, ihr Gesicht glich dem einer Wachsfigur. Sie atmete ganz ruhig. Charlie stellte den Scotch neben dem Tolstoi ab und trippelte auf Zehenspitzen zum Schneewittchensarg. Mindestens zwei Dutzend Langspielplatten stapelten sich neben dem Gerät. Auf dem Plattenteller lag *Atomic Basie*. Charlie hatte sich nicht getäuscht. Es war Count Basie, den sie gehört hatte. Die LP stammte aus dem Jahr 1957. Charlie nahm sie vorsichtig vom Teller und steckte sie in die Hülle zurück, bevor sie die anderen Platten durchstöberte. Bis auf zwei Interpreten las sie nur die Namen von amerikanischen Jazzmusikern. Die beiden Nicht-Amerikaner waren Hildegard Knef und Chris Barber. Die Knef firmierte auf dem Cover aber unter ihrem amerikanischen Künstlernamen Hildegarde Neff, und sie sang auf der Platte nur amerikanische Lieder, Lieder wie *When A Woman Loves A Man* und *My Heart Belongs To Daddy*. Den zweiten Song kannte Charlie von Marilyn Monroe. Sie summte die ersten Takte der Melodie, als sie beim Blättern der Alben auf *Petite Fleur* stieß. Sie war erschrocken. Das Lied war ihr inzwischen zwar in Fleisch und Blut übergegangen, aber sie kannte es nur aus dem Netz, das Cover hatte sie noch nie gesehen. Es zeigte eine verwilderte Wiese mit zwölf

Gänseblümchen unter blaugrauem Himmel, ein dreizehntes wuchs, hoch aufgeschossen wie ein Baum, zwischen seinen Geschwistern und schien am Himmel kratzen zu wollen. Über der Blüte stand in Majuskeln der Name der Combo: *Chris Barber's Jazz Band*, rechts davon: *Petite Fleur*. Charlie ließ die Platte aus der Hülle gleiten und hielt sie zwischen Daumen und Zeigefingern gegen das Licht des Kamins. Nicht ein Kratzer war auf dem schwarzen Kunststoff zu erkennen. Dann las sie die anderen Titel der LP, darunter waren *Olga, Sweet Georgia Brown* und der *Wabash Blues*. Fast fünfzig Jahre hatte die Platte unbeschadet überstanden. *Ein Wunder,* dachte Charlie, *in einem Haus, in dem Kinder wie Ben herumliefen.* Sie legte die Scheibe auf den Teller, zog den Arm des Spielers zurück, bis er einrastete, und pustete, wie sie es so oft bei ihrem Vater gesehen hatte, den Saphir an, um ihn vom Staub zu befreien. Dann legte sie die Nadel auf die Rille des Vinyls und schloss die Augen. Das Lied erklang, das sie seit der Tour mit Blahniks Jolle auf dem Müggelsee kannte und seitdem so oft gehört hatte. Sie wog ihren Kopf zur Melodie, die Monti Sunshine so zärtlich in die Klarinette blies, als jemand zweimal kurz an ihrem Pferdeschwanz zog. Charlie drehte sich um, Anna Baum stand vor ihr. Sie lächelte.

»Darf ich bitten, Charlie?«

Charlie war in den D'Artagnan-Stiefeln fast einen Kopf größer als die Frau, sie legte ihr die Hände auf die Schultern. Anna Baum umfasste mit den Armen Charlies Hüfte. In dieser Haltung tanzten sie ein paar Minuten lang, und als das Lied endete, ging Charlie zum Schneewittchensarg und ließ es noch einmal spielen. Dann tanzten sie weiter.

»Wo haben Sie die Perle an Ihrem Revers her, Charlie?«, flüsterte Anna Baum.

»Sie ist ein Geschenk. Ein Bekannter aus Paris hat sie mir geschenkt.«

Im selben Augenblick drang Licht von der Eingangshalle in den Salon. Die Punktstrahler beleuchteten Jonas Jabals Selbstporträt. Neben dem Gemälde stand Dan, groß und schlaksig. Unter einem dünnen, grauen Pullunder trug er ein bunt kariertes Hemd, seine Hände hatte er tief in den Taschen der abgewetzten Kordhose vergraben. Er beobachtete, wie die beiden Frauen sich um sich selbst drehten, dabei lächelte er. Seine rotbraunen Haare standen zu Berge.

Als Charlie ihn neben dem Bild entdeckte, dachte sie: *Er sieht aus wie Jonas.*

Dreißig

Am Nachmittag des fünfundzwanzigsten Juni 1959, einem Donnerstag, klingelte es bei den Jabals in der Allensteiner Straße zweimal um kurz vor vier an der Haustür. Lisa Jabal hatte noch Schicht in der Charité, Jonas hielt sich bei seinem Rahmenmacher in der Kastanienallee auf, wo er einen Rahmen für das Porträt von Mo Mommsen mit den Zöpfen und Sommersprossen aussuchen wollte. Er hoffte, Mo mit der Zeichnung zu versöhnen. Theresa, Jonas' vierzehnjährige Schwester, war allein zu Hause. Sie büffelte gerade Russisch, als es klingelte. Erst nach dem zweiten Mal ging sie mit einem angekauten Bleistift zwischen den Zähnen zur Wohnungstür und öffnete. Vor ihr stand ein Telegrammbote. Er trug eine Schirmmütze, über seine Stirn krochen Schweißperlen.

»Jonas Jabal?«, fragte er mürrisch.

»Jonas ist nicht zu Hause, er ist mein großer Bruder. Um was geht's denn?«

»Ein Telegramm für ihn …« Der Bote reichte Theresa einen Umschlag, ließ ihn sich quittieren und verschwand.

»Ein Telegramm?« Theresa schüttelte den Kopf, während sie die Adresszeile und den Namen ihres Bruders las.

Monsieur Jonas Jabal stand da geschrieben. Aufgegeben worden war das Schreiben in einem Postamt an der Place Saint Sulpice im sechsten Pariser Arrondissement.

»Monsieur Jonas Jabal«, murmelte Theresa. Warum durfte sie kein Französisch lernen? Warum musste sie Russisch büffeln? Für wen? Für was? Warum gerade die Sprache der Männer, die ihren Vater umgebracht hatten?

In der Küche, wo sie an dem Tisch mit der Wachstuchdecke die Hausaufgaben machte, legte sie das Telegramm zwischen ihre Kladden und Bücher und vertiefte sich wieder in die verhassten Vokabeln.

Am Abend dieses Donnerstags saß Jonas nicht wie gewöhnlich mit seiner Mutter und Schwester beim Nachtessen an dem Tisch in der Küche. Er hatte schon am Morgen angekündigt, dass Lisa nicht für ihn mitkochen müsse, er sei zum Essen eingeladen. *Drüben*, hatte er leise gesagt. Und Lisa Jabal hatte ihren Sohn sofort verstanden.

Nach ihrer Rückkehr aus Paris hatten sich Jonas und Louise häufiger gesehen als vor der Reise. Sie trafen sich inzwischen mindestens vier Mal in der Woche, und es kam nicht selten vor, dass Louise im Atelier übernachtete, was der Mutter des Malers egal war, da das Mädchen aus dem Westen ja bereits seine Volljährigkeit erreicht hatte. Bei den Übernachtungen ging es aber nicht selten so laut her, dass Lisa Jabal ihren Sohn in einer ruhigen Stunde bat, Louise auszurichten, sich ein wenig zu beherrschen. Er wisse, was sie meine, hatte sie gesagt. Und: Man könne sein Glück auch leise genießen. Die neugierige Evers habe sie bereits auf den Lärm angesprochen und gefragt, ob das Haus jetzt ein Lustschloss sei.

Jonas und Louise jedenfalls waren in diesem herannahenden Jahrhundertsommer ein richtiges Paar geworden, und überall im Ostpreußenviertel wurden sie auch so wahrgenommen. Jan Henning, der Kneipier, hatte sie sogar schon gefragt, wann die Hochzeitsglocken läuteten, und Schlachter Mayer aus der Hufelandstraße hatte darauf bestanden, das Festmahl ausrichten zu dürfen, wenn es soweit sei. »Da lass ich mich nicht lumpen«, hatte er den beiden gönnerhaft auf der Straße nachgerufen.

»Na klar, Herr Mayer«, hatte Louise geantwortet, »keine Feier ohne Mayer. Is doch klar, Herr Mayer!« Dabei hatte sie höhnisch gelacht.

Als Jonas am späten Nachmittag des letzten Donnerstags im Juni 1959 vom Rahmenmacher in der Kastanienallee nach Hause zurückkam, musste er sich sputen. Louise und er waren am Engelbecken verabredet, wo sie in ihrem knallroten Citroën DS um halb sieben auf ihn warten wollte.

Es war bereits kurz vor sechs. Jonas rannte die nach Bohnerwachs riechenden Treppen zu seinem Atelier hinauf. Dort riss er sich die Arbeitskleidung vom Leib, machte sich unter dem kalten Wasserhahn frisch und schmiss sich in Schale. Er zog sich ein weißes Nyltesthemd an und seinen schwarzen Anzug, den Louise noch in Paris zur chemischen Reinigung gebracht hatte. Das gute Stück sah nach der Reinigung tatsächlich wieder aus wie neu. Der Maler hätte auch den anderen Anzug anziehen können – den von Louises Vater, den er in Paris getragen hatte. Aber das war ihm dann doch zu heikel. Schließlich würde er an diesem Abend dem Eigentümer des edlen Zwirns wahrscheinlich ein paar Stunden lang gegenüber sitzen. Louise hatte den Anzug vor der Abreise mit der Bemerkung eingepackt: »Mein Vater wird schon nicht merken, dass er fehlt.«

Um Punkt halb sieben stellte Jonas sein Fahrrad am Engelbecken ab und setzte sich auf die Bank unter der alten Kastanie. Um viertel nach sieben wurde er unruhig. Die Zeit verstrich.

Wo blieb sie? Hatte sie Angst vor der eigenen Courage bekommen? Glaubte sie vielleicht plötzlich, er sei nicht gut genug, ihn ihren Eltern vorzustellen? Hatte sie einen Unfall? Oder war an dem Auto wieder der Keilriemen gerissen?

Jonas sah, wie Louise ihren Strumpf hinter Pont-à-Mousson vom Halter löste, er sah, wie der Idiot seine fleischige Nase in den zarten Stoff steckte, der wie ein toter Hamster in seinen Händen lag.

Verflucht, wo war Louise?

Es wurde halb acht …, es wurde acht …, es wurde halb neun … Und als die Glocken der Sankt-Michaels-Kirche dreiviertel neun schlugen, glaubte Jonas nicht mehr daran, dass sie noch kommen würde und machte sich via Jannowitzbrücke wieder auf den Weg nach Hause. Dort angekommen, schaute er kurz bei seiner Mutter vorbei. Ruppig fragte er, ob Louise sich gemeldet hatte. Lisa Jabal schüttelte den Kopf, sie spürte, dass das Essen ins Wasser gefallen war, so aufgeregt wie Jonas sich gebärdete. »Willst du einen Pfefferminztee?«, fragte sie. Er antwortete nicht, er verließ die Wohnung und verkroch sich in seine Welt.

Um halb elf klopfte Lisa Jabal noch mal an der Tür des Ateliers. »Du musst doch Hunger haben, Junge«, rief sie. »Ich stell dir ein paar Stullen vor die Tür.«

Jonas antwortete wieder nicht.

»Junge!«, rief Lisa Jabal noch einmal. »Hörst du?«

»Ich will allein sein. Lass mich in Ruhe!«

Ganz kurz spielte Jonas in dieser Nacht mit dem absurden Gedanken, nach Grunewald zu fahren, Dahlem, Zehlendorf oder Nikolassee – irgendwo dort musste die Villa ihrer Eltern stehen. Aber wo sollte er anfangen, zu suchen. Er ärgerte sich, dass er so wenig neugierig war. Er war nie neugierig gewesen. Neugierde, das hatte seine Mutter ihm beigebracht, war ein Makel. Gerade einmal Louises richtigen Vornamen kannte er. Aber das auch nur, weil sie ihn in den Ring hatte eingravieren lassen: *Annabelle*. Die kleine Marianne hatte ihm den Namen in dem Jazzkeller in der Rue Suger vorgelesen, kurz bevor Boris Vian aufgetreten war.

Annabelle.

Sonst wusste er kaum etwas von Louise, außer dass ihre Eltern sich keine Sorgen darüber machen mussten, ob die Kartoffeln über den nächsten Winter reichten.

Auch am folgenden Tag verließ Jonas das Atelier nicht. Gegen elf Uhr am Vormittag holte er sich die Stullen von der Türschwelle, die seine Mutter in der Nacht dort abgestellt hatte, Mettwurst und Tilsiter. Er aß sie, ohne darüber nachzudenken, wie sie schmeckten. Anschließend zeichnete er, auf der Chaiselongue liegend, zwei Stunden lang – die Nähmaschine, das Weckglas mit den Pinseln, die Palette mit dem Daumenloch und den eingetrockneten Farben, die Terpentinflasche, die Tasse mit dem fehlenden Henkel. Darüber schlief er ein.

Um kurz nach fünf schrak er hoch. Max Noske bollerte mit ganzer Kraft gegen die Tür.

»Öffne, Jonas. Los, mach schon auf. Deine Mutter hat mir erzählt, was los ist.«

Jonas erhob sich und öffnete die Tür.

Noske stürmte ins Atelier. »Lisa sagt, Louise und du, ihr habt euch gestritten.«

»Was?« Jonas war noch schlaftrunken.

»Sie sagt, sie glaubt, ihr habt euch ganz schlimm in der Wolle gehabt …«

»Unsinn.«

»Was dann?«

Jonas schwieg.

»Was dann?« Noske fuhr fast aus der Haut.

»Wir waren am Engelbecken verabredet, sie wollte mich dort abholen. Ihre Eltern hatten uns zum Essen eingeladen, sie wollte mich ihnen vorstellen. Sie ist nicht gekommen. Ich habe ein paar Stunden gewartet, vergeblich.«

»Und jetzt glaubst du, sie hat dich verlassen … ja? Ist es so? Glaubst du das?«

Noske lachte.

»Keine Ahnung, vielleicht, ja. Vielleicht hat sie aber auch einen Unfall gehabt.«

»Unsinn. Du wirst sehen, das wird sich alles ganz schnell aufklären. Sie ist verknallt in dich, Jonas. Bis über beide Ohren. Hast du das noch immer nicht begriffen? Hier …« Noske hielt seinem Freund eine kleine Bleiplatte entgegen, »die hab ich dir mitgebracht.«

»Was ist das?«

»Wir haben heute Morgen von Monotype auf Linotype umgestellt, wir gießen nicht mehr einzelne Buchstaben, sondern gleich ganze Zeilen.«

Noske merkte, dass es Jonas nicht interessierte, was er zu erzählen hatte. Er war sofort nach der Arbeit von der Kochstraße zu seinem Freund geradelt und trug immer noch den blauen Kittel, auf dem über der rechten Brust der Schriftzug *Setzerei Luckner* eingestickt war.

»Lies jedenfalls, was draufsteht«, sagte er.

Jonas drehte die dünne Bleiplatte um und lächelte. Spiegelverkehrt stand dort erhaben *Jonas & Louise* geschrieben.

»Jetzt kannst du jedenfalls schon wieder lachen … Glaub mir, ihr ist nichts passiert, morgen ist sie wieder hier. Es wird sich alles aufklären.«

Das passierte schneller, als beide dachten. Keine zehn Minuten, nachdem Jonas sich etwas beruhigt hatte, klopfte es an der Tür.

»Ja? Wer stört?«, rief Noske.

»Ich bin's, Theresa.« Seitdem Louise öfter in der Allensteiner Straße übernachtete, hatte Jonas' Schwester sich angewöhnt zu klopfen, bevor sie das Atelier betrat. Sie hatte die beiden einmal in einer eindeutigen Situation auf der Chaiselongue überrascht.

»Komm rein!«, rief Jonas.

Theresas Gesicht war so weiß wie die Wand. Man sah ihr an, dass sie geweint hatte.

»Was ist los? Hast du Krach mit Mama?«

Das Mädchen nickte. »Sie ist wütend, weil ich vergessen habe, dir den zu geben. Ich hab ne Backpfeife bekommen.« Theresa hielt einen grauen Umschlag hoch.

»Ne Backpfeife?« Jonas runzelte seine Brauen. Er konnte sich nicht erinnern, dass Theresa jemals von ihrer Mutter geschlagen worden war. Auch er selbst hatte sich nur zweimal in seinem ganzen Leben eine Backpfeife bei ihr abgeholt, einmal, als Lisa Jabal dahintergekommen war, dass er zusammen mit Felix Becker beim Krämer um die Ecke Brausepulver geklaut hatte, Waldmeister und Himbeere, ein anderes Mal, weil er ihre Unterschrift unter einer schlechten Note in der Schule gefälscht hatte.

»Gib ihn schon her!«, sagte Jonas gereizt.

Theresa reichte ihrem Bruder den Umschlag. »Ein Bote hat ihn gestern Nachmittag abgegeben. Ich habe Hausaufgaben gemacht und ihn nachher zwischen den Heften vergessen. Entschuldigung.«

Jonas riss den Umschlag auf. Seine Hände zitterten. »Ein Telegramm«, sagte er zu Noske. Dann las er laut:

Nachtessen muss ausfallen = Boris
ist tot = Bin mit Vater in Paris =
Samstag oder Sonntag zurück =
Vermiss dich = Louise

»Siehste, was hab ich gesagt?« Noske lächelte. »Alles wird sich auf-klären.«

Auch Jonas musste lächeln, obwohl er sich im selben Augen-blick für das Glücksgefühl schämte, das er empfand. Er sah Boris Vian mit den langen, übereinandergeschlagenen Beinen auf dem Hocker in dem verqualmten Jazzkeller vor sich, er hörte, wie er das Lied von dem Mann sang, der trank, um die Liebhaber seiner Frau zu vergessen, der trank, um überhaupt die ganze Scheiße um sich herum zu vergessen.

Jetzt war er tot.

»Er war noch keine vierzig«, murmelte Jonas.

»Wer?«, fragte Noske.

»Boris Vian. Louises Familie und er waren befreundet.«

»Der Dichter oder Musiker oder was auch immer? Dieser Tau-sendsassa?«

»Ja, hast du was von ihm gehört oder gelesen?« Jonas war über-rascht, dass sein Freund Vian kannte.

»Nur heute morgen in der Zeitung«, antwortete Noske. »Er ist während einer Filmpremiere gestorben. Sie haben einen Roman von ihm verfilmt. *Ich spuck auf eure Gräber* oder so ähnlich. Je-denfalls ein komischer Titel. Er hat sich im Kino so sehr über den Film aufgeregt, dass er einen Herzkasper bekommen hat.«

»Du spinnst doch!«

»Nein, das ist wahr. So stand's jedenfalls heute in der *Morgen-post*.«

»Ich geh jetzt mal wieder«, sagte Theresa.

»Kommt gar nicht in die Tüte.« Noske schüttelte den Kopf. »Dein Bruder hat noch was gut bei dir?«

»Was denn?«

»Du holst dir von eurer Mutter die große Milchkanne, gehst damit zum alten Henning und lässt sie dort schön abfüllen. Mit Bier natürlich. Und bestell dem Dicken einen schönen Gruß von mir: Ich lass anschreiben. Aber randvoll die Kanne. Hast du verstanden, Tessa? Randvoll! Jonas und ich haben nämlich heute noch was vor.«

Theresa sah Jonas an. Der nickte.

»Was haben wir denn heute noch vor, Max?«

»Na, was wohl?« Max Noske ballte seine Hände zu Fäusten und tänzelte Jonas entgegen, dann tat er so, als verpasse er seinem Freund mit der rechten Faust einen Uppercut. Jonas zuckte zusammen, Noske lachte laut. »Heute ist doch der Kampf, Alter. Patterson gegen Johansson. Ich habe einen Heiermann auf den Schweden gesetzt. Der Neger verliert. Das schwör ich dir. Der kriegt heute ein Jackvoll. Auch wenn die Wetten acht zu eins gegen Johansson stehen.«

Jonas dachte daran, wie er Noske im Ring gemalt hatte und ihn immer ermahnen musste, still zu stehen.

Spät in der Nacht saßen die beiden vorm Radio. RIAS übertrug den Kampf aus dem New Yorker Yankee-Stadion live. Jonas hörte dem Reporter nicht zu. Er fragte sich, in welchem Zimmer im *pied à terre* Louise wohl schlief, ob sie überhaupt schlief, oder ob sie ihn in Gedanken gerade liebte – im Kino, bei Rodin oder sogar auf der Terrasse des Cafés Georges V.

Die ersten beiden Runden des Kampfes waren langweilig. Noske verzog mürrisch sein Gesicht. Er gab seinen Heiermann verloren. Dann plötzlich, in der dritten Runde, wurde der Reporter laut. Noske schrie auf. Das ganze Stadion schrie auf.

»Schrei nicht so, Max. Die Evers beschwert sich schon immer«, sagte Jonas.

»Die Evers – was interessiert mich die Evers? Der Neger hat voll eins auf die Zwölf gekriegt. Hörst du denn nicht zu?«

Ingemar Johanssons Rechte hatte im Bruchteil einer Sekunde die richtige Lücke gefunden. Floyd Patterson ging zu Boden. Noske jubelte. Doch Patterson stand wieder auf, er taumelte, aber er stand wieder auf. Noch sechs Mal haute der Schwede den amtierenden Weltmeister in dieser Runde auf die Matte. Dann brach der Schiedsrichter den Kampf ab.

Noske klatschte Jonas seine kräftige Hand auf den Rücken. »Was hab ich dir gesagt, Alter? Was hab ich gesagt? Wer hatte Recht? Ich habe gerade vierzig Mark gewonnen. Westmark! Hörst du? Harte Deutsche Mark West!«

Einunddreißig

Dreizehn Tage, nachdem sie in der Bismarckallee zum Tanz auf-gefordert worden war, erhielt Charlie eine Nachricht aus Zürich. Es war nur ein kurzes Mail, in dem sich Theresa Neidhardt für die späte Antwort entschuldigte und Charlie mitteilte, dass einem Treffen nichts im Wege stehe.

Charlie hatte gar nicht mehr mit der Antwort auf ihr Schrei-ben gerechnet und sich, Dan zuliebe, in Gedanken sogar schon ein wenig von ihrem Auftrag entfernt.

Daniel Baum hatte sie immer wieder gebeten, endlich die Su-che nach *Louise im blauweiß gestreiften Leibchen* einzustellen. »Ich will dich, Charlie«, hatte er ihr ein paar Mal gesagt. »Das Flitt-chen interessiert mich nicht mehr.« Obwohl die Titulierung des Mädchens unmissverständlich ironisch gemeint war, hatte ihm Charlie darauf ohne einen Hauch von Ironie geantwortet, sie wünsche nicht, dass er so abfällig über Louise rede. Louise sei eine moderne Frau gewesen.

Charlie hatte die Nacht, nachdem sie mit Anna Baum getanzt hatte, in der Bismarckallee verbracht. Bis das Mail aus Zürich kam, hatte sie fast jede Nacht dort verbracht.

Und an den Abenden waren Dan und sie ausgegangen – ins Kino, ins Theater, ins Restaurant. Einmal hatten sie auch, obwohl es in Strömen regnete, einen kleinen Spaziergang durchs ehemalige Ostpreußenviertel unternommen. Sie waren bei Karin im Knotenpunkt eingekehrt und hatten danach am Haus des Malers Halt gemacht. Sie hatten die Gedenktafel noch einmal studiert und einen Blick unters Dach geworfen. Das Mädchen aus dem Westen hatte keiner von beiden an diesem Abend erwähnt.

Am letzten Freitag im November hatte Dan Charlie überredet, ihn zur Herbstauktion der Villa Grisebach in der Fasanenstraße zu begleiten. Charlie war eigentlich mit Nele verabredet gewesen, die auf ein Treffen bestanden hatte. Nele war misstrauisch geworden, weil Charlie am Telefon so glücklich und zufrieden geklungen hatte wie seit Jahren nicht mehr. Sie wollte mehr wissen, die Absage ihrer Freundin hatte sie dann noch misstrauischer gemacht.

Charlie hatte noch nie an einer Versteigerung teilgenommen und saß jetzt neben Dan in der ersten Reihe im Auktionssaal im dritten Stock des Hauses. Sie war so aufgeregt wie bei ihrem ersten Kinobesuch. Der Raum war brechend voll, es wurde geflüstert und geraunt. Links von ihr saßen aufgereiht wie Hühner vier Frauen, die die telefonischen Gebote entgegennahmen. Genau vor ihr, keine drei Meter entfernt, hatte der Auktionator, eingerahmt von zwei Frauen, die wie Schöffinnen bei Gericht wirkten, Platz genommen.

Charlie flogen die Zahlen um die Ohren – zehntausend, dreißigtausend, achtzig, hundert, zweihunderttausend. Mindestens fünfzig Kunstwerke kamen unter den Hammer, bevor Daniel Baum seine Bieterkarte aus dem Tweedjackett zog und sie Charlie zwischen zwei Fingern reichte. »Jetzt sind wir dran«, sagte er. Charlie verstand nicht, was Dan wollte.

Ein Mann trug das nächste Gemälde in den Saal und stellte es für jeden Besucher sichtbar aus. Es war Paula Modersohn-Beckers *Kopf eines blonden Mädchens mit Zöpfen*. Charlie war hingerissen von dem Gemälde. Mit seinen dicken Zöpfen, dem Mittelscheitel, den großen dunklen Augen und der etwas knollenhaften Nase glich das Mädchen erschreckend der Zeichnung Jonas Jabals von Mo Mommsen. Nur die Sommersprossen fehlten.

Die Gebote für das Bild prasselten auf den Auktionator ein. Charlie konnte gar nicht so schnell folgen, wie der Mann die Zahlen in den Saal rief.

Erst bei hundertachtzigtausend Euro forderte Dan sie auf, die Bieterkarte in die Luft zu halten. Sie tat es mit feuchter Hand, und sie tat es insgesamt zwölf Mal. Als bei dreihundertzwanzigtausend Euro die Gebote langsamer aufeinander folgten, Charlie aber immer noch gegen zwei Bieter konkurrierte, die nicht den Eindruck erweckten, als ginge ihnen schnell die Puste aus, rieb Daniel Baum nervös seine Handflächen gegeneinander. Bei dreihundertfünfzigtausend beugte er sich zu Charlie und flüsterte: »Ich glaub, jetzt hören wir auf. Oder?«

Charlie nickte und gab Dan die Karte zurück. Sie fühlte sich wie von einer schweren Last erlöst.

Das Gemälde wechselte schließlich für etwas mehr als vierhundertfünfzigtausend den Besitzer.

Es musste dieses Erlebnis gewesen sein, das Charlie wieder vermehrt an *Louise im blauweiß gestreiften Leibchen* denken ließ. Und als dann das Mail aus der Schweiz eintraf, war sie plötzlich fest entschlossen, nicht einfach aufzugeben.

Wenn *Louise* noch existierte, würde sie das Gemälde finden. Sie nahm sich vor, Theresa Neidhardt, geborene Jabal, in Zürich zu besuchen.

»Kommen Sie doch erst einmal bei mir vorbei«, hatte die Schwester des Malers ihr mit einem leichten Schweizer Akzent geantwortet, als sie sich am Telefon für den dreizehnten Dezember um die Mittagszeit verabredet hatten, und Charlie fragte, wo sie sich treffen sollten.

An diesem Donnerstag stand Charlie dann auch um kurz vor zwölf bei der Frau in der Froschaugasse im Kreis 1 der Stadt vor der Tür und klingelte. Keiner öffnete.

Es war kalt und hatte geschneit. Charlie fror. Warum hatte sie sich so dünn angezogen? Warum hatte sie sich überhaupt die ganze Reise angetan? Morgens hin, abends zurück, fünfhundertsechzig Euro fürs Flugticket. Sie ärgerte sich.

Und warum hatte sie Dan nicht die Wahrheit gesagt? Sie hatte ihm erzählt, sie müsse nach Hamburg, ihrem Vater gehe es nicht gut.

Sie klingelte noch einmal. Wieder keine Reaktion. Dann hörte sie plötzlich entfernt ein *Hallo*. Sie sah die schmale Gasse hinunter, eine Frau winkte ihr aus fünfzig Metern Entfernung mit einer Plastiktüte in der Hand zu.

»Charlotte Pacou?«, fragte die Frau, als sie vor Charlie stand.

Charlie nickte.

»Sie sind ja pünktlicher, als die Schweiz erlaubt. Ich habe uns noch was fürs Lunch besorgt.« Die Frau lächelte und hielt noch einmal die Plastiktüte mit dem Schriftzug *Migros* hoch. Sie sah so unglaublich jung aus mit ihrer blonden Jean-Seberg-Frisur und der rechteckigen, roten Brille, dass Charlie zweifelte vor Jonas Jabals Schwester zu stehen. Theresa musste heute zweiundsechzig Jahre alt sein. Charlie gab der Frau keine fünfzig.

»Sie sind doch Theresa Neidhardt, die Schwester des Malers Jonas Jabal?«

»Ja, sicher. Wir haben doch telefoniert … Und nun kommen Sie schon herein. Sie holen sich ja den Tod in Ihrem Outfit.«

Das Haus war ein typisches Zürcher Altstadt-Haus. Fünf Stockwerke, niedrige Decken. Theresa Neidhardt ließ den Fahrstuhl links liegen. »Wir nehmen die Stiegen, Frau Pacou«, sagte sie. »Das hält fit.«

Im dritten Stock blieb Charlie einmal stehen und verschnaufte kurz. Die Tür zu dem Zimmer links neben ihr war weit geöffnet, auf einem weiß lackierten Schreibtisch stand ein nagelneuer 24-Zoll-iMac.

Theresa Neidhardt sah übers Treppengeländer zu Charlie hinunter und rief: »Das ist mein Büro.«

»Gehört Ihnen das ganze Haus?«

»Ja. Das ganze. Und nun kommen Sie schon, Sie machen doch nicht etwa schlapp?«

Während Theresa in der kleinen Küche unter dem Dach, die offen in den Wohnraum integriert war, einen Salat bereitete, sah sich Charlie um. Der Raum war spärlich möbliert – modern, eher kühl, viel *stainless steel*. Sogar die Verschalung des Kamins bestand aus diesem Material. Charlie entdeckte nur ein einziges altes Stück, einen Sekretär. *Empire*, dachte sie. Auch an den Wänden hing nur moderne Kunst, achtziger Jahre, vielleicht sogar noch später. Ein Gemälde allerdings war älteren Datums. In Blau gehalten stellte es eine Puppe mit roten Haaren dar. Drapiert um die Puppe herum: ein Ball, eine Trommel und eine Kuh, der der Schwanz fehlte. In roten Blockbuchstaben stand der Name *Theresa* auf dem Bild geschrieben.

Es war das Gemälde, das der Maler seiner Schwester zum sechsten Geburtstag geschenkt hatte.

Charlie ging zum Fenster und sah auf die schneebedeckten Dächer der Altstadt.

»Sie schreiben also einen Aufsatz über die deutsche Nachkriegskunst bis 1960?«, wollte Theresa Neidhardt wissen, während sie eine Tomate in Scheiben schnitt.

Charlie stutzte. Ihr fiel ein, mit welcher Begründung sie das Treffen erschlichen hatte. Jetzt wurde ihr blitzschnell klar, dass Theresa ihr dahinterkommen würde. Sie würde ihr den Grund nicht abnehmen – die Frau war zu fit, nicht nur in den Beinen, auch im Kopf. Sie würde sofort merken, dass Charlie anderes im Sinn hatte.

»Wenn ich ehrlich bin …«, sagte sie. »Ja, ich habe mir vorgenommen über die Periode zu schreiben … Aber im Augenblick bin ich auf der Suche nach *Louise*, nach *Louise im blauweiß gestreiften Leibchen.*«

Theresa Neidhardt legte das Messer aus der Hand und sah erstaunt auf.

»*Louise?* Ich versteh nicht.«

Und so erzählte Charlie, während Theresa den Tisch deckte, ihre Geschichte. Sie ließ nichts aus. Sie war ganz ehrlich. Sie erzählte, wie ein paar Wochen zuvor ein gewisser Daniel Baum mit dem Katalog in ihrem Büro aufgetaucht war und sie beauftragt hatte, das Bild zu suchen. Sie erzählte von ihren Recherchen im ehemaligen Ostpreußenviertel, von der Gedenktafel und Mo Mommsen auf dem Campingstuhl vor Jonas' Grab auf dem Friedhof der St.-Nikolai-Gemeinde. Von ihrer Suche im Netz, auf dem virtuellen Friedhof und auf der Website *Das viel zu kurze Leben des begnadeten Malers Jonas Jabal,* berichtete sie ihr genauso wie von der Reise nach Paris zu Max Noske.

Theresa hörte ihr ruhig zu. Und als Charlie fertig war, fragte sie: »Wie geht es Max?«

»Scheinbar blendend. Er wirkt zufrieden. Er hat Erfolg und geht jeden Tag zweimal gut essen. Er lebt mit einer kleinen, schwarzen Hündin namens Kali in einem riesigen Apartment am Boulevard Saint-Germain, sein Kunsthandel scheint zu laufen. Im Sommer fährt er am Wochenende in die Normandie, nach Deauville. Er besitzt dort ein Haus.«

»Es ist schon erstaunlich, was er erreicht hat …«

»Waren Sie ein Paar, Max und Sie?«

Theresa Neidhardt lachte. »Wo denken Sie hin? Um Gottes Willen: nein! Sicher, versucht hat er's, ja … Aber ich war vier-

zehn, und als ich ihm nach Paris gefolgt bin, noch keine siebzehn.«

»Er hat Sie nach Paris geholt?«

»Ja, kurz vorm Mauerbau. Er hat sich nach Jonas' Tod sehr
um uns gekümmert. Er hat uns immer geschrieben und uns Geld
zukommen lassen, viel Geld für unsere Verhältnisse … Aber er
hatte ja auch viele Bilder im Gepäck gehabt.«

»Wann hat er Berlin verlassen?«

»Ein paar Wochen nach Jonas' Tod. Ich bin ihm dann fast auf
den Tag genau zwei Jahre danach gefolgt.«

»Ihre Mutter hat das erlaubt?«

»Was glauben Sie? Für meine Mutter ist die Welt zusammen-
gebrochen. Aber sie wollte partout nicht mitkommen, und ich
wollte partout nicht mehr Russisch lernen. Sie hatte nicht die
Kraft, mich zu halten. Ich wollte Französisch sprechen. Ich wollte
so werden wie Louise, ich wollte die gleichen Kleider tragen wie
sie.«

»Ich glaube, Sie waren die Einzige, die sie gemocht hat?«

»Gemocht? Das ist das falsche Wort: Ich habe sie abgöttisch
verehrt. Sie hat mir meine erste Schminktasche geschenkt, meinen ersten Lippenstift, meine ersten Seidenstrümpfe … Sie war
eine großartige Person, verschwenderisch, ja sicher … aber auch
treu und voller Optimismus. Ein bisschen von ihrer Unbeschwertheit und Chuzpe hätte ich Jonas gegönnt. Er würde heute
noch leben.«

»Der Eintrag im Netz, der stammt doch von Ihnen?«

Theresa Neidhardt sah Charlie fragend an.

»Der mit *T. N.* unterschrieben war … auf Jonas' Website im
Internet.«

»Ja, das hab ich mir erlaubt. Jonas, mein Sohn, hat mir beigebracht, wie man das macht. Ich habe ihn nach seinem Onkel benannt. Es steht soviel Mist in diesem Netz. Ich wollte einfach ein

paar Dinge gerade rücken … Louise war kein Flattergeist, sie war kein Flittchen, keine Schlampe – auch wenn es vielleicht den Anschein hatte.«

Theresa Neidhardt hörte nicht mehr auf zu reden. Sie erzählte alles, was ihr zu Jonas und Louise einfiel. Gelegentlich hakte Charlie nach, sie wollte mehr Details wissen – was Jonas getragen hatte zum Beispiel, oder ob er noch Louises Eltern vorgestellt worden war. Theresa ließ keine Frage unbeantwortet.

Während sie den Salat aß und ein Glas Mineralwasser nach dem anderen trank, erzählte sie von dem Nachmittag, an dem sie Jonas das Telegramm gebracht hatte, genauso, wie von dem Fest in Hennings Bierstube, wo Freunde und Bekannte das Erscheinen der Juli-Ausgabe des *Magazins* feierten, in der die fünf Porträts des Malers veröffentlicht worden waren. Sie erzählte von den Sitzungen, in denen ihr Bruder *Louise im blauweiß gestreiften Leibchen* gemalt hatte. Und von seiner Beerdigung erzählte sie natürlich auch.

»Und? War Louise anwesend?«, fragte Charlie.

»Ja, wenn ich es mir später nicht eingebildet habe, war sie auf dem Friedhof. Sie stand hundert Meter entfernt unter einer alten Eiche. Sie hielt ihre Arme hinter dem Kopf verschränkt und trug die zitronengelbe Caprihose, das blauweiß gestreifte Leibchen und eine schwarze Bandana.«

»Und das wissen Sie noch so genau?«

»Ich sage doch, wenn ich mich nicht täusche. Vielleicht hab ich's ja auch nur geträumt, weil der Wunsch stärker war als die Wirklichkeit …«

Charlie lächelte. »Und die beiden Gemälde, die ihre Mutter Max nicht überlassen hat, als er nach Paris ging … was ist aus denen geworden?«

»Aus *Louise* und dem Selbstporträt, Jonas mit der Narbe unter dem Auge, meinen Sie die?«

»Ja.«

»Eines nachmittags, drei, vielleicht vier Monate nach Jonas'
Tod, hielt bei uns in der Allensteiner so eine dunkle Franzosen-
kutsche vor der Tür, so ein federnder Citroën, glaube ich. Ein
schicker Mann stieg aus. Er trug einen dunklen Anzug und eine
weinrote Krawatte. Ich stand am Fenster und habe mir die Nase
platt gedrückt. Er klingelte bei uns. Meine Mutter hat ihn herein-
gelassen. Sie hat ihn in die Küche gebeten und ihm einen Bohnenkaffee gemacht. Mich hat sie weggeschickt. Die beiden haben
sich eine Viertelstunde unterhalten. Dann sind sie in Jonas' Atelier gegangen. Vom Küchenfenster aus habe ich etwas später beobachtet, wie der Mann zuerst den chinesischen Paravent in den
Kofferraum des Wagens gelegt hat und dann, ganz vorsichtig,
Louise.«

»Hat Ihre Mutter Ihnen später gesagt, wer der Mann war?«

»Nein, das hat sie nicht. Sie hat mit mir nie wieder über Louise
geredet. Aber ich glaube, es war ihr Vater. Er wollte einfach nicht,
dass seine Tochter sich so schamlos entblößt an einer fremden
Wand zeigt.«

»Und das Selbstporträt?«

»Das hat mich am meisten überrascht. Auch das hat sie weg-
geben ...«

Theresa machte eine Pause. Sie schien sich ins Gestern zu
beamen. Sie nahm ihre rote Brille von der Nase, hauchte die
Gläser an und putzte sie mit einem Zipfel der Tischdecke. Dann
fuhr sie bedächtig fort: »Ich erinnere mich noch ganz genau: Irgendwann im Oktober, kurz bevor Jonas einundzwanzig Jahre
geworden wäre, bin ich an einem Sonntagabend nach Hause gekommen. Eine Freundin, die in der FDJ war, hatte mich überredet, bei der Trockenlegung der Friedländer Wiese zu helfen. Das
war so ein Naturschutzgebiet in Mecklenburg-Vorpommern,
wissen Sie ... Ich kam in dieser furchtbaren, blauen Bluse, die die

Freundin mir geliehen hatte, die Straße herauf. Ein Lieferwagen parkte bei uns vor der Tür. Im Treppenhaus begegnete mir ein Mann – jung, groß und sehr gut aussehend. Er trug eine Hornbrille und quälte sich mit dem Selbstporträt die Treppen hinunter. Es war ja kein kleines Bild … Als er mich sah, lächelte er. Er sah wirklich gut aus. Kurz darauf hat meine Mutter mich vor vollendete Tatsachen gestellt. Sie habe Jonas verkauft, sagte sie. Ich bin wütend geworden. Sie hat mir aber trotzdem nicht gesagt, warum sie das Porträt weggegeben hat. Und vor allem an wen. Sie hat nur gesagt: ›Glaub mir, dein Bruder ist jetzt dort, wo er hingehört.‹«

Um halb vier verabschiedete sich Charlie von Theresa Neidhardt. Sie bedankte sich für das Essen und die offenen Worte. Es wurde schon dunkel und hatte wieder angefangen zu schneien. Charlie warf noch einmal einen Blick durchs Fenster auf die Altstadt, deren Häuser wie Puppenstuben auf sie wirkten.

»Das ist anders als Berlin, oder?«, sagte Theresa.

Charlie lächelte.

»Dort hinten … dieses Haus dort … mit dem Hahn auf dem Dach … Sehen Sie es?« Theresa deutete mit dem Finger auf ein ockerfarbenes Gebäude. »Da hat Büchner gewohnt. Und in dem Zimmer, in dem die Adventskerzen vor dem Fenster brennen … Sehen Sie es?«

»Ja, ich sehe es.«

»In diesem Zimmer ist er gestorben. Er ist nur drei Jahre älter geworden als Jonas. Die beiden hatten am gleichen Tag Geburtstag. Wussten Sie das?«

Charlie schüttelte den Kopf und ging vom Fenster zur Treppe. Theresa Neidhardt folgte ihr.

»Sie müssen mich nicht begleiten, Frau Neidhardt«, sagte Charlie. »Ich finde den Weg schon allein.«

»Ich begleite Sie gern, das hält fit«, wiederholte Theresa noch einmal.

Zwischen der dritten und zweiten Etage fragte Charlie, warum sie von Paris in die Schweiz gezogen war.

»Ich hab mich mit Max gestritten, wir haben uns wahnsinnig in die Wolle gekriegt. Und dann bin ich mit einem Kunden von ihm abgehauen. Der hatte sich in mich verguckt … Später ist er mein Mann geworden.«

»Worüber haben Sie gestritten?«

»Wir haben damals in einer kleinen Absteige im Achtzehnten gelebt, in der Rue Germain Pilon. Das Apartment war ein einziges Chaos, ein Bordell. Eines Tages habe ich aufgeräumt und in Max' Krempel ein Tagebuch von Jonas gefunden. Es war an meine Mutter adressiert. *Für Mutter,* die beiden Worte standen fein säuberlich mit Bleistift auf dem Etikett geschrieben. Dieser Max Noske hatte ihr doch tatsächlich das letzte Adieu ihres Sohnes gestohlen …«

»Haben Sie das Buch gelesen?«

»Nicht ganz, die Hälfte vielleicht. Max hat es mir aus der Hand gerissen, als er mich damit entdeckte.«

»Und was stand da drin?«

»Das, was ich gelesen habe, habe ich Ihnen erzählt, Frau Pacou.«

Zweiunddreißig

Am letzten Sonntag im Juni 1959 sollte Jonas Jabals Welt wieder in Ordnung kommen. Der Maler lag mit geschlossenen Augen und barfuss auf der Chaiselongue und döste vor sich hin. Es war Nachmittag, das Fenster zur Allensteiner Straße weit geöffnet. Vogelgezwitscher und Kindergeschrei drangen ins Atelier. Zwei

Jungen auf der Straße stritten um einen Ball, ein dritter versuchte zu schlichten. Jonas fragte sich, wann die erste Scheibe klirrte. Er fragte sich aber auch, wann sein Freund endlich verschwand. Außer, um auf halber Treppe das Klo aufzusuchen, hatte Max Noske das Atelier des Malers nicht mehr verlassen, seitdem er am Freitag nach der Arbeit in dem blauen Kittel der Setzerei Luckner mit der kleinen Bleiplatte durch die Tür gekommen war.

Jetzt hockte er immer noch da, genau neben der Staffelei auf dem alten Thonet-Stuhl. Zu seinen Füßen lagen ein paar Skizzen, die Jonas am Vormittag aus dem Kopf von Louise gemacht hatte. Max blätterte gelangweilt in einer illustrierten Zeitschrift aus dem Westen der Stadt und wartete darauf, dass das Spiel Eintracht Frankfurt gegen die Kickers aus Offenbach endlich angepfiffen wurde. Obwohl die Oberliga der BRD ihn nicht sonderlich interessierte, wollte Max Noske doch wissen, wer beim Klassenfeind Meister wurde. Das Endspiel sollte direkt aus dem Berliner Olympiastadion übertragen werden. Der Reporter meldete, dass Willy Brandt mit einer dunklen Sonnenbrille auf der Nase gerade auf der Ehrentribüne im Stadion Platz genommen hatte.

Jonas war froh, dass sein Freund endlich einmal für ein paar Minuten schwieg. Max hatte zwei Tage lang auf ihn eingeredet. Immer wieder hatte er versucht, ihm Paris schmackhaft zu machen, obwohl es dessen gar nicht mehr bedurfte. Insgeheim, ohne es irgendjemandem mitzuteilen, hatte sich der Maler längst aus dem Mikrokosmos des Ostpreußenviertels verabschiedet. Er musste sich nur noch darüber klar werden, wie er das Vorhaben seiner Mutter erklärte. Er war sich sicher, sie würde kein Verständnis für seine Entscheidung haben, geschweige denn, dass sie sich überreden ließ, ihn, zusammen mit Theresa, zu begleiten, so wie es sich Louise in ihren Träumen ausgemalt hatte.

Lisa Jabal war zu sehr in der Stadt verwurzelt. Nie im Leben würde sie das Grab ihres Mannes allein zurücklassen, nie im Leben würde sie ihrem Zuhause in der Allensteiner Straße den Rücken kehren, den Nachbarn, den Freunden … nie im Leben würde sie freiwillig ihre Arbeit in der Charité aufgeben, wo sie schon im ersten Jahr nach dem Krieg dankbar von Professor Sauerbruch mit einem großen Blumenstrauß bedacht worden war, weil sie in einer brenzligen Situation im OP geistesgegenwärtig reagiert und wahrscheinlich einem Menschen das Leben gerettet hatte. Jeder im Quartier kannte diese Geschichte, in Paris kannte sie keiner.

Jonas war sich im Klaren, er würde seiner Mutter und seiner Schwester weh tun, er würde sie allein lassen, wahrscheinlich für lange Zeit, und wenn es stimmte, dass die Bonzen bald die Schotten ganz dicht machten, wie Max Noske gebetsmühlenartig betonte, vielleicht sogar für immer.

Trotzdem, wenn Louise es ernst gemeint hatte, wenn sie tatsächlich wollte, dass er mit ihr kam, dann war er bereit, alles hinter sich zu lassen, egal, welche Konsequenzen sein Handeln auch mit sich bringen sollte. Er nahm sich sogar vor, endlich seine Eifersucht zu zügeln, die ihm Sorgen bereitete, seit er nach dem Besuch im Jazzkeller Louises Handgelenke so fest angepackt hatte, dass es sie schmerzte. *Du tust mir weh, Jonas*, hatte sie gerufen.

Ohne Louise jedenfalls wollte Jonas nicht mehr sein. Das war ihm nie so bewusst gewesen, wie seit der quälend langen Nacht, die dem Abend gefolgt war, als er vergeblich am Engelbecken auf sie gewartet hatte.

Es war zehn Minuten nach drei, als die Tür zum Atelier aufgestoßen wurde. Die Kickers aus Offenbach hatten gerade zum eins zu eins ausgeglichen, es war die sechste Minute des Spiels. Max hatte das Tor emotionslos hingenommen, Jonas war auf der Chaiselongue eingeschlafen.

Als die Tür gegen die Wand knallte, sprangen beide erschreckt auf. Stramm wie Soldaten standen sie in dem sonnendurchfluteten Raum und starrten Louise im blauweiß gestreiften Leibchen an. Um ihre Taille trug sie einen breiten, roten Gürtel. Unter ihrem dünnen, weißen Glockenrock zeichneten sich die Konturen ihrer Beine ab.

»Da bin ich, Jungs«, sagte sie. Sie musste lachen. »Was ist los? Hat es euch die Sprache verschlagen? Ich bin es Louise, die Verlobte von Jonas Jabal, dem berühmten Maler aus der Allensteiner Straße zu Berlin. Hat ihn zufällig jemand von euch gesehen? Ich wollte gratulieren.«

Jonas und Max rührten sich noch immer nicht. Louise ging zu Jonas, sie stellte sich auf die Spitzen ihrer Ballerinas und legte ihm die Arme um den Hals. Dann küsste sie ihn, lange. Als sie fertig war, winkte sie Max zur Begrüßung kurz zu.

»Was ist los? Komm ich etwa im falschen Moment?«

Max fing sich als erster. Linkisch stopfte er sich sein Hemd in die Hose und stotterte ein wenig: »Nein, überhaupt nicht. Wir sind glücklich, dass du wieder da bist, wir haben uns nur Sorgen gemacht.«

»Ja, das ist traurig. Le pauvre Boris … Er war so ein großartiger Mensch. Es ist wirklich furchtbar, ja … Besonders für Ursula, seine Frau. Sie ist so verzweifelt, sie macht sich Vorwürfe, dass sie nicht neben ihm im Kino saß, als er den Anfall bekommen hatte. Er ist im Kino gestorben. Habt ihr das mitgekriegt? Es stand in jeder Zeitung … Aber was soll's? Die Welt dreht sich weiter. Und ich dachte, ihr seid jedenfalls fröhlich! Ich dachte, ihr feiert … Im Augenblick macht mir das nicht den Eindruck.«

Jonas und Max sahen sich an und wie aus der Pistole geschossen fragten beide gleichzeitig: »Feiern? Was sollten wir denn feiern?«

»Na, was wohl?«

Louise schüttelte den Kopf. Sie nahm ihren Lederbeutel am Riemen von der Schulter und legte ihn auf die Chaiselongue. Leicht gebückt kramte sie darin herum. Sie holte zuerst einen goldglänzenden Flakon heraus und hielt ihn kurz hoch. »Chanel Nummer 5 – hab ich für Tessa mitgebracht. Marilyn Monroe trägt es immer, wenn sie schlafen geht. Und zwar trägt sie nur das … hat sie *Paris Match* erzählt.«

Louise kicherte, dann zwinkerte sie kurz Max zu, bevor sie sich wieder über die Tasche beugte, eine Zeitschrift herauszog und sie wie eine Trophäe in die Luft hielt. Es war die Juli-Ausgabe des *Magazins*.

»Ich dachte, ihr feiert das …«

Die beiden Männer sahen sich wieder an. Sie waren verblüfft.

»Habt ihr es etwa noch nicht bekommen?«

Jonas schüttelte den Kopf. Er brachte kein Wort heraus.

»Woher hast du das?«, fragte Max.

»Eben gekauft, am Alex, riecht noch ganz frisch.«

Jonas nahm Louise das Heft ab. Max hielt seine Nase darüber. Vom Titelblatt starrte die beiden Männer Boris Blahnik an. Jonas blickte ungläubig auf das Porträt des Dichters, so als habe er es noch nie gesehen. Es glänzte, wie die Zeichnungen in dem Rodin-Band, den Vater Sasse ihm als Wiedergutmachung für die Schläge seiner Söhne hatte zukommen lassen.

»Seit wann gibt's denn das?«, fragte Max.

»Seit gestern. Die Verkäuferin sagt, sie hat es gestern bekommen. Ich habe sie gefragt.«

Noske nickte. »Klar, die Juli-Ausgabe. In drei Tagen ist Juli.«

Jonas war immer noch sprachlos. Er hatte den Redakteuren des *Magazins* drei Zeichnungen von Blahnik zur Auswahl angeboten. Sie hatten sich für eine entschieden, die er auf dem Bootssteg am Müggelsee gemacht hatte, als der Dichter vor Zorn fast aus der Haut gefahren war, nachdem der Maler seinen Unmut über die

Entscheidung der Regierung, große Schriftsteller aus den Bibliotheken zu verbannen, nicht emphatisch genug geteilt hatte.

Blahnik war außer sich gewesen. Das sah man auch der Zeichnung an. Sie war so ausdrucksstark, so voller Kraft, dass Jonas,
vom eigenen Werk überwältigt, fast vergaß zu atmen. Er blickte in
tiefliegende, zornige Augen, auf hohe Wangenknochen, auf Geheimratsecken, die sich bis zur Mitte der Schädeldecke vorfraßen
und auf einen Schnauzbart, der vor Empörung zu zittern schien.
Mehr zu sich selbst als zu seiner Verlobten oder seinem Blutsbruder murmelte er leise: »Ja, das ist gut. Das sieht sehr gut aus.«

»Nun schlag schon auf, Jonas!«, rief Louise ungeduldig. »Seite
vierundvierzig.«

Jonas blätterte, Seite vierundvierzig. Die Redaktion hatte ihm
drei Doppelseiten spendiert. *5 Dichter und 1 Maler* war der Titel
der Geschichte. Und in der Oberzeile stand: *Ist unsere Kultur noch
zu retten?* Die Antwort wurde in derselben Zeile gleich mitgelie-
fert: *Ja!*

Auf jeder Seite war ein Porträt eines der von Jonas gezeichne-
ten Schriftsteller abgebildet, daneben stand jeweils ein Block mit
zirka fünfzig Textzeilen, weiß auf schwarz, die erklärten, wer die
Männer waren, und wie ihr jüngstes Werk literarisch einzuord-
nen sei. Jonas überraschte die Sprache, die Frechheit der Oberzeile, die ganze Aufmachung – am meisten aber überraschte ihn
die letzte Seite des Berichts. Dort war er abgebildet, das Foto von
Mo Mommsen, das auch seinen BRD-Pass zierte. Nur war es hier
viel größer aufgeblasen. Jonas hatte dem Redakteur selbst das Negativ des Fotos gegeben, aber im Leben nicht damit gerechnet,
dass es so herausragend erscheinen würde.

Und als er dann auch noch die Zeilen überflog, die in dem
Block, rechts neben der Fotografie, schwarz auf weiß über ihn
verfasst worden waren, verstand er die Welt nicht mehr. Er las,
dass er nicht in die Kunsthochschule Weißensee aufgenommen

worden war, weil es ihm »am sozialistischen Strich mangelte«. Er las, dass sein Vater 1953 an der Stalinallee umgekommen war, und er las, dass seine Arbeit keiner Richtung folgte, sondern der Freiheit, das zu malen, was er fühlte.

Jonas war schockiert.

War der verantwortliche Redakteur ein Lemming, oder was? Der Mann verlor seine Arbeit, ganz sicher. Wenn er Glück hatte, bekam er eine Stelle als Friedhofsgärtner. Das war es dann aber auch.

Aber auch er selbst, Jonas Jabal aus dem Ostpreußenviertel, dem Politik so schnurz und piepe war wie drei Tage Regenwetter, würde sein Fett abbekommen. Ohne Zweifel würde man ihm die Arbeit schwer machen. Jedenfalls in seinem Land.

Wenn er sich nicht schon für ein anderes entschieden hätte, spätestens jetzt hätte er es getan.

Er schlug das Heft zu.

Noske klatschte ihm seine kräftige Hand auf den Rücken. »Mensch, Alter! Wir sind gemachte Leute. Ist dir das klar? Die Geschichte ist unglaublich. Du bist jetzt ein ganz Großer. Picasso kann einpacken. Das werden wir feiern, Alter!«

Noske war außer sich.

Louise lächelte. Sie blickte Jonas in die Augen. Sein Gesicht hatte die Farbe seiner Haare angenommen, sein Kopf glühte. Er schien noch immer nicht zu begreifen, wie ihm geschah. Louise stellte sich auf die Zehenspitzen, legte noch einmal ihre Arme um seinen Hals und flüsterte ihm etwas ins Ohr.

»Ich geh dann mal«, sagte Noske. »Nächsten Freitag wird gefeiert. Das sage ich euch! Ich gebe dem alten Henning gleich Bescheid: Freitag geschlossene Gesellschaft. Das wird ein Fest, Mann!«

Jonas legte sich auf die Chaiselongue und schloss die Augen. Am liebsten wäre er jetzt unsichtbar gewesen.

Im Berliner Olympiastadion stand es zwei zu zwei unentschieden. Der Schiedsrichter pfiff zur Pause, als Noske die Tür hinter sich ins Schloss fallen ließ. Louise ging zum Radio und drehte es aus, bevor sie ihre Taille von dem roten Lackgürtel befreite und hinter sich griff, um die Öse von der Schlaufe ihres Rocks zu lösen. Dabei warf sie einen Blick auf den Boden, wo die Skizzen lagen, die Jonas in ihrer Abwesenheit von ihr gemacht hatte. Sie sah sich an, verkehrt herum auf dem Thonet-Stuhl, lachend und ausgelassen.

Eine halbe Stunde, nachdem sie sich geliebt hatten, sprachen sie kein Wort miteinander. Dann bat Louise plötzlich: »Ich möchte, dass du mich malst, Jonas … Nicht mit Bleistift oder Kohle, ich möchte in Öl auf Leinwand gemalt werden. Ich möchte dein schönstes Bild werden.«

Mit geschlossenen Augen fragte Jonas: »Jetzt? Sofort?«

»Ja, jetzt sofort, natürlich. Wir müssen ja nicht unbedingt heute damit fertig werden. Aber wir fangen an … ja?«

»Und wie willst du gemalt werden?«

»Wie?«

»Ja, wie?

»Darf ich mir das aussuchen?«

»Darfst du …« Jonas öffnete die Augen und lachte.

»Gut«, antwortete Louise, »dann machst du jetzt wieder die Augen zu und wartest solange, bis ich dir sage, dass du gucken kannst. Versprochen? Aber du darfst vorher wirklich nicht gucken … Versprochen?«

»Versprochen …«

Louise fuhr ihm mit der flachen Hand über die Lider, wie man einem Toten über die Lider fuhr, um ihn in den ewigen Schlaf zu überführen.

»Aber nicht schummeln!«

Sie hob das blauweiß gestreifte Leibchen vom Boden auf, kramte aus dem Lederbeutel ihre Schminktasche hervor und ging zum Waschbecken, in dem ein paar Pinsel und die Tasse mit dem abgebrochenen Henkel lagen. Der Geruch von Terpentin stieg ihr in die Nase. Sie sah für ein paar Augenblicke unentschlossen in den Spiegel, drehte ihren Kopf zweimal nach links und zweimal nach rechts, bevor sie das Gummi, auf dem ein weißer Schmetterling appliziert war, von ihrem Pferdeschwanz löste, sich schüttelte und ihre Lippen nachzog.

Als sie schließlich verkehrt herum auf dem Stuhl vor dem chinesischen Paravent Platz genommen hatte, streifte sie sich das Leibchen über den Kopf und ließ die vollen Haare über ihre linke Brust fallen.

Danach zögerte sie, nicht lange, aber sie zögerte, bevor sie sich Mittel- und Zeigefinger in den Mund steckte, um sich dann mit der Spucke auf den Fingern die Schamlippen zu benetzen. Anschließend verschränkte sie ihre Arme auf der gebogenen Lehne des Stuhls und legte ihr Kinn leicht angewinkelt auf die gefalteten Hände.

Der Blick ihrer leuchtend grünen Augen verriet kein Gefühl, kein glückliches und kein trauriges.

Louise wollte dem Betrachter des Bildes, wenn es denn fertig war, nicht alles geben. Er sollte zweifeln.

»Jetzt, Jonas. Jetzt darfst du gucken.«

Jonas öffnete die Augen und erhob sich. Er sagte kein Wort. Mindestens zwei Minuten starrte er sie mit ernster Miene schweigend an, bevor er sich umdrehte, zur Kommode ging, eine leere Leinwand holte und sie auf die Staffelei stellte. Dann sagte er: »Du bist dir sicher ... ja?«

»Ganz sicher, Jonas«, antwortete Louise. »Ganz sicher.«

Dreiunddreißig

Noch am Abend nach ihrer Rückkehr aus Zürich, es war schon kurz nach zehn, beichtete sie Dan, dass sie nicht in Hamburg bei ihrem kranken Vater gewesen war, sondern in Zürich. Sie sagte, sie könne *Louise* nicht so einfach vergessen, sie sei ihr ans Herz gewachsen und außerdem habe sie schon zuviel in sie investiert, nicht nur an Gefühl, auch an Geld. Die Reise nach Paris, die D'Artagnan-Stiefel …

Dan musste lächeln.

»Ja, du lachst, Dan. Aber es ist so. Ich habe einen Vorschuss für sie bekommen. Geld, verstehst du? Viel Geld. Ich kann doch nicht einfach aufgeben, nur weil der Banker, von dem ich engagiert worden bin, das Interesse an seinem Auftrag verloren und sich in die Detektivin verliebt hat. Ich habe einen Job angenommen, Dan … Verstehst du das?«

Daniel Baum lächelte immer noch und hob gleichzeitig an, Charlie zu antworten. Doch die ließ das nicht zu. Wie ein Wasserfall stürzten die Worte aus ihr heraus.

Sie erzählte, was die Schwester des Malers ihr in Zürich erzählt hatte. Sie erzählte, wie Theresa nach Paris gekommen war, sie erzählte von dem Tagebuch in der Rue Germain Pilon, das Max Noske Lisa Jabal vorenthalten hatte, sie erzählte von Jonas' Verzweiflung, als Louise nicht am Engelbecken erschienen war, und von seiner Erleichterung, als er erfuhr, dass sie ihn nicht verlassen hatte, sondern der Tod Boris Vians Schuld am geplatzten Rendezvous gewesen war.

Charlie redete, und Dan hörte zu.

Die beiden saßen unter dem Rindvieh von Courbet an dem Gesindetisch in der Bismarckallee. Vor ihnen stand eine Suppe aus moussierten, schwarzen Bohnen, eine Südtiroler Bauernsuppe, die Irma vorgekocht hatte, weil sie ihren Kegelabend nicht verpassen wollte. Weder Charlie noch Dan hatten bisher einen Löffel von dem Gericht zu sich genommen, zu sehr war sie mit dem Reden beschäftigt und er mit dem Zuhören.

In dem Moment, als sie Dan anvertraute, wie *Louise im blau-weiß gestreiften Leibchen* aus der Allensteiner Straße in einem Citroën abtransportiert worden war, erschien Anna Baum in der Küche. Sie trug einen rosafarbenen Morgenmantel und in den Ohren die weißen Stöpsel eines iPods, den Dan ihr geschenkt hatte, damit sie den Schneewittchensarg wieder herausrückte. Sie hatte das Gerät vom Salon in ihr Reich im ersten Stock des Hauses entführt.

Anna Baum schien beschwingt, als sie ihren Sohn und die Detektivin am Tisch entdeckte. Sie nahm die Kopfhörer aus ihren Ohren und sagte: »Ah, hier habt ihr euch versteckt. Und ich dachte, ich bin allein zu Hause. Keine Angst, ich störe nicht. Ich wollte mir nur meinen Highlander holen.«

Sie nahm sich ein Wasserglas aus dem Schrank, füllte es mit Eiswürfeln aus dem Spender am Kühlschrank und goss dann den Scotch darüber. Die Würfel knackten im Glas.

Bevor sie die Küche wieder verließ, warf sie einen Blick auf den Tisch. »Was esst ihr denn da Gutes?«, fragte sie. »Das sieht ja aus wie Schwarzsauer. Köstlich, Schwarzsauer … Schwarzsauer ist eine Delikatesse. Ich kann mich gar nicht erinnern, wann ich es zuletzt gegessen habe.«

»Es ist eine Suppe aus moussierten schwarzen Bohnen, Mutter«, sagte Dan. »Irmas Südtiroler Bauernsuppe.«

Charlie schoss die Szene durch den Kopf, wie Louise in der Allensteiner Straße Lisa Jabals Schwarzsauer mit Gänseklein gegessen hatte. Noske hatte ihr die Geschichte in Paris erzählt, wahrscheinlich kannte er sie aus dem Tagebuch seines Freundes. Charlie hatte noch nie etwas von der Speise gehört und später im Internet recherchiert, um was es sich dabei handelte. Sie hatte sich sogar ein paar Rezepte ausgedruckt, um es irgendwann einmal nachzukochen.

»Schwarzsauer … nie gehört«, sagte Daniel Baum, nachdem seine Mutter gegangen war. »Kennst du das?«

Charlie nickte. »Ja, ich habe es zwar nie gegessen, aber es muss ganz gut schmecken. Es besteht zu achtzig Prozent aus Schweineblut …«

»Schweineblut?« Dan schüttelte sich. Es grauste ihn. Und er begann, Charlie zu erzählen, wie er als Kind an einer Schweineschlachtung teilgenommen hatte. Es musste 1972 gewesen sein, vielleicht auch 1973. Jedenfalls war Dan zwölf oder dreizehn Jahre alt, seine Eltern hatten ihn in den Sommerferien in ein Dorf in der Nähe von Hamburg zu einer befreundeten Familie geschickt, irgendwo hinter Bismarcks Sachsenwald. Ein Sohn der Familie war mit ihm dann auf den Bauernhof gegangen, wo die Schweine geschlachtet wurden. Die Bauernburschen hatten sich lustig über den Städter aus Berlin gemacht, sie hatten ihn abfällig auf plattdeutsch Geljack genannt, weil er immer eine gelbe Ölhaut trug, so einen Friesennerz aus Gummi.

Die jungen Männer auf dem Dorf wollten es dem Städter einmal richtig zeigen und fragten, ob er vielleicht das erste Schwein erledigen wollte. Sie hielten ihm eine Bolzenpistole vor die Nase. Er sollte dem armen Borstentier, das wie am Spieß schrie und ahnte, dass es dran glauben musste, einen Schuss in die Stirn jagen.

Dan weigerte sich.

Dem zweiten Ansinnen der Bauernburschen konnte er sich dann aber nicht mehr widersetzen, er hätte als Waschlappen gegolten.

Nachdem das Schwein tot auf einer Gummimatte auf dem Kopfsteinpflaster vor den Stallungen lag, ging alles blitzschnell. Einer der jungen Bauern schnitt mit einem scharfen, langen

Schlachtermesser den Unterriss am Hinterbein des Schweins auf.

Um Charlie die Situation verständlich zu machen, hob Dan seinen rechten Arm, simulierte mit der Innenkante seiner linken Hand das Messer und fuhr sich damit ratzfatz die Achsel entlang. »Das ist bei dem Schwein der Unterriss«, sagte er.

Charlie musste lachen.

»Ja, und dann war es furchtbar«, fuhr Dan fort. Er erzählte, wie der Kerl mit dem Messer ihn per Zeigefinger zu sich winkte. Dan musste auf einen Melkschemel Platz nehmen, den Huf des toten Schweins heben und das Blut in einen schräg gestellten Plastikeimer, den seine Waden hielten, aus der offenen Wunde am Unterriss mit der linken Hand in den Eimer pumpen. Er musste pumpen und pumpen. Und mit der rechten Hand, die er zur Faust geballt hielt, war er gezwungen gleichzeitig das lauwarme, zähflüssige Blut umzurühren, damit es nicht gerann. Dan schüttelte sich. »Es war wirklich furchtbar, Charlie! Aus dem Blut wurde dann später Blutwurst gemacht … vielleicht aber auch Schwarzsauer, wie ich gerade gelernt habe. – Nie im Leben hat meine Mutter das gegessen. Sie spinnt einfach manchmal. Nie hat sie etwas vom Schwein gegessen.«

Charlie war gerührt von der Geschichte. Sie stand auf, raffte ihren Rock weit über die Schenkel, setzte sich breitbeinig auf Dans Schoß und gab ihm einen Kuss. Zum ersten Mal, seitdem sie ihn kannte, fühlte sie sich verliebt. So richtig … bis über beide Ohren. »Das ist eine schöne Geschichte«, sagte sie. »Und seitdem isst du kein Schwein mehr?«

»Selten. Eigentlich fast nie, außer gelegentlich ein wenig Parmaschinken, er muss aber sehr dünn geschnitten sein. Hauchdünn, verstehst du?«

»Und die Boudin bei Maurice in der Bötzowstraße? Was ist damit? Du hast so getan, als sei sie dein Leibgericht.«

»Ich wollte dich nicht enttäuschen, du hast so davon geschwärmt. Ich wollte es mir einfach nicht mit dir verderben, gleich bei unserem ersten Rendezvous.«

Charlie lachte, ein bisschen so wie Louise. »Das ist aber nobel … wirklich sehr nobel.«

Die beiden umklammerten sich noch für ein paar Augenblicke ohne etwas zu sagen. Dann fragte Dan: »Worüber haben wir geredet, bevor meine Mutter in die Küche kam?«

Charlie warf ihren Kopf zurück und überlegte. »Ich glaube über Boris Vian und Louises Rückkehr aus Paris. Ach, nein … Ich habe dir zuletzt erzählt, wie *Louise im blauweiß gestreiften Leibchen* nach Jonas' Tod die Allensteiner Straße verlassen hat.«

»Richtig … In einem Citroën, hast du gesagt.«

»Ja, in einem Citroën «

»Meine Eltern fuhren früher immer Citroën.«

Das *Aha*, mit dem Charlie darauf reagierte, klang in Dans Ohren so, als interessiere sie die Bemerkung nicht. Sie sah nachdenklich auf das Rindvieh von Courbet über dem Tisch, ohne es wirklich zu betrachten, und dachte dabei an Louises roten DS auf dem Feldweg hinter Pont-à-Mousson. Und an das Nachfolgemodel dachte sie auch. Louise hatte den Citroën von ihrem Vater geschenkt bekommen, weil der sich einen neuen zugelegt hatte.

Dan spürte, dass Charlie träumte. Er blickte auf Nick Seebergs Perlenkette um ihren Hals und die Blutperle am Revers ihrer Jacke. Schließlich sagte er: »Jetzt musst du mir nur noch verraten, wie das Selbstporträt in dieses Haus gekommen ist … Und natürlich will ich auch wissen, warum sich Jonas Jabal das Leben genommen hat. Ich habe es bis heute nicht kapiert. Es will einfach nicht in meinen Kopf.«

Vierunddreißig

Am ersten Freitag im Juli '59, fünf Tage nachdem Louise wieder aufgetaucht war, sollte Jonas Jabal zu Ehren in Jan Hennings Bierstube gefeiert werden. Es war Max Noskes Verdienst, dass jeder in der Gegend von der Veröffentlichung im *Magazin* erfahren hatte. Jonas war von nun an ein Star in seinem Quartier. Er hatte nicht nur das schönste und aufregendste Mädchen unter der Sonne erobert, er war auch ein anerkannter Künstler. Keiner zweifelte mehr daran, dass er seinen Weg machen werde, wenn auch vielleicht nicht in seinem Land.

Max Noske hatte jedem, der es hören wollte, anvertraut, wie sehr er sich wünschte, dass Jonas von einer anderen Stadt aus wirkte. Bedeutende Kunst brauche eine bedeutende Stadt, die sie berühmt mache. Noske wurde in seinem Übermut nicht müde, diese Phrase ständig zu wiederholen. Und meistens fügte er dann noch an: Berlin sei Provinz, sei Dorf, sei kulturlos. Und Ostberlin sei es allemal.

Noskes Marketingaktion hatte zur Folge, dass Jonas sich um Anerkennung keine Sorgen mehr machen musste, die brachte man ihm von nun an im Ostpreußenviertel an jeder Ecke entgegen, sogar Connie, die Frau des Schusters aus der Braunsberger Straße, zollte ihm und seiner Kunst Respekt. Als der Maler am Morgen dieses Freitags mit einem Laib Brot unterm Arm und *Petite Fleur* auf den Lippen vom Bäcker kam und an Connies Wohnung im Haus Nummer 8 vorbeiging, beglückwünschte sie ihn zu seinem Erfolg. Sie saß im Parterre am offenen Fenster und rauchte eine filterlose Zigarette, eine Eckstein, das wusste Jonas, weil jeder Junge oder Mann, der sich zum zweiten Mal mit ihr einlassen wollte, mindestens eine Schachtel dieser Marke als Präsent mitbringen musste.

»Glückwunsch, Jonas«, sagte Connie, als sie den Maler sah,

»jetzt wirst du ja richtig berühmt. Vielleicht sollten wir zwei Hübschen es doch noch einmal miteinander versuchen.«

Jonas antwortete nicht, er zwinkerte ihr mit dem linken Auge kurz zu und lief, ohne das Lied von seinen Lippen abzusetzen, an dem Haus vorbei. In seinen Gedanken war er ohnehin längst wieder bei Louise, die ihn am Abend zuvor verlassen hatte, um sich in Westberlin frische Kleidung für das Fest bei Henning zu holen.

Seit ihrer Rückkehr aus Paris war sie nicht mehr von der Seite des Malers gewichen. Die beiden hatten in den Tagen an *Louise im blauweiß gestreiften Leibchen* gearbeitet und, nachdem Jonas den letzten Pinselstrich auf die Leinwand gebracht hatte, waren sich beide einig gewesen: Das Gemälde war sein Meisterwerk geworden. Louise hatte es »dein *chef-d'œuvre*« genannt. »Es ist so kraftvoll, Jonas! So voller Rätsel! Es ist dein *chef-d'œuvre*.«

»Mein was?«, hatte Jonas lachend gefragt.

»Dein *chef-d'œuvre*. Sei nicht albern.«

Jonas verstand nicht. Louise erklärte ihm den Begriff und zwang ihn, ihn fünf Mal zu wiederholen. Danach sagte sie: »Ab morgen spreche ich nur noch Französisch mit dir, mon peintre.«

Vielleicht wäre der Abend des dritten Juli anders verlaufen, wenn Jonas auf seinen Freund Noske gehört hätte. Entgegen seiner Ankündigung das Fest zum Erscheinen der Zeichnungen im *Magazin* bei Henning in der Bötzowstraße zu feiern, hatte Max am Montag vorgeschlagen, stattdessen den Prater-Biergarten in der Kastanienallee als Ort der Feier zu wählen. Man sei doch verrückt, hatte er gesagt, wenn man sich bei diesem Jahrhundertwetter in Hennings dunkles Loch verkrieche.

Der Sommer hatte in dieser ersten Woche im Juli mit einer derartigen Wucht die Stadt erobert, dass selbst die Alten sich nicht erinnern konnten, jemals eine vergleichbare Hitze erlebt zu haben. Und der Prater war einer der Orte, an denen sich viele Menschen aus der Gegend zur heißen Jahreszeit am liebsten aufhielten. Noske schwärmte von der Größe des Gartens, von den Lampions in den Bäumen, den hübschen Bedienungen, der modernen Musik und der guten Stimmung, die dort im Allgemeinen herrschte. Er versuchte alles, um Jonas umzustimmen.

Doch der Maler weigerte sich, Noskes Argumenten zu folgen. Wenn seine Zeichnungen in der Zeitschrift überhaupt ein Grund zum Feiern seien, sagte er, dann passiere es dort, wo er sich zu Hause fühle.

Für einmal gab Noske klein bei. Und so trafen sich an diesem Abend alle in Hennings Bierstube in der Bötzowstraße.

Obwohl das Fest für halb acht angesagt gewesen war, trudelten die ersten Gäste schon um sieben ein. Und als Jonas um kurz vor acht in dem dunklen Anzug, den Louise in Paris ihrem Vater geklaut hatte, die Kneipe betrat, applaudierte man ihm. Allen voran seine Schwester Theresa, die hinter dem Tresen stand und Jan Henning beim Ausschenken der Getränke half.

Jonas war schüchtern. Wie abwesend nahm er die meisten Glückwünsche von Menschen entgegen, die er entweder nur vom Sehen kannte oder überhaupt nicht. Er sah sich in den beiden Räumen der Kneipe um. Wenn man ihm zuwinkte, winkte er ungelenk wie ein Roboter zurück.

Wo war Louise?

Er entdeckte den Redakteur des *Magazins*, der ihm die Aufträge für die Zeichnungen gegeben hatte, er sah den Schlachter Mayer mit einer Schaumkrone auf den Lippen, er sah Felix Becker, der neben der Jukebox mit Mo Mommsens Schwester Bine poussierte, er sah seinen alten Deutsch- und Geschichtslehrer, der ihn durchs Abitur gebracht hatte, er sah Lena und Boris Blahnik an einem Tisch mit zwei der anderen Dichter, die von ihm für das *Magazin* porträtiert worden waren, er sah Max Noske am

Tresen mit einer fremden Frau, und er sah seine Mutter im Gespräch mit Hermine Evers, die einen Strohhut mit applizierten Vergissmeinnicht aus Stoff trug.

Nur Louise sah Jonas nicht. Wo war sie?

Sie hatte ihm versprochen, pünktlich um halb acht zur Feier zurück zu sein. Sie wollte ihn im Atelier abholen, und dann wollten sie gemeinsam zu Henning gehen. Sie wollten wie ein Paar auftreten. Sie wollten ihr Glück demonstrieren.

Jetzt war es fast acht, und sie war nicht da. Er fragte sich, warum er sich immer gleich derartig aufregte, wenn es um Louise ging?

Beruhig dich Jonas! Sie wird gleich kommen! Sie hat dich doch noch nie im Stich gelassen.

Als er so verloren im Raum stand, kam Max Noske auf ihn zu und reichte ihm ein Glas Bier. »Was ist los, Alter? Heute ist dein Glückstag. Und du siehst aus wie drei Tage Regenwetter … Ist was passiert?«

»Nein, nichts … es ist nichts passiert. Louise ist noch nicht da.«

Noske verdrehte die Augen. »Nicht schon wieder«, sagte er. »Nicht schon wieder. Sie wird gleich auftauchen … Glaub mir! Und jetzt komm mit an den Tresen, ich stell dir eine wichtige Frau vor. Sie schreibt über Kunst für den *Tagesspiegel*. Komm schon! Es war gar nicht so einfach, sie herzukriegen.«

Jonas weigerte sich. »Später vielleicht. Vielleicht später …«, sagte er.

Nachdem Max, den Kopf schüttelnd, an den Tresen zurückgekehrt war, sah Jonas sich wieder in den beiden Gaststuben um. Lena Blahnik winkte ihm zu. Aus reiner Höflichkeit ging er an ihren Tisch und begrüßte sie, bevor er den drei Dichtern die Hand reichte, die leise über Politik sprachen. Jonas hörte nur die Namen Abusch und Ulbricht, Gysi, Strittmatter und *Aufbau-*

Verlag, und er wusste im selben Moment, dass ihn das Gespräch langweilen würde. *Wie konnte man etwas Bedeutendes schaffen, wenn einem immer die Politik in die Quere kam?*

»Setz dich doch für einen Moment, Jonas«, sagte Lena Blahnik. »Du hast Boris wirklich großartig getroffen.« Sie zeigte auf das Titelblatt des *Magazins,* das vor ihr auf dem Tisch lag, und fügte leise hinzu: »Wirklich großartig. Auch wenn er es nicht zugibt: Er hat sich sehr gefreut – besonders auch deshalb, weil er auf dem Titel abgebildet ist und keiner von den anderen.«

Lena sprach leise und zwinkerte Jonas zu.

Der Maler setzte sich und nahm einen Schluck Bier. Dann bedankte er sich für das Kompliment.

»Nein, wirklich, Jonas. Es ist großartig«, wiederholte Lena noch einmal. »Man sieht der Zeichnung an, dass Boris am liebsten die ganze Welt in die Luft sprengen würde. Mit ein paar Strichen hast du seinen Charakter erfasst.«

Die Anästhesistin aus der Charité hielt Jonas ihr Bierglas entgegen. Die beiden stießen an.

»Wo ist denn deine kleine Freundin von drüben? Louise? So heißt sie doch, nicht wahr? Wo ist sie? Habt ihr euch etwa getrennt? Ist das Feuer der Liebe schon wieder erloschen?« Lena lachte.

»Nein, sie muss gleich kommen. Ich hoffe, sie kommt gleich.«

Lena öffnete ihre Handtasche und zog eine Schwarzweißfotografie mit gezacktem, weißem Rand heraus. »Die hab ich euch mitgebracht«, sagte sie. »Ich habe sie bei unserem Ausflug gemacht.«

Jonas nahm das Foto in die Hand und betrachtete es.

Irgendjemand hatte einen Groschen in die Jukebox geschmissen. Connie Francis sang *Lipstick On Your Collar.* Lena Blahnik musste lauter reden, um sich verständlich zu machen.

»Sieh mal, wie verliebt ihr beiden seid!«, sagte sie und zeigte dabei auf das Foto. »Du vielleicht ein bisschen mehr als sie. Aber das macht ja nichts. Einer liebt schließlich immer mehr … Sie ist wirklich bildschön, deine Louise. Aber, wenn ich ehrlich sein darf – das darf ich doch, Jonas? – wenn ich ehrlich sein darf, ich glaube, sie hat es faustdick hinter den Ohren.«

Jonas ärgerte sich über die Bemerkung, ging aber nicht darauf ein. Er betrachtete Louise und sich auf dem Foto an einem Tisch in dem Ausflugslokal Rübezahl am Müggelsee. Sie hatte ihren Kopf schräg auf seine Schulter gelegt und blickte ein wenig kokett in die Kamera.

Ein paar Minuten später waren sein Unmut und seine Zweifel wieder verflogen. Zwei Hände legten sich von hinten flach über seine Augen, und er hörte den Satz: »Tut mir leid, dass ich zu spät bin, Jonas. Ich bin an der Grenze aufgehalten worden …«

Endlich, Louise war da.

Bevor sie Lena Blahnik und die drei Dichter am Tisch begrüßte, reichte sie Jonas ein in rotes Seidenpapier verpacktes Geschenk, das von einer dunkelblauen Schleife zusammengehalten wurde.

»Ich wünsche mir, dass du das kleine Präsent als Aufforderung verstehst, Jonas«, flüsterte sie ihm ins Ohr.

Der Maler begann an der Schleife herumzunesteln. Louise lächelte. Die Männer am Tisch musterten sie von oben bis unten. Sie trug Pferdeschwanz und Schönheitsfleck. Das Rot ihrer Lippen war identisch mit dem des Gürtels und der hochhackigen Schuhe. Ihr enger, hellgrauer Rock endete kurz über den Knien. Über ihrem rechten Arm lag eine Jacke aus dem gleichen Material.

»Das ist ein Kostüm von Chanel, nicht wahr?«, sagte Lena Blahnik.

Louise antwortete ihr nicht. Sie beobachtete Jonas, wie er das Geschenk mit seinen langen, knochigen Fingern aus der Verpackung befreite. Es war ein Buch. Jonas las den Titel. *Leb' wohl Berlin. Ein Roman in Episoden.* Die Dichter am Tisch reckten ihre Köpfe. »Christopher Isherwood ...«, sagte Boris Blahnik. »Darf ich mal sehen?« Jonas reichte das vergilbte Buch über den Tisch. Boris roch daran, bevor er es aufschlug, um darin zu blättern. »Es ist die Erstausgabe von 1949.«

Leb' wohl, Berlin!, dachte Jonas. *Ja, au revoir, Berlin!*

Am liebsten hätte er den Satz laut herausgeschrien. Noch in dieser Nacht wollte er Louise sagen, dass er sich für Paris entschieden hatte.

In den folgenden zwei Stunden verfluchte er sich immer wieder, dass er dem Fest zugestimmt hatte. Er fühlte sich nicht wohl in seiner Haut. Die Luft war stickig, das Bier stieg ihm zu Kopf, der Zigarettenqualm biss in seine Augen. Und dann war da noch die Musik, so laut, dass man fast schreien musste, um sich verständlich zu machen.

Es kam Jonas so vor, als müsste er jedem Rede und Antwort stehen. Der eine wollte nur noch einmal persönlich seine Glückwünsche loswerden, ein anderer bat um ein Autogramm, ein dritter fragte, ob Jonas ihn vielleicht zeichnen könnte. Der Mann wollte seiner Frau ein Porträt von sich zur Silbernen Hochzeit schenken.

Jonas ließ sich seinen Unmut nicht anmerken. Während er brav Konversation machte, suchte sein Blick aber immer wieder Louise, die sich zu amüsieren schien. Er sah, wie sie die Dichter am Tisch unterhielt, er sah sie am Tresen, wie sie sich bei Henning ein Bier bestellte und wie sie Schlachter Mayer mit einem Taschentuch die Schaumkrone auf der Oberlippe entfernte, und er sah sie zweimal auf der Tanzfläche.

Mit Theresa tanzte sie zu *My Boy Lollypop* von Barbie Gaye und zu *Splish Slash* von Bobby Darin. Es gefiel ihm, wie die beiden Frauen, die er neben seiner Mutter am meisten liebte, so fröhlich miteinander umgingen.

Weniger Gefallen fand er später an Louises Tanz. Jonas unterhielt sich neben Max Noske gerade mit der Frau vom *Tagesspiegel*, die sich zum Atelierbesuch bei ihm am Montag der folgenden Woche einlud, als Boris Blahnik Louise aufforderte.

An der Hand führte der Dichter Jonas' Verlobte, die sich ihrer roten Schuhe entledigt hatte, auf die Tanzfläche. Bei den ersten beiden Liedern dachte sich Jonas noch nichts dabei. Blahnik und Louise tanzten zu *Peggy Sue* und zu Ted Herolds *Hula Rock*, sie tanzten wild und ausgelassen. Während der kräftige Blahnik Louise einmal über die Schulter warf, fürchtete Jonas sogar kurz, ihr enger Rock könnte reißen. Doch das passierte nicht. Trotzdem missfiel ihm der Auftritt. Er fand, der Dichter machte sich und Louise lächerlich. Blahnik war über dreißig Jahre alt, und er benahm sich wie ein Halbstarker von drüben.

Warum hatte sein Freund Noske dem Wirt der Bierstube bloß diesen Kasten besorgt und mit Platten gefüllt?

Max hatte die ausgemusterte Jukebox von einem Wirt in Kreuzberg, der neben der Setzerei Luckner eine Bar namens Zwielicht besaß, verhältnismäßig günstig abgestaubt. Jetzt teilte sich der Setzer aus dem Ostpreußenviertel zusammen mit Felix Becker den Gewinn, den die Maschine in Hennings Bierstube abwarf. Die Platten hatten beide Freunde aus ihren eigenen Beständen dazu beigesteuert, wobei ein Großteil davon vom Klassenfeind stammte, aus dem KaDeWe. Becker hatte viele Singles dort auf die gleiche Weise erworben wie ein paar Jahre zuvor die Matchbox-Autos.

Nur eine einzige Platte war auf Jonas' Wunsch dem Kasten hinzugefügt worden, *Petite Fleur*. Und es war gerade dieses gefühlvolle Lied, das Lied von Jonas und Louise, das den Maler an diesem Abend des dritten Juli 1959 zur Weißglut brachte.

Nachdem Ted Herold ausgerockt hatte, spielten Chris Barber und Monty Sunshine ihren Hit von der kleinen Blume. Jonas beobachtete, wie Boris Blahnik bei den ersten Takten des Liedes Louises Taille umfasste und langsam begann, sich mit ihr im Arm zu drehen. Und obwohl der Maler genau sah, dass sich Louise den Tanzpartner mit ihrer flachen Hand, die auf seiner Brust lag, geschickt vom Leib hielt, konnte er sich kaum noch beherrschen. Er wollte hingehen und Blahnik abklatschen, und er hätte es auch getan, wenn in diesem Augenblick Vater Sasse nicht vor ihm aufgetaucht wäre.

»Kann ich dich kurz sprechen, Jonas?«, fragte der Mann, dessen Söhne den Maler fast blind geprügelt hatten.

»Ja, klar«, antwortete Jonas. Sasses ernstes Gesicht überraschte ihn. »Um was geht's denn?«

»Können wir das draußen besprechen? Hier halten es ja nur Wilde aus ... Ich sage nur: Wehe, wenn sie losgelassen ...«

Jonas folgte Sasse durchs Lokal auf die Bötzowstraße. Als er an Louise und Blahnik vorbeiging, sah er, wie die rechte Hand des Dichters während des Tanzes mit dem Pferdeschwanz spielte.

»Also, um was geht es?« Die Stille auf der Straße und die frische Luft beruhigten Jonas ein wenig. Er atmete ein paar Mal tief durch und war plötzlich wieder ganz klar im Kopf.

»Ich will dir nicht deinen Abend verderben, Jonas. Wirklich nicht. Aber ein paar deutliche Worte muss ich dir schon sagen. Das betrachte ich als meine Pflicht. Du hast dich sicher schon gewundert, dass ich heute Abend nicht schon eher gekommen bin ... eigentlich wollte ich überhaupt nicht kommen ... Aber ich mag dich, das weißt du. Und ich möchte nicht, dass du in Schwierigkeiten gerätst ...«

»In Schwierigkeiten?« Jonas begriff nicht, was Sasse wollte. Und vermisst hatte er ihn schon gar nicht.

»Du weißt, wovon ich rede. Du weißt genau, dass du dir mit

der Veröffentlichung in diesem Schundblatt geschadet hast …
Die ganze Richtung stimmt einfach nicht, Jonas, dieses zersetzende Geschmiere …«

Langsam wurde dem Maler klar, worauf Sasse anspielte. Dem
Mann passten die Texte nicht, die die Redaktion zu seinen Zeichnungen verfasst hatte. Aber was konnte Jonas dafür?

»Ich weiß, du kannst nichts dafür«, sagte Sasse, als konnte er
Gedanken gelesen. »Aber allein die Auswahl der Schriftsteller
hätte dich schon stutzig machen können. So jung bist du nun
auch wieder nicht, um nicht zu wissen, wes Geistes Kind die fünf
Herrschaften sind. Der Redakteur, der die Geschichte zu verantworten hat, wird seine Konsequenzen ziehen müssen, das garantiere ich dir. Auch wenn es stimmt: Ich verstehe nicht, wie er
schreiben konnte, dass sie dich in Weißensee mit diesem Satz abgelehnt haben – *sozialistischer Strich!* Der Mann kann in Zukunft
arbeiten, wo der Pfeffer wächst, ganz sicher aber nicht mehr in einer Redaktion in unserem Land. Für Reaktionäre und Gefühlsduselei ist bei uns kein Platz.«

Zusammen mit Hermine Evers kam Lisa Jabal aus der Kneipe.
Lisa nickte Vater Sasse zu und sagte an ihren Sohn gewandt, dass
sie nach Hause gehe. Es sei ein schönes Fest gewesen, aber jetzt
lange es ihr. Für die laute Musik sei sie nicht mehr gemacht.

Jonas umarmte seine Mutter.

Nachdem sie eingehakt in den Arm der Evers gegangen war,
verabschiedete sich auch Vater Sasse. Er sagte: »Du hast Verständnis, dass ich nicht hier bleiben kann, Jonas. Vielleicht trinken wir
nächste Woche mal ein Bier zusammen. Was meinst du, Junge?
Dann reden wir in Ruhe über deine Zukunft. Mich würde nämlich auch interessieren, wieso du so an dieser Louise klammerst.
Sicher, sie ist sehr hübsch. Aber auch bei uns gibt es sehr hübsche
Mädchen … Warum muss es also gerade dieses verwöhnte Geschöpf aus Grunewald sein?«

Sasse klopfte dem Maler auf die Schulter und ging. »Nächste Woche auf ein Bier, ja?« Er verschwand, ohne sich noch einmal umzudrehen.

Jonas war wie vor den Kopf geschlagen. Woher wusste Sasse, in welchem Berliner Stadtteil Louise lebte? Nicht einmal er selbst wusste das bisher. Und was ging es den Mann an, wen Jonas Jabal liebte?

Vor der Tür atmete er noch ein paar Mal tief durch, bevor er in die Gaststube zurückkehrte. Theresa winkte ihm vom Tresen aus zu. Mit der anderen Hand hielt sie ein frisch gefülltes Bierglas hoch. Sie lachte. Jonas ging zu ihr und nahm ihr das Glas ab. Boris Blahnik saß wieder neben seiner Frau am Tisch und unterhielt sich mit seinen Kollegen. Jonas sah sich in beiden Räumen um. Er entdeckte weder Louise noch Max Noske. Felix Becker tanzte mit Bine Mommsen zu einem langsamen Lied. »Wo ist Mo, Bine?«, fragte Jonas im Vorbeigehen.

»Sie fühlt sich heute nicht so gut, Jonas«, antwortete Mos Zwillingsschwester. Ihr Kopf ruhte auf der Brust von Felix Becker.

Wo waren Louise und Max?

»Setz dich doch wieder zu uns«, sagte Lena Blahnik, als der Maler sich vor ihrem Tisch suchend umsah.

Jonas schüttelte den Kopf. Er ging Richtung Korridor, der zu den beiden privaten Räumen Jan Hennings und zum Pissoir der Kneipe führte.

Dort sah er sie im Halbdunkel, Max und Louise. Keine fünf Meter von ihm entfernt standen die beiden neben dem Fromms-Automaten, der mit *Drei Stück für eine Mark* warb. Louise hielt ihr rechtes Bein angewinkelt, der Fuß ruhte an der Wand. Sie trug noch immer keine Schuhe. Ihre Haare waren offen und vom Tanz verschwitzt. Max Noske stand vor ihr. Seine Hände stützten sich links und rechts neben ihrem Kopf an der Wand ab. Die beiden unterhielten sich. Louise lächelte.

Jonas starrte auf das Paar wie auf die Rodin-Skulptur, die er im Korridor des *pied à terre* in der Rue du Bac entdeckt hatte. Die Szene in Hennings Bierstube kam ihm genauso unwirklich vor wie die in Paris. Er spürte wie das Blut sein Gehirn verließ. Ihm wurde schwindelig. Wie angewurzelt stand er über eine Minute lang so da.

Als Louise ihren Verlobten entdeckte, winkte sie ihm fröhlich zu. »Komm her, Jonas! Max und ich, wir reden gerade über dich und mich. Wir fragen uns, wie wir es schaffen, dich nach Paris zu kriegen … Deine Zukunft heißt Paris, Jonas!«

Jonas wandte sich von den beiden ab. Mit schnellen Schritten eilte er durchs Lokal. Dabei rempelte er Felix Becker und Bine Mommsen an, die immer noch auf der Tanzfläche poussierten und ihm erstaunt nachsahen.

»Jonas!«, rief Theresa hinter dem Tresen. »Was ist los?«

Jonas antwortete nicht.

Vor der Tür der Kneipe erholte sich der dicke Henning von dem Trubel in seinem Lokal. Zwischen seinen Zähnen klemmte ein zerkauter Stumpen. »Na, Junge, bist du zufrieden?«, fragte er.

Jonas antwortete wieder nicht.

Er rannte über die Bötzowstraße, dann über die Allensteiner, er rannte die Treppen zu seinem Atelier hinauf. Nicht einmal Armin Hary hätte ihn einholen können. Im Atelier setzte er sich, vollkommen außer Atem, verkehrt herum auf den Thonet-Stuhl und vergrub seinen Kopf in den Händen, dabei schnaufte er wie ein Walross.

Drei Minuten später stand Louise vor ihm. »Bist du verrückt geworden, Jonas? Was ist los?« Auch sie war außer Atem. In den Händen hielt sie die roten Schuhe mit den hohen Absätzen. »Hab ich dir was getan?«

»Verschwinde!«

»Hör auf, Jonas. Sei nicht albern! Was hast du denn?«

»Verschwinde! Hau ab, hab ich gesagt!« Er ballte seine Hände zu Fäusten. »Flittchen!«

»Ich bin kein Flittchen.« Louise ließ die roten Schuhe fallen und legte eine Hand auf Jonas' Kopf. Mit gespreizten Fingern fuhr sie ihm durch die rotblonden Haare, die in alle Richtungen standen.

Jonas sprang auf. »Hau ab!«, schrie er noch einmal. Dann holte er aus und schlug Louise zweimal mit der flachen Hand kräftig ins Gesicht, einmal mit der Innenfläche und zum zweiten Mal mit dem Handrücken. Beim zweiten Mal traf der Ring an seinem Finger ihre Lippen. Louise stürzte auf die Dielen. Ihr Mund begann zu bluten, und Blut lief auch aus ihrer Nase.

Fünfunddreißig

In den Tagen vor Weihnachten sahen sich Dan und Charlie wenig. Dan hatte viel in der Bank zu tun und mit der Anwältin, die seine Frau ihm auf den Hals gehetzt hatte, und Charlie war froh, dass sie ein bisschen Zeit mehr für sich hatte, um sich über ihre Zukunft klar zu werden. Sie spürte die Gefahr, nach Nick Seeberg in die nächste Abhängigkeit zu schlittern. Das musste sie verhindern. Sobald *Louise* sie in Ruhe ließ, beschloss sie, sich wieder Philipp Bach zuzuwenden, ihrem *Poète maudit,* dem sie einen Lorbeerkranz flechten wollte, bevor Daniel Baum in ihr Leben getreten war, indem er den Katalog auf den hässlichen Schreibtisch aus Eichenholz gelegt und ihr *Louise* präsentiert hatte.

Charlie hatte sich auf den ersten Blick in das Mädchen im blauweiß gestreiften Leibchen verliebt. Dabei war es nicht die Haltung gewesen, die *Louise* auf dem Stuhl eingenommen hatte, die obszön anmutende Stellung ihrer Beine, es war ihr Gesichtsausdruck, der sie von der ersten Sekunde an fasziniert hatte, es war dieser seltsam, rätselhafte Augenaufschlag, der sie schließlich auch dazu verführt hatte, Daniel Baums Auftrag anzunehmen und sich auf die Suche nach der Leinwand zu machen.

Daniel Baum selbst musste sich allerdings mehr ins Zeug legen, um Charlie zu gefallen. Sicher, es hatte ihr geschmeichelt, dass er ihr nach Paris nachgereist war, und in der Hemingway-Bar des Ritz hatte sie sogar Lust auf ihn. Aber was hatte Lust mit Verliebtsein oder gar Liebe zu tun?

Ein bisschen von beidem hatte sie Dan gegenüber zum ersten Mal in der Küche in der Bismarckallee gespürt, als er ihr die Geschichte von der Schweineschlachtung anvertraut hatte. Dabei war er ihr sogar ein wenig wie Jonas vorgekommen und sie sich selbst wie Louise.

Jetzt saß sie wieder in dieser Küche unter dem Courbet und unterhielt sich mit Irma. Die Hauswirtschafterin aus Südtirol kochte Spaghetti. Anna Baum hatte sich schon früh in ihr Reich im ersten Stock zurückgezogen, und Dan steckte in Frankfurt fest. Sein Flug nach Berlin war gestrichen worden. Er hoffte, dass er noch die letzte Maschine erreichte.

Es war der achtundzwanzigste Dezember, ein Freitag. Charlie war erst am Morgen aus Hamburg zurückgekehrt, wo sie, wie jedes Jahr, die Feiertage mit ihrer Familie verbracht hatte. Sie wäre gern noch ein paar Tage länger geblieben, aber sie hatte sich von Dan überreden lassen, zum Jahreswechsel in die Sonne zu fliegen. Dan hatte ihr nicht verraten, wohin die Reise ging, nur Sommerkleidung sollte sie einpacken und ihren Bikini. Aus diesem Grund nahm sie an, dass es kein kurzer Flug werden würde. Dass sie gar keinen Bikini besaß und auch grundsätzlich keinen trug, hatte sie ihm verschwiegen. Dagegen hatte sie ihm geschworen, während der Reise *Louise im blauweiß gestreiften Leibchen* zu vergessen.

Zuletzt hatten die beiden in der Küche über das Gemälde und sein Model gesprochen. Charlie hatte Dan von dem Fest in Hennings Bierstube erzählt und dem traurigen Ereignis im Atelier, das auf das Fest gefolgt war.

Ihr Wissen, wie das Selbstporträt Jabals Monate später von der Allensteiner Straße in den Westen gekommen war, hatte sie hingegen für sich behalten. Und ihre Vermutung, dass es im Herbst 1959 seine Reise direkt von dort in die Bismarckallee gemacht haben könnte, erst recht.

Irma stellte zwei tiefe Teller gefüllt mit Spaghetti auf den Tisch, dann nahm sie ihre weiße Schürze ab und legte sie über einen Stuhl. Charlie goss den Wein ein, einen Cabernet. Die Flasche war zweisprachig beschriftet. Die Herkunftsregion wurde sowohl mit Kurtatsch wie auch mit Cortaccia angegeben. Die beiden Frauen stießen an, bevor Charlie die Nudeln auf die Gabel drehte und sie probierte.

»Sie schmecken gut«, sagte sie, »sehr gut. Spaghetti sind mein Ein und Alles. Ich liebe Spaghetti.«

»Ich habe sie *alla matriciana* gemacht«, antwortete Irma. »Man isst sie im Winter. Die Deutschen essen sie zu jeder Jahreszeit, aber eigentlich sind sie ein Wintergericht aus den Abruzzen.«

»Seit wann sind Sie schon hier im Haus, Irma?«

»Ach, ich mag gar nicht dran denken. Im Februar werden es dreißig Jahre, es war an Daniels Geburtstag, dem achtzehnten. Er ging noch zur Schule.«

»Hing zu dieser Zeit das große Gemälde schon in der Halle, der junge Mann mit der Narbe unter dem rechten Auge?« Charlie wusste, dass Irma die Frage seltsam vorkommen musste, aber das war ihr egal.

»Der Maler in dem karierten Hemd, meinen Sie den?«

»Ja.«

»Der war schon da, ja. Seltsam, dass Sie mich nach ihm fragen. Er ist mir so ziemlich als erstes hier aufgefallen.«

»Warum das?«

»Frau Baum hat sich manchmal mit ihm unterhalten ...«

»Sie hat was?«

»Sie hat ihn dummer Kerl genannt, und ich weiß nicht, was noch. Aber ich glaube, sie mochte ihn. Warum sonst hängt man sich ein so ein spindeldürres, halbverhungertes Geschöpf an die Wand?«

Charlie leerte ihr Glas Wein in einem Zug und füllte es nach. Auf dem Etikett der Flasche las sie unter dem Namen Südtirol den Schriftzug Alto Adige. »Sie sind also Italienerin?«, sagte sie zu Irma.

»Ich bin Südtirolerin. Ein Südtiroler ist ein Südtiroler.«

»Aber Sie sprechen Italienisch so gut wie Deutsch?«

»Ich gehöre zum ersten Jahrgang, der Deutsch und Italienisch in der Schule gelernt hat. Ich spreche aber auch Holländisch.«

»Wieso das?«

Und so begann Irma ihre Geschichte zu erzählen. Sie erzählte, wie sie als Fünfzehnjährige in einem Obstgroßhandel in Neumarkt gearbeitet hatte. Es war eine stupide Arbeit. Sie musste Äpfel in Seidenpapier wickeln und dann in Kisten verpacken, Tag für Tag, immer dasselbe. Irgendwann mochte sie nicht mehr. Sie hat ein Stück von dem hauchdünnen Papier genommen, ihre Adresse darauf notiert und ein paar Zeilen in kleiner Schrift, dass sie sehr gerne einmal im Ausland arbeiten würde und dankbar wäre, eine positive Antwort zu erhalten. Unterschrieben hatte sie mit *Ihre hoffnungsfrohe Irma Pichler.* Dann hatte sie einen besonders schön gewachsenen, polierten Apfel darin eingewickelt und in eine Kiste gelegt.

Fünf Wochen, nachdem sie schon gar nicht mehr damit gerechnet hatte, erreichte sie Post aus Holland. Die Frau eines Bankiers aus Rotterdam antwortete in einem langen Brief, dass sie glaubte, eine Arbeit für Irma zu haben, wenn ihre Eltern einverstanden seien. Dass sie genauso gut war wie ihre Äpfel, daran zweifelte die Frau nicht.

Charlie sah die Haushälterin ungläubig an. »Und die Geschichte ist wahr?«, fragte sie.

Das Telefon klingelte. Irma stand auf. »So wahr, wie ich hier stehe.«

»Und wie sind Sie dann nach Berlin gekommen? Hat der holländische Bankier sie an den deutschen verkauft?«

Irma lachte und nahm den Hörer ab. Für einen Augenblick herrschte Stille. Dann sagte sie: »Ja, ist gut. Wird gemacht. Adesso, capa!« Sie legte den Hörer auf und sah Charlie an. »Frau Baum hätte gern ihren Highländer. Ihr Kreislauf braucht ihn, sagt sie.«

»Darf ich ihr den bringen?«, fragte Charlie.

Irma zögerte kurz. Dann sagte sie: »Wenn's Ihnen Spaß bereitet. Frau Baum wird sicher nichts dagegen haben.«

Charlie stand auf und füllte den Whisky in ein Wasserglas, dann ließ sie die Eiswürfel hineinplumpsen. Als sie mit dem Glas in der Hand die Küche verließ, sagte sie: »Die Spaghetti waren wirklich sehr gut, Frau Pichler.« Dabei lächelte sie. Während sie die Treppen hinaufging, stellte sich vor, wie ein rundes fünfzehnjähriges Mädchen aus Südtirol allein in Rotterdam angekommen war.

Im ersten Stock des Hauses musste Charlie sich kurz orientieren, Dan lebte im rechten Flügel, den sie inzwischen gut kannte, im linken befand sich das Reich Anna Baums. Wenn die Zimmer genauso aufgeteilt waren wie bei Dan, dann dürfte die erste Tür rechts in ein Arbeitszimmer führen, die zweite in den Wohnraum, die dritte ins Schlafzimmer. Aber wahrscheinlich hatte sich Dans Mutter ganz anders eingerichtet. Charlie klopfte an die mittlere Tür.

Keine Antwort.

Sie versuchte es an der nächsten, hinter der sie das Schlafzimmer vermutete. Wieder rührte sich nichts. Irgendwo hier musste sie sein. Charlie drückte die Klinke und sah Licht durch den Spalt der Tür. Anna Baum lag auf einer Patchworkdecke, die über ein Kingsize-Bett ausgebreitet war. Sie trug ihren rosafarbenen Morgenmantel und hatte die Augen geschlossen. Ihre rot lackierten Finger bewegten sich im Takt, so als spielten sie Klavier.

»Frau Baum? Hören Sie mich?«

Charlie betrat das Zimmer. Erst jetzt wurde sie gewahr, dass die Frau kleine, weiße Kopfhörer in den Ohren trug. Sie lauschte der Musik aus dem iPod.

»Frau Baum?«, wiederholte Charlie noch einmal. Dieses Mal legte sie mehr Kraft in ihre Stimme.

Anna Baum schlug die Augen auf. Sie lächelte und nahm die Kopfhörer aus den Ohren.

»Das ist aber eine Überraschung, Charlie. Sie bringen mir meine Medizin. Das ist nett, setzen Sie sich doch.« Sie klopfte mit der flachen Hand auf die Patchworkdecke.

Charlie setzte sich auf den Bettrand und reichte Dans Mutter den Highländer. »Was hören sie da? *Petite Fleur*?«

»Ja, *Petite Fleur* und all die anderen Lieder von gestern. Das kleine Wunderding ist voll davon. Es ist ein Museum für Musik. Haben Sie Monty Sunshine einmal live spielen gehört? In diesem Gerät klingt er wie live.«

Charlie schüttelte den Kopf. »Nein, ich habe ihn nie live gehört. Leider nicht.«

Sie sah sich im Raum um. Er war weniger cool eingerichtet als die Räume im Erdgeschoss. *Stainless steel* suchte man hier vergeblich, überall war die Vergangenheit gegenwärtig. Auf einem Empire-Sekretär standen zwei Dutzend Fotos in silbernen Rahmen. Charlie erhob sich wieder vom Bett und ging zum Sekretär, um die Bilder zu betrachten. Eines zeigte ein junges Paar unter einem Baldachin, der Mann trug einen dunklen Anzug und eine Kippa, die junge Frau ein Spitzen besetztes Hochzeitskleid und einen Schleier. Charlie zeigte auf das Foto.

»Das sind meine Eltern«, sagte Anna Baum.

»Und das?« Charlie deutete auf einen bärtigen Mann.

»Das sehen Sie ja wohl! Das ist Hemingway, und die mit dem dicken Bauch daneben, das bin ich. Und der dicke Bauch ist Daniel ... Ihr Luver, Charlie.« Anna Baum zwinkerte mit ihrem linken Auge.

Charlie musste lachen. »Dan hat mir erzählt, dass Sie Hemingway kannten.«

»Oh, ja. Er war ein Draufgänger. Mein Bauch hat ihn gar nicht gestört. Er war ein echter Draufgänger. Dass er sich keine zwei Jahre später das Gehirn rauspustet, hätte ich damals nicht für möglich gehalten. Er war ein richtiger Kerl – Sie verstehen, Charlie – er wirkte so stark wie eine alte Eiche. «

»Wo ist die Aufnahme gemacht worden?«

»Im Knickerbocker Club in New York.« Anna Baum nahm einen Schluck vom Whisky.

Charlie sah sich weiter um. Erst jetzt merkte sie wie groß der Raum war, er maß mit Sicherheit über sechzig Quadratmeter. An der linken Wand hing neben der Tür zum begehbaren Kleiderschrank ein großer Spiegel mit einem Perlmuttrahmen, in dem sich ein tiefer Sessel spiegelte. Hinter dem Sessel spie ein Drache Feuer. Das Rot des Feuers glich dem des Möbels.

Charlie traute ihren Augen nicht. Wie vom Blitz getroffen drehte sie sich um. Sie erkannte ihn sofort. Kein Zweifel, sie hatte den chinesischen Paravent entdeckt, den sie zum ersten Mal in ihrem Büro in der Lietzenburger Straße in dem Katalog gesehen hatte. Hier, im Reich der Anna Baum, stand er zwar zusammengeklappt an der Wand, aber der Drache mit dem weit aufgerissenen Rachen war ganz deutlich zu erkennen. Der Kopf des Fabelwesens erweckte den Anschein, als ruhe er sich auf der Rückenlehne des Sessels aus.

»Sind Sie noch da, Charlie?«

Charlie wandte sich Anna Baum zu und nickte.

»Wo waren Sie mit Ihren Gedanken? Ich habe den Eindruck, Sie sind immer auf Reisen. Das habe ich kürzlich, bevor wir das Tanzbein geschwungen habe, schon gedacht.«

»Ja, ich war ganz weit weg, Frau Baum. In einer anderen Zeit, in einer anderen Welt. Ich war in der Allensteiner Straße, im alten Ostpreußenviertel … Das sind mindestens zehn Kilometer von hier. Kennen Sie sich dort aus?«

Anna Baum runzelte die Stirn. Erst jetzt entdeckte Charlie den Schönheitsfleck auf der Wange der Frau. Sie setzte sich wieder auf die Bettkante. »Sie heißen in Wirklichkeit Annabelle, nicht wahr?«

»Annabelle, ja. So steht es jedenfalls in meinem Pass, aber alle nennen mich Anna. Nur mein Vater hat mich Annabelle genannt, Sie heißen ja auch nicht Charlie, oder?«

»Charlotte.«

»Na, sehen Sie …«

Anna Baum spielte mit dem iPod in ihrer Hand. Ihr Blick schweifte an Charlie vorbei.

»Und was ist mit Louise?«, fragte Charlie.

»Louise?«

»Sie wissen, was ich meine, Anna.« Charlie sprach sie zum ersten Mal mit ihrem Vornamen an. »Es gab eine Zeit in Ihrem Leben, in der man Sie Louise gerufen hat … Und ich vermute, das war für Sie keine ganz unwichtige Zeit.«

Anna Baum legte den iPod aus der Hand und griff zum Glas. »Ich trinke nicht gern allein, Charlie. Wollen Sie sich nicht auch einen Highländer holen?«

Charlie nickte. Sie stand auf und beeilte sich, in die Küche zu gehen.

»Ja, machen Sie schnell, Charlie, bevor ich es mir anders überlege. Und bringen Sie mir gleich auch noch ein Glas mit.«

Was meinte die Frau mit anders überlegen? Charlie lief die Treppen hinunter, so schnell, wie sie es vorher nur bei Dans Sohn Ben gesehen hatte, am liebsten wäre sie auf dem Geländer gerutscht. Die Ereignisse purzelten in ihrem Kopf durcheinander. Was hatte sie nur angestellt? Sie hatte Anna Baum ins Gesicht gesagt, dass sie alles wusste. Fast alles. Sie sah den Drachen im Katalog, sie sah ihn in der Pagode in Paris. Sie sah sich und Dan, wie sie im Garten des Pariser Kinos saßen, jeder einen Pappbecher gefüllt mit Tee in den Händen, der sie wärmte. Was hatte sie nur angestellt? Sie sah das kanadische Holzfällerhemd, sie sah es an Jonas, und dann sah sie es an Dan. Sie konnte nicht klar denken. Sie sah Louise im Atelier, blutend auf den Dielen im blauweiß gestreiften Leibchen, sie sah Theresa, die den Jutebeutel mit den Pinseln ins Grab des Malers warf. Sie hörte Mo Mommsen schreien: Flittchen! Schlampe! Und noch einmal – Flittchen!

In der Küche beachtete sie Irma nicht, die inzwischen wieder die weiße Schürze trug und am Gesindetisch das Tafelsilber putzte.

»Ist was passiert?«, fragte die Hauswirtschafterin.

»Nichts, gar nichts«, antwortete Charlie, ohne die Frau eines Blickes zu würdigen. Sie füllte zwei Gläser und verschwand so schnell, wie sie gekommen war.

Irma sah ihr nach und schüttelte den Kopf.

Keine Minute später saß Charlie wieder auf der Bettkante im ersten Stock. Anna Baum hatte ihre Augen geschlossen. Charlie sah sie an. Sie sah auf die Gesichtshaut, die so dünn wirkte wie Pergament, fast durchsichtig. Ihre Haut war straff, kaum eine Falte. Charlie hatte noch nie eine Frau in Anna Baums Alter mit so straffer Haut gesehen. Sie sah auf den Busen, den Ansatz des Busens.

Greif zu, Jonas!, dachte sie. *Greif fest zu! Die beiden mögen das. Sie sind nicht zimperlich.*

Wie lange war das her? Schrecklich lange. Charlie rechnete: Mai neunundfünfzig, Dezember nullsieben – länger als achtundvierzig Jahre, fast ein halbes Jahrhundert.

Fast ein halbes Jahrhundert war es auch her, seitdem Jonas Jabal, der Maler aus der Allensteiner Straße im Osten Berlins, sich das Leben genommen hatte – mit einer Rasierklinge der Marke Tutilo und dem Schlafpulver Dormolux. Charlie war überzeugt, Jonas hatte die Tat begangen, weil er nicht glauben wollte, dass ein so schönes Mädchen wie Louise sich ausgerechnet ihn ausgesucht hatte. Und zwar nur ihn. Er hatte gedacht, dass Louise oder, wie er später erfuhr, Annabelle es mit der Liebe nicht so genau genommen hatte. Und dann hatte er zweimal kräftig zugeschlagen, einmal von links und einmal von rechts. Oder umgekehrt.

»Frau Baum?«, sagte Charlie. »Verstellen Sie sich nicht. Ich weiß, dass Sie nicht schlafen.«

Anna Baum öffnete ihre Augen und lächelte. »Jetzt sind erst einmal Sie dran, Charlie. Was fällt Ihnen ein, sich in mein Leben zu schleichen? Erzählen Sie mir, wie es dazu gekommen ist.«

Sie streckte ihren rechten Arm aus und nahm Charlie ein Glas ab. Die beiden stießen an. Charlie trank einen Schluck und verzog ihr Gesicht. Dann begann sie zu erzählen. Sie fing ganz von vorn an. Sie erzählte, wie ein großer Mann während eines Unwetters ein paar Wochen zuvor in einem Kamelhaarmantel mit einem Katalog unterm Arm in ihrem Büro aufgetaucht war. Sie erzählte, dass der Mann sie für eine Detektivin gehalten und ihr den Auftrag gegeben hatte, ein Gemälde zu finden, das 1959 gemalt worden war.

Charlie erzählte alles, was ihr während der Recherchen passiert war. Sie erzählte durcheinander, vergaß aber nichts. Wenn sie vom Ostpreußenviertel sprach, konnte man glauben, sie sei in jener Zeit dabei gewesen. Sogar die Gerüche beschrieb sie – den Gestank der frisch gebohnerten Treppen, den süßsauren Duft des Schwarzsauers auf dem Tisch mit der Wachstuchdecke in Lisa Jabals Küche. Sie erzählte von Pont-à-Mousson, von Paris und vom Müggelsee, von Theresa Neidhardt, Max Noske und natürlich auch von Mo Mommsen auf dem Klappstuhl am Grab.

»Ach, die kleine Mo, sie lebt also noch«, sagte Anna Baum. »Sie war so verzweifelt damals …«

»Ja, sie lebt noch. Aber nur im Gestern. Wenn sie nicht bei Jonas auf dem Friedhof ist, blickt sie aus dem Fenster auf das Haus Liselotte-Herrmann-Straße Nummer 10, so heißt die Allensteiner heute. Sie achtet darauf, dass die Gedenktafel nicht mit unanständigen Graffiti beschmiert wird. Sie führt ein trauriges Leben, aber sie weiß es zum Glück nicht.«

»Gedenktafel?«

»Man hat Jonas zu Ehren eine Tafel an dem Haus angebracht. Sie besteht aus schneeweißem Porzellan mit einer kobaltblauen Inschrift.«

»Würden Sie mich einmal dorthin begleiten, Charlie?«

»Gern, wir können dann auch Hennings Bierstube besuchen. Da ist heute ein Franzose drin.«

»Das machen wir. Und wenn Sie jetzt aufstehen und mir die Holzkiste bringen, die in der untersten Schublade des Sekretärs liegt, zeige ich Ihnen ein paar Geheimnisse, die Sie interessieren dürften.«

Charlie stand auf und ging zu dem Empire-Möbel. Sie öffnete die Lade und nahm eine reich an Intarsien verzierte Holzkiste heraus. *Wurzelholz,* dachte sie.

»Den Schlüssel finden Sie in der kleinen Schale neben Ernest.«

»Neben wem.«

»Neben Hemingway.«

Charlie brachte die Kiste ans Bett und hielt Anna Baum den Schlüssel entgegen.

»Schließen Sie sie auf, Charlie … Sie werden staunen über meine Preziosen. Ich bin nicht Mo Mommsen, aber auch ich habe meine kleinen Geheimnisse. Das Gestern hinterlässt Spuren. Man glaubt, man kann sich ihrer entledigen, indem man sie wegschließt, aber das stimmt nicht … Ich habe über vierzig Jahre nicht in diesen Kasten geguckt. Ich hatte ihn vergessen. Und jetzt kommen Sie und stellen Fragen …«

Charlie sah Anna Baum an wie ein Lebewesen von einem anderen Stern, sie erinnerte sich an den ersten Auftritt dieser Frau am Geburtstag ihrer Schwiegertochter. Sie sah, wie sie in dem verunreinigten Nachthemd vor sechzig modernen Berlinern tanzte – vor Schönheitschirurgen und Anwälten, vor Boutiquenbesitzerinnen, Russinnen und Ukrainerinnen, die alle die gleiche blonde Frisur trugen. Pony bis auf die Brauen, so gerade, als habe man mit dem Lineal einen Strich gezogen.

Wie ein Tornado hatte Anna Baum diese Gesellschaft überfallen und aufgemischt.

Manchmal muss man einfach was riskieren!

»Nun schließen Sie das Ding schon auf, Charlie. Sie haben damit angefangen, nun bringen Sie's auch zu Ende.«

Charlie drehte den kleinen Schlüssel im Schloss um und öffnete die Holzkiste. Dann leerte sie, bevor sie einen Blick in die Kiste warf, ihr Glas mit dem Highländer in einem Zug. Anna Baum tat es ihr gleich.

Zuerst sprang Charlie eine kleine Metallplatte ins Auge. Sie nahm sie heraus und legte sie auf Zeige- und Mittelfinger. Die Platte wog schwer. Charlie wusste sofort, um was es sich bei dem Objekt handelte. Es war Max Noskes erste Erfahrung mit Linotype in der Setzerei Luckner in der Kochstraße. Sie drehte die Platte um und las erhaben *Jonas & Louise*.

»Max hat sie Jonas geschenkt …«, sagte Anna Baum.

»Ich weiß«, antwortete Charlie. »Das war an dem Tag, als das *Magazin* erschienen ist. Sie sind aus Paris von der Beerdigung gekommen …«

»Sie wissen alles, Charlie …«

Charlie antwortete nicht. Anna Baums Satz klang in ihren Ohren wie: *Du weißt gar nichts, Mädchen. Du hast keinen blassen Schimmer.*

Charlie legte die Bleiplatte auf die Patchwork-Decke und nahm ein Blatt Papier aus der Kiste. Sie faltete es auseinander und las, fein säuberlich in deutscher Fraktur, das Rezept für Schwarzsauer mit Gänseklein.

»Sie haben eine schöne Schrift, Anna.«

»Das ist nicht meine Schrift«, antwortete Dans Mutter. »Lisa Jabal hat mir das Rezept aufgeschrieben. Sie hat mich gemocht. Und ich sie auch.«

Charlie nahm einen Umschlag aus der Kiste. Sie sah Anna Baum an. Die nickte. Charlie riss den Umschlag auf und zog einen grasgrünen BRD-Pass heraus. Sie schlug ihn auf und sah Jonas Jabal ins Gesicht. Schwarzweiß, fotografiert von Mo Mommsen. Die Narbe unter seinem rechten Auge war zu erkennen. Seine Haare standen in alle Richtungen, die Ohren ab. Er wirkte ein wenig ausgehungert. Charlie sagte nichts, und Anna Baum antwortete nicht auf nichts.

Während Charlie das Dokument auf die Bettdecke legte, fielen zwei Karten heraus. Es waren Tickets für die Deutschlandhalle. Chris Barber und seine Band, dreizehnter Juli 1959.

Anna Baum bewegte ihren Kopf mit geschlossenen Augen zu den ersten Takten des Liedes, ihres Liedes. Charlie musste gar nichts hören, sie erkannte an den Bewegungen, dass sie der Klarinette Monty Sunshines folgten. Als Anna Baum ihre Augen wieder öffnete, sagte sie: »Sie haben keine Ahnung, Charlie. Von nichts. Von nichts haben Sie eine Ahnung. Sie mögen eine gute Detektivin sein, aber Ahnung haben Sie nicht.«

Charlie lächelte. »Darf ich das öffnen?«, fragte sie. Sie hielt ein in rotes Seidenpapier verpacktes Päckchen in der Hand, das von einem blauen Band zusammengehalten wurde. *Leb wohl, Berlin!* dachte sie. Es war das gleiche Material, in das der Isherwood verpackt gewesen war. Louise hatte Jonas das Buch an ihrem letzten gemeinsamen Abend als Präsent überreicht.

Charlie zog das Band auf und entfernte das Papier. Vor ihr lag das blauweiß gestreifte Leibchen. Am linken Träger und auf Brusthöhe waren ein paar tiefbraune Flecken zu erkennen. Jonas hatte mit der flachen Hand zweimal kräftig zugeschlagen, einmal von links und einmal von rechts. Oder umgekehrt. Egal, er hatte so stark zugeschlagen, dass Blut geflossen war.

»Es gehört Ihnen, Charlie. Ich schenke es Ihnen. Vielleicht haben Sie damit mehr Glück als ich.«

»Waren Sie auf Jonas' Beerdigung, Anna? Theresa hat Sie auf dem Friedhof gesehen. Sie sagt, Sie haben eine zitronengelbe Caprihose getragen, eine schwarze Bandana und dieses Hemd. Sie sagt, Sie standen hinter einer alten Eiche, fünfzig Meter abseits vom Grab.«

»Theresa hat sich getäuscht. Ich habe erst zwei Tage nach der Beerdigung von seinem Tod erfahren. Vielleicht war bei ihr der Wunsch der Vater des Gedankens. Sie hat in mir ihre Freundin gesehen. Aber ich war nicht da. Meine Eltern haben mich zwei Wochen nach dem Vorfall in der Allensteiner Straße nicht aus dem Haus gelassen.«

»Sie haben sich ziemlich schnell nach Jonas Tod wieder verliebt und geheiratet, nicht wahr?«

Charlie wusste, dass sie wahrscheinlich jetzt auf den heikelsten Moment des Abends hinarbeitete.

»Ich habe den besten Mann abbekommen, den man sich denken kann, Charlie. Ohne ihn wäre ich damals zugrunde gegangen. Ich habe ihn schnell geheiratet, ja ... aber verliebt habe ich mich erst viel, viel später in ihn. Daniels Vater war der richtige Mann im richtigen Moment für mich. Er war übrigens schon in mich verliebt, bevor mir Jonas über den Weg gelaufen ist.«

»Sie sagen, Daniels Vater?«

»Sicher, Daniels Vater. Was soll die Frage? Machen Sie mich jetzt nicht böse. Mein Mann hat aus Daniel das gemacht, was er ist: einen Prachtkerl, auch wenn er manchmal Dummheiten begeht.«

»Dummheiten?«

»Ja. Wenn er zum Beispiel die falsche Frau heiratet und ich mich zum Guignol machen muss, um das zu korrigieren. Oder wenn er attraktive Privatdetektivinnen engagiert, obwohl es gar nicht nötig ist.«

Charlie verkniff sich ein Lachen.

»Ihr Mann hat Ihnen das Selbstporträt von Jonas' geschenkt, das unten in der Halle hängt?«

»Ja, das hat er. Er hat es mir zur Hochzeit geschenkt.«

»Er hat Ihnen zur Hochzeit seinen Vorgänger geschenkt, in Öl gemalt. Hat das nicht was Sonderbares?«

»Nein, das hat Klasse, Charlie. Aber ich sage ja, davon verstehen Sie nichts. Davon haben Sie keine Ahnung.«

Diesmal unterdrückte Charlie ihr Lachen nicht. Mit ihrer nächsten Frage ließ sie es einfach darauf ankommen: »Und *Louise im blauweiß gestreiften Leibchen*? Hat das Gemälde auch Ihr Mann besorgt?«

Anna Baum tat so, als habe sie Charlie nicht gehört, sie blickte in die Holzkiste und nahm eine mit Blut gefüllte Glasperle an einer Nadel heraus. »Die hier haben Sie vergessen, Charlie. Die ist von Jonas, Sie besitzen die von Max Noske.« Anna Baum stockte kurz, dann fügte sie hinzu: »Ich wusste, dass Sie mir auf den Fersen sind, als Sie vor ein paar Tagen mit dem Ding am Revers Ihrer Lederjacke hier auftauchten. Sie wollten mir ein Zeichen geben. Ich täusche mich doch nicht, oder?«

»*Louise im blauweiß gestreiften Leibchen …*«, wiederholte Charlie. »Ich habe nach *Louise* gefragt?«

»Die hat nicht mein Mann besorgt, nein. Das hat mein Vater erledigt …«

»Und der hat das Bild dann vernichtet? Verbrannt?«

»Kommen Sie, Charlie. Lassen Sie uns runter gehen. Nehmen Sie Ihr Glas, und lassen Sie uns gehen …«

Anna Baum erhob sich vom Bett, sie zog den Gürtel des rosafarbenen Morgenmantels straff und ging zur Tür. Charlie folgte ihr bis in die Küche, die wie neu glänzte. Irma war gegangen. Ihre weiße Schürze lag über dem Stuhl, auf dem Charlie gesessen hatte.

»Zur Feier des Tages gönnen wir uns noch einen«, sagte Anna Baum. Sie füllte die beiden Gläser mit Whisky und Eis, dann forderte sie Charlie wieder auf, ihr zu folgen. Auf den Stufen, die in den Keller führten, fragte Sie: »Wie viel hat Ihnen Daniel gezahlt, *Louise* zu finden?«

»Fünftausend Euro.«

»Fünftausend inklusive Erfolgsprämie?«

»Wir haben keine Erfolgsprämie ausgemacht.«

»Das war ein Fehler, Charlie.«

Die beiden Frauen standen im Keller. Das Licht war grell, Neonröhren strahlten von den Decken.

»Ich bin Jahre nicht mehr hier unten gewesen«, sagte Anna Baum. Sie zeigte nach rechts. »Dort hinten befinden sich Daniels Sachen. Und das hier …«, sie zeigte geradeaus, »das ist unser Weinkeller, wir haben Weine aus aller Welt, nicht nur aus Frankreich und Italien, auch aus Ägypten und Südafrika. Und kosheren Wein haben wir natürlich auch. Alles nur das Beste vom Besten. Hier links … hier, Charlie, in diesem Aluminiumkäfig liegt meine Vergangenheit begraben. Öffnen Sie die Tür und lassen Sie uns hineingehen …«

»Sie hat ein Vorhängeschloss.«

»Richtig, ja. Ich habe es wegen meiner Enkelkinder anbringen lassen. Ben hat hier einmal sein Unwesen getrieben. Das ist ein Zahlenschloss, nicht wahr? Ich habe meine Brille oben liegen lassen. Öffnen Sie es – eins sieben eins null.«

Siebzehn zehn, dachte Charlie, *siebzehnter Oktober, Jonas' Geburtstag.* Sie dreht die Kombination.

Der Kellerraum war prall gefüllt. Charlie sah einen alten Schrank mit Glasvitrinen, in denen eine ganze Sammlung von Gallé-Vasen stand, sie sah überfüllte Bücherkisten und lange Stangen aus Metall, an denen ein gutes Dutzend Kleider hing, sauber verpackt in durchsichtigen Plastikhüllen. Auf einem Holzbrett lag ein altes Transistorradio, ein *Sternchen*, hergestellt von VEB Sternradio Sonneberg. Aus einer Kiste ragte ein weißes Fotoalbum heraus, in das Leder des Umschlags war der Name *Daniel* eingebrannt. Charlie nahm das Album in die Hand und öffnete es. Auf der ersten Seite sah sie eine glückliche Kleinfamilie: Anna Baum und ihr Mann, der, ein wenig ungelenk, einen Säugling im Arm hielt. Im Hintergrund parkte ein knallroter Citroën DS. *Daniel im Juni 1960, vier Monate alt,* stand in hellblauer Tinte und geschwungener lateinischer Schrift unter dem Foto, das in Farbe aufgenommen war, aber wie nachträglich koloriert wirkte.

»Das ist nicht interessant für Sie, Charlie«, sagte Anna Baum. »Ich glaube, Sie suchen das dort …« Daniel Baums Mutter deutete auf den schmalen Zwischenraum von Schrank- und Kellerwand. »Ziehen Sie es raus.«

»Ich weiß nicht«, sagte Charlie, sie zögerte. »Das gefällt mit nicht.«

»Nun machen Sie schon, Frau Detektivin … Erledigen Sie Ihren Job.«

Charlie zog das Objekt heraus. Es war in mehrere vergilbte Bettlaken verpackt und maß etwa einen Meter zwanzig in der Höhe und knapp einen Meter in der Breite. Kräftige Bänder hielten die Laken zusammen. An allen Ecken und Enden entdeckte sie doppelte und dreifache Knoten, so als habe ein Entfesselungskünstler sich besonders viel Mühe gegeben, den Gegenstand zu verpacken.

»Nehmen Sie ein Messer«, sagte Anna Baum. »Dort liegt eines auf der Bücherkiste …« Sie zeigte mit dem Finger auf einen Karton.

»Nein«, antwortete Charlie. Und dann noch einmal: »Nein.« Ihre Stimme klang trotzig. Sie sah die Szene an dem brütend heißen Sonntagnachmittag vor sich, sie sah wie Louise den Maler auf der Chaiselongue liebte, und sie sah sie danach, wie sie sich am Waschbecken für das Gemälde inszenierte, das ihren Namen tragen sollte. Während Jonas seine Augen geschlossen halten musste, sah Charlie, wie Louise sich das blauweiß gestreifte Leibchen über ihren nackten Oberkörper streifte, sie sah, wie sie das Gummi von ihrem Pferdeschwanz löste und ihren Kopf schüttelte, damit die Haare schön fielen.

Bei dem Gedanken daran stieg Charlie der Geruch von Terpentin in die Nase. Sie sah die Tasse mit dem abgebrochenen Henkel im Spülstein.

»Was ist los, Charlotte Pacou?«, fragte Anna Baum. »Wollen Sie es nun auspacken oder nicht? Sie sind am Ziel. Sie haben erreicht, was Sie wollten.«

»Nein, ich packe es nicht aus. Ich glaube, wir lassen alles, so wie es ist«, antwortete Charlie und schob das Gemälde wieder in den Spalt zwischen Schrank- und Kellerwand.

»Und Daniel, ihr Auftraggeber?«

»Der wird auch ohne das Bild glücklich werden.«

Sechsunddreißig

Daniel Baum hatte es nicht geschafft, in dieser Nacht Ende Dezember 2007 aus Frankfurt zurückzukommen. Charlie war dem Schicksal dafür dankbar gewesen. Die Vorstellung, er hätte seine Mutter und sie in dem Keller überrascht, behagte ihr gar nicht.

Nachdem die beiden Frauen *Louise* in dem Aluminiumverschlag zurückgelassen und die Tür wieder hinter ihr verschlossen hatten, hatten sie noch gemeinsam ihre Gläser in der Küche geleert. Dann hatten sie sich wieder in den ersten Stock begeben und waren schlafen gegangen, Anna Baum im linken Flügel der Villa, Charlie im rechten.

»Ich glaube, wir haben alles richtig gemacht, Charlie«, hatte ihr Anna Baum beim Abschied hinterher gerufen.

Und Charlie hatte geantwortet: »Ja, ich bin mir sogar sicher, Anna.«

Es war halb zwei Uhr in der Nacht gewesen.

Am nächsten Morgen um kurz nach acht stand Dan vor dem Bett, in dem Charlie schlief. Er weckte sie, indem er an ihrem großen Zeh zog. »Aufstehen«, sagte er, bevor er sein Jackett auf einen Sessel warf, »sonst schaffen wir den Flug nicht. Er geht in drei Stunden.«

»Drei Stunden«, murmelte Charlie und vergrub ihren Kopf in dem Kissen. Sie hatte sich vorm Schlafengehen nicht abgeschminkt, und ein Gummi hielt immer noch ihre Haare zusammen. Für beides machte sie Anna Baums Highländer verantwortlich. »Wohin fliegen wir denn? Oder willst du es mir noch immer nicht verraten?«

»In die Sonne. Dorthin, wo man Kokosmilch aus Kokosnüssen trinkt.«

»Nein, Dan, bitte nicht. Ich will hier bleiben. Kannst du die

Reise nicht stornieren?« Charlie räkelte sich wie eine Katze zwischen den Daunen. Dabei gab sie Laute von sich, die Dan vorher noch nie gehört hatte.

Er spürte, dass sie es ernst meinte. »Sicher kann ich das. Aber was willst du hier machen? Bei dem Wetter? Du willst doch nicht ans Brandenburger Tor gehen und eine leere Flasche an den Kopf kriegen?«

Charlie tat so, als überlegte sie. Dann sagte sie: »Am Wochenende würde ich gern einen Segeltörn auf dem Müggelsee machen. Und Montag ... Montag ist doch Silvester?«

Dan nickte.

»Und Montag würde ich gern mittags mit dir ins KaDeWe gehen und ein Pfund Kaviar und hundert Blinis essen.«

Dan verdrehte die Augen und sah an die Decke.

»Und am Silvesterabend hätte ich nichts dagegen, in diesem Bett zu liegen und *Singin' In The Rain* zu gucken. Ich gucke den Film immer zu Silvester. Ich bilde mir dann immer ein, das kommende Jahr wird dadurch besser. Oder jedenfalls fröhlicher. Und außerdem liebe ich es, wenn Cosmo Brown die Wände hoch läuft. Menschen, die die Wände hoch laufen können, finde ich einfach wunderbar, sie sind etwas ganz besonderes. Und Cosmo kann sogar über Kopf an der Decke entlanglaufen.«

Dan hörte Charlie sprachlos zu.

»Du weißt, wie *Singin' In The Rain* auf deutsch heißt?«, fragte sie.

»Nein, das weiß ich nicht. Keine Ahnung.«

»*Du sollst mein Glückstern sein.*«

Dan schüttelte den Kopf, er lächelte und löste dabei seine Krawatte.

»Warum schüttelst du den Kopf?«, fragte Charlie.

»Weil ...« Dan machte eine Pause. »Wir können alles machen, was du vorschlägst, Charlie. Nur mit dem Bootstörn hab ich meine Zweifel. Ich kenne keinen Skipper, der sich traut, zu dieser Jahreszeit und bei dem Wetter seine Jolle zu wassern. Und, wie ich dich kenne, du hast dir sicher eine Jolle vorgestellt.«

»Ja, das hab ich. Du kannst Gedanken lesen. Ich bin mir aber sicher, wir finden einen Skipper. Ein Mann, der für ein paar Tage mit seiner Freundin in der ersten Klasse auf eine kleine Insel im Indischen Ozean fliegen kann, der schafft es auch, im Dezember eine Jolle auf den Müggelsee zu bringen.«

»Woher weißt du, dass ich auf eine Insel in den Indischen Ozean fliegen will?«

»Ich bin Privatdetektivin, Dan. Hast du das vergessen?«

Die folgenden Tage verbrachten die beiden, wie Charlie es sich in ihrer Vorstellung ausgemalt hatte. Am Sonntagmorgen gegen elf Uhr saßen sie nebeneinander in einer Jolle und segelten vom Müggelhort Richtung Rübezahl. Sie waren dick eingepackt, Dan trug einen blauen Rollkragenpullover, eine gelbe Ölhaut und eine Pudelmütze ohne Pudel. Charlies Rollkragenpullover war knallrot, ihre Ölhaut dunkelblau. Sie sah aus wie ein Tuschkasten. Auf ihrem Kopf saß, wie angewachsen, ein gelber Südwester, dessen breite Krempe auf ihren Augenbrauen ruhte.

Als sie an einem Bootssteg vorbeisegelten, sagte Charlie: »Hier irgendwo müssen die Blahniks ihre Datsche gehabt haben.« Sie zog ein Transistorradio aus der Tasche der Ölhaut, schaltete es an und suchte einen Sender, der Jazz spielte. Sie hatte Schwierigkeiten damit. »Warum gibt es den RIAS nicht mehr?«, murmelte sie.

»Das Radio kenne ich«, sagte Dan. »Wo hast du es her? Ich hatte als Kind so ein Ding. Es heißt *Sternchen*. Baujahr 1959. Ich habe mal einen Artikel darüber gelesen. Es war das erste Transistorradio der DDR.«

Charlie antwortete nicht.

Eine halbe Stunde später erreichten sie das Restaurant Rübezahl, wo sie, auf Charlies Wunsch, auf einen Drink einkehren wollten. Aber *des Volkes wahrer Himmel*, wie Boris Blahnik den Ort genannt hatte, war geschlossen.

»Damit habe ich gerechnet«, sagte Dan. Er zog einen in Schweinsleder gehüllten Flachmann aus seiner Jacke und reichte ihn Charlie.

»Was ist da drin?«, fragte sie.

»Die Medizin meiner Mutter.«

Zuerst nahm Charlie einen kräftigen Schluck, dann Dan. Beide verzogen ihr Gesicht, bevor sie sich umarmten.

Sie umarmten sich lange.

Auch den letzten Tag des Jahres verbrachten sie so, wie Charlie es sich ausgemalt hatte. Mittags gingen sie ins KaDeWe und aßen Kaviar, zwar nicht ein ganzes Pfund, aber doch eine gehörige Portion, und den Abend verbrachten sie in der Bismarckallee. Sie aßen zuerst Würstchen mit Kartoffelsalat unter dem Rindvieh von Courbet, danach legten sie sich ins Bett, um den Film zu gucken.

Anna Baum hatte an dem Abend selbst etwas vor. »Ich gehe mit Irma bei einem Franzosen in der Bötzowstraße essen und anschließend auf den Schwof«, hatte sie geantwortet, als ihr Sohn wissen wollte, wie ihr Programm in dieser letzten Nacht des Jahres aussah.

Später am Abend äußerte Dan sein Erstaunen über die Wahl des Restaurants seiner Mutter. »Hast du ihr davon erzählt?«, fragte er Charlie. »Ja, ich habe ihr Chez Maurice empfohlen«, antwortete sie. »Ich habe gedacht, es könnte ihr dort gefallen.«

Dass Anna Baum den Ort unter einem anderen Namen kannte, hatte sie ihm verschwiegen.

Auch über *Louise im blauweiß gesteiften Leibchen* schwieg sie in den Tagen des Jahreswechsels. Sie erwähnte das Gemälde nicht mehr, und das Mädchen aus dem Westen, das es darstellte, erst recht nicht. Charlie nahm in Kauf, dass Dan annahm, sie sei an der Durchführung ihres Auftrags gescheitert.

Am dritten Januar des Jahres 2008 stand sie morgens um halb neun angezogen vorm Bett in der Bismarckallee, das sie seit der Silvesternacht außer zur Nahrungsbeschaffung nicht mehr verlassen hatte. Sie trug ihre alten Jeans, die Converse mit den Totenköpfen und den grauen Pullover mit dem Brandloch am Ärmel.

Dan schlief noch. Als sie ihn weckte, sah er aus wie ein Vogel, der aus dem Nest gefallen war, seine rotbraunen Haare standen in alle Richtungen.

»Wohin gehst du?«, fragte er.

»Arbeiten«, antwortete sie.

»Und heute Abend …«

»Heute Abend machen wir das, was du willst, Dan. Wie immer.«

Um kurz nach neun traf sie in der Lietzenburger Straße ein. Sie hatte den Bus vom Hagenplatz genommen und war auf den letzten zweihundert Metern, die sie zu Fuß zurücklegen musste, nass geworden. Es hatte angefangen zu regnen, und sie fror.

In ihrem Büro drehte sie die Heizung auf. Dann nahm sie die Post in die Hand, die einer der beiden Reporter von nebenan auf den Eichenschreibtisch gelegt hatte. Es waren drei Briefe, zwei Rechnungen und ein hellbrauner Umschlag aus Paris, abgestempelt in einem Postamt an der Place Saint Sulpice im sechsten Arrondissement.

Charlie riss den hellbraunen Umschlag auf und zog einen Brief von Max Noske und einen zweiten Umschlag heraus. Sie las zuerst den Brief. Der Galerist teilte ihr mit, dass er im Februar für drei Tage zur Berlinale kommen werde. Er treffe Julian Schnabel wegen eines Filmprojekts, schrieb er, und er hoffe, dass auch Charlie ein wenig Zeit mit ihm verbringen könne. Zu gern käme

er auf ihr Angebot zurück, einen Spaziergang durch das Ostpreußenviertel von heute zu unternehmen. Außerdem würde er gern
noch einmal mit ihr zusammen auf dem Fahrrad über die Jannowitzbrücke fahren. Im PS des Briefes schrieb er, der Inhalt des anderen Umschlags sei sein Vorschuss für ihre Bemühungen.

Charlie riss auch diesen Umschlag auf und zog ein französi-
sches Schulheft heraus. *Für Mutter*, las sie auf dem Etikett in fein
säuberlicher Handschrift. Ihr schoss das Blut in den Kopf, ihre
Hände begannen zu zittern. Sie schlug das Heft auf und blickte
auf Rodins *Höllentor*. Statt des *Denkers* sah sie die Skizze von
Louise, gezeichnet mit dem weichsten der fünf Bleistifte, die Jonas Jabal zusammen mit dem Heft in der Papeterie in der Rue de
Varenne gekauft hatte.

Charlie betrachtete die Zeichnung lange, bevor sie umblät-
terte und die ersten Zeilen des Tagebuchs las. Sie las nur die ersten Zeilen, die sie schon kannte, dann blätterte sie zurück und
trennte die Seite mit der Zeichnung vorsichtig aus dem Heft heraus. Mit einer Heftzwecke befestigte sie das Blatt dann an einem
der beiden Rollschränke, die der alte Detektiv Adam ihr hinterlassen hatte. Das Heft selbst legte sie zusammen mit der Blutnadel und dem Katalog in die unterste Schublade des Schreib-
tischs.

Jetzt hatte auch sie wie Mo Mommsen und Anna Baum ihre
Jabal-Kiste. Sie verschloss den Schreibtisch und schaltete den
Rechner an. Während er hochfuhr, lief sie nervös in dem Büro
auf und ab, war sie wirklich in der Verfassung sich jetzt Philipp
Bach zuwenden?

Sie zweifelte.

Sie warf einen Blick aus dem Fenster auf die Lietzenburger
Straße. Es hatte aufgehört zu regnen, ein paar Sonnenstrahlen
kämpften sich durch die Wolken. Sie ging zurück zum Schreibtisch und setzte sich vor den Rechner. Neben ihr lag die Mappe,

die sie mit der kryptischen Frage *Was soll eigentlich aus Mittel-europa werden, wenn ich eines Tages Tod bin?* beschriftet hatte.

Schließlich wandte sie sich ihrem Rechner zu. Auf dem Bild-schirm suchte sie das Dokument, das mit *Philipp Bach* untertitelt war. Sie fuhr mit dem Pfeil der Maus auf das Word-Icon und be-wegte es in den Trashcan des Rechners. Dann rief sie eine neue Word-Seite auf und schrieb: *Das viel zu kurze Leben des begnade-ten Malers Jonas Jabal. Die Geschichte eines Selbstmords.* Dabei lä-chelte sie und sagte leise zu sich selbst: »Manchmal muss man ein-fach was riskieren, Charlie.«

Auf der Suche nach einem Platz in der Welt

Weil sie keinen Vater haben und ihre Mutter nichts mehr auf die Reihe kriegt, sind die Geschwister Oskar und Lilli von zu Hause ausgerissen. Von der Polizei aufgegriffen, werden die Kinder in unterschiedlichen Pflegefamilien untergebracht. Nun haben die beiden das Letzte verloren, was sie in ihrer Not noch hatten: einander. Mit ihren neuen Familien haben es beide nicht gut erwischt. Doch in dem Haushalt, in dem Oskar lebt, gibt es eine ältere Frau, Erika, mit der er sich anfreundet und die ihm ihr Vermögen vermacht. Nach ihrem Tod holt Oskar seine Schwester Lilli ab, und gemeinsam mit Bruno, dem Lastwagenfahrer, brechen sie in eine Zukunft auf, die nur besser sein kann. Ein ungewöhnliches Buch voll Traurigkeit und Poesie.

Monika Helfer
Oskar und Lilli

Roman

DEUTICKE

256 Seiten. Gebunden
www.deuticke.at